Dobre książki od 1991 roku
20 lat
MULTICO
TWÓJ PIERWSZY WYBÓR

POLSKIE SYMBOLE

POLISH SYMBOLS

Tekst / Text:
Jerzy Besala, Marcin Jamkowski,
Jacek Marczyński, Katarzyna Sołtyk,
Piotr Wierzbowski, Wieńczysław Zaczek

Zdjęcia / Photos: strona/page 216

Tłumaczenie / Translation:
Zygmunt Nowak-Soliński, Tomasz Jarmużek,
Sandra Wierzbicka

Pomysłodawca i redaktor prowadzący
Senior Editor: Katarzyna Sołtyk

Projekt graficzny / Graphic Design:
Monika Żyła

Redakcja / Editors:
Katarzyna Wierzba, Katarzyna Sołtyk,
Wieńczysław Zaczek

Fotoedytor / Photo Editor:
Katarzyna Sołtyk

Skład / Composition:
Elżbieta Pich, Marta Zięba

Obróbka kolorystyczna zdjęć
Photo images colour correction:
Art Graph

Korekta / Proofreading:
Grzegorz Żądło, Zygmunt Nowak-Soliński

Produkcja / Production:
Jadwiga Szczęsnowicz

Druk i oprawa / Printed and Bound:
OZGraf – Olsztyńskie Zakłady Graficzne S.A.

MULTICO Oficyna Wydawnicza sp. z o.o.
02-589 Warszawa
ul. Kazimierzowska 14
tel.: 22 564 08 00, faks: 22 564 08 03
e-mail: biuro@multicobooks.pl

Jerzy Besala, Marcin Jamkowski, Jacek Marczyński,
Katarzyna Sołtyk, Piotr Wierzbowski, Wieńczysław Zaczek

POLSKIE SYMBOLE

100 miejsc, postaci, wydarzeń, osiągnięć ważnych dla Polski, Europy i świata

POLISH SYMBOLS

100 places, people, events, achievements important for Poland, Europe and the World

MULTICO Oficyna Wydawnicza

Polska Prezydencja w Unii Europejskiej to czas wzmożonego zainteresowania naszym krajem. Odwiedza nas coraz więcej zagranicznych gości, którzy chcą dowiedzieć się o Polsce jak najwięcej. Jest to więc najlepszy moment na zaprezentowanie się światu.

Fundacja Kocham Polskę powstała z poczucia dumy z Polski. Od początku istnienia przyświeca jej idea promowania naszego kraju. Chcemy, by poznano nas z jak najlepszej strony. Mamy też nadzieję, że lepiej poznana Polska stanie się modna i będzie doceniana w świecie.

Ale czy my, Polacy, potrafimy się chwalić swoją Ojczyzną? Czy wiemy, jak najciekawiej zaprezentować jej bogatą kulturę, naukowy dorobek i wkład w rozwój Europy i świata? Czy potrafimy ukazać jej wyjątkowe piękno i charakter? Przekonać cudzoziemców, że Polska jest krajem gościnnym, przyjaznym i otwartym?

„Polskie symbole" zrobią to za nas lub, jeśli tylko zechcemy, nauczą nas tego. To książka, jakiej jeszcze nie było. Wyjątkowy wyraz naszej narodowej dumy!

„Polskie symbole" to najlepsza wizytówka Rzeczypospolitej i doskonałe źródło wiedzy o niej.

Fundacja Kocham Polskę

KOCHAM POLSKĘ

The Polish Presidency of the European Union will mark a period of increased interest in Poland. The country will be visited by an increased number of foreigners who will want to know more about our homeland. This is therefore the best moment to present Poland to the world.

The Kocham Polskę Foundation was created from a feeling of national pride in Poland. From its beginnings it has been focused on promoting our homeland. We want our country to be presented in the most favourable way that through a better understanding it will be seen as a modern country appreciated around the world.

But are we Poles confident enough in our ability to praise our homeland adequately? Do we know how to effectively present our rich culture and scientific contribution to the development of Europe and the world? Are we able to convey our country's authentic beauty and character, convincing foreigners at the same time that Poland is a hospitable and welcoming place?

'Polish symbols' can do this and if there is a need it will teach you how to do it. This is a publication like no other before it, a unique expression of Polish national pride!

'Polish symbols' is the best visiting card of the Polish Republic and the best way of getting to know our country.

Love Poland Foundation

KOCHAM POLSKĘ

Spis symboli / Symbols contents

WSTĘP

POLSKA DROGA DO EUROPY była długa, wyboista i trwała przeszło dziesięć wieków. Choć przecież zawsze w niej byliśmy. Czasem tylko wymazywano nas z mapy, ale jako naród uparty ciągle wracaliśmy na swoje, przyznane nam przez historię, miejsce. W samym sercu Europy.

Od chwili przystąpienia do Unii Europejskiej coraz bardziej stapiamy się z nią, podlegając swoistej unifikacji. Na szczęście, zgodnie z unijną dewizą *In varietate concordia* (Jedność w różnorodności), ciągle też zachowujemy odrębność i niepowtarzalny czar, trudny do odnalezienia w innych krajach Starego Kontynentu.

Staropolskie porzekadło głosiło: „Gdańska gorzałka, toruński piernik, krakowska panna, warszawski trzewik – najlepsze rzeczy w Polsce". A z czym dzisiaj kojarzy się Polska? To zależy komu. Na pierwszym miejscu wszyscy zgodnie wymieniają Jana Pawła II, potem „Solidarność". Cudzoziemcy wspominają Lecha Wałęsę, Chopina (jeśli wiedzą, że był Polakiem), inni Kopernika (podobna historia), miłośnicy kina – Wajdę i Polańskiego, a kibice sportowi – Bońka lub Małysza. Dla nas samych symbolami Polski są Wawel, bociek i żubr. A także: religia i Jasna Góra, „złoto Bałtyku", czyli bursztyn, i Wisła, ostatnia tak wielka dzika rzeka Starego Kontynentu. No i oczywiście symbole narodowe: hymn – „Mazurek Dąbrowskiego", godło – orzeł biały – oraz biało-czerwona flaga.

Ale Polska ma znacznie więcej powodów do dumy. Niniejszy leksykon polskich symboli jest tego najlepszym przykładem. Jego celem jest przybliżenie naszego kraju światu, zaś Polakom przypomnienie tego wszystkiego, z czego powinni być dumni, o czym powinni wiedzieć i pamiętać. Prezentuje doniosłe wydarzenia z przeszłości, polskie odkrycia, wynalazki i największe osiągnięcia w wielu dziedzinach życia. A także wybitnych naukowców, którzy służyli światu swą wiedzą, i wielkich artystów zachwycających licznymi talentami. Wspomina wspaniałych wojowników, których nasza ziemia wydała bez liku – bo chyba żaden europejski kraj nie musiał tak długo i tak zaciekle walczyć o swoją suwerenność.

Symbol, według definicji encyklopedycznej, to znak umowny, występujący zwykle w formie wizualnej, pełniący funkcję zastępczą wobec pewnego przedmiotu (pojęcia, stanu rzeczy itp.), przywodzący ów przedmiot na myśl i budzący związane z nim reakcje. Dla nas „polski symbol" to każdy powód do dumy z Polski i faktu bycia Polakiem. Jedne z tych symboli zostały wprowadzone ustawami (symbole narodowe), inne utrwalały się przez tradycję, jeszcze inne tworzą się na naszych oczach i dopiero przyszłość pokaże, czy zostaną docenione, czy zapadną w pamięć przyszłych pokoleń.

100 symboli to zaledwie kropla w morzu polskich osiągnięć. Niemal każde nazwisko, miejsce czy wydarzenie, wspomniane choćby jednym zdaniem w tej książce zasługuje na odrębną monografię. „Polskie symbole" nie są więc obiektywną próbą wyczerpania tematu, lecz całkowicie subiektywnym wyborem, którego celem jest nie tylko edukacja, ale także prowokacja. Skłonienie do refleksji nad powodami do polskiej dumy narodowej. Każdy z nas, Polaków, może dopisać do tego leksykonu kolejne rozdziały – bliskie mu miejsca, ważne postaci i zagadnienia, za pomocą których chciałby zaprezentować Polskę światu.

Podróżujący po naszym kraju na początku XX w. William Joseph Showalter pisał: „Płomienna miłość Polaka do wszystkiego co polskie rzuca się w oczy każdemu, kto tu przyjedzie. Będzie ci on mówił, że ich kuchnia jest smaczniejsza niż ta w Paryżu, pejzaż bardziej malowniczy niż w jakimkolwiek innym kraju, mowa najbardziej melodyjna spośród wszystkich, jakie wyszły z ust ludzkich, że nie ma na świecie tańca porównywalnego z mazurkiem, a najpiękniejsze kobiety i najdzielniejsi mężczyźni, jacy stąpali kiedykolwiek po powierzchni ziemi, znajdują się właśnie pośród nich...". Czy jest ktoś, kto dzisiaj powtórzyłby te słowa sir Williamowi? Najwyższa pora przypomnieć sobie te czasy, kiedy Polaków przepełniała duma z własnej ojczyzny. Kiedy na każdym kroku powtarzali: Dobre, bo polskie!

INTRODUCTION

POLAND'S ROAD TO EUROPE has been long, rocky and has lasted over ten centuries, even though the country has always been an actual part of Europe. At one point in history the Polish state was erased from the map of the world, but the nation was persistent and strong enough to repeatedly re-emerge within its traditional borders – in the very heart of Europe.

Since becoming a member of the European Union, Poland has become an integral and worthy partner. The country holds fast to the European Union motto *In varietate concordia* (unity in diversity) yet manages to maintain its distinguishing characteristics and exceptional charm, perhaps difficult to find in some of the other Old Continent nations of today.

There is an old Polish saying: 'Drink from Gdańsk, gingerbread from Toruń, ladies from Kraków and shoes from Warsaw are the best things Poland has to offer'. What are the first things that come to mind when one thinks of Poland today? The answer depends on who is asked the question. Most people will unvaryingly start with John Paul II, followed by the 'Solidarity' movement. Foreigners mention Lech Wałęsa and Chopin (provided they realize he was Polish) others say Copernicus (by the same token) moviegoers opt for Wajda and Polański, whereas sports fans cheer Boniek and Małysz. To Polish people themselves the country's symbols are the Wawel Castle, animals such as the stork and the bison, the Christian religion, the Jasna Góra Monastery, the gold of the Baltic – amber, and the Vistula River, the last unregulated river of such length in Europe. Not to mention the national symbols – the anthem, *Mazurek Dąbrowskiego*, the White Eagle emblem and the white red flag.

But Poles have many more reasons to feel proud. This very lexicon of symbols of Poland is the best evidence. The goal here was to present Poland to international readers and to remind Poles themselves of everything they ought to know and take pride in. It presents the major historical events of the past, modern scientific discoveries, inventions and the greatest achievements in numerous spheres of more recent life. In addition, it includes those prominent scientists who served the world with their knowledge and great artists who have delighted their audiences with their talent. And we must not forget the illustrious warriors born here – no other European country has had to prepare so many of them in order to achieve independence.

According to the dictionary 'symbol' is a conventional sign, usually appearing in a visual form, taking the place of a specific object (notion, state, etc) reminding us of it and evoking emotions related to it. Polish people consider each of their country's symbols a reason to be proud of their roots and nationality. Some of the symbols were established statutorily (the national symbols) some gained their significance naturally as time passed, while others are still being established and only time will tell whether they will be accepted by future generations of Poles.

One hundred symbols is but a drop in the ocean of Polish achievements. Nearly every person, place and event – even if mentioned here briefly – deserves a separate monograph. '*Polish symbols*' is therefore not an objective attempt to exhaust the topic, but a highly subjective selection aimed not just to educate, but to provoke as well – an encouragement to consciously think of reasons for pride in one's nation. Every Pole reading it can extend it with additional chapters treating in them, for example, their personal and favourite sports, important historical events and many other topics worthy of being symbols of Poland abroad.

Traveling across Poland in the early 20th century, William Joseph Showalter wrote that 'Polespassionate love for anything that is local was clearly apparent, and that Poles would try to convince everyone that Polish cuisine is tastier than French, Polish landscape more picturesque than any other, Polish language the most melodic, the Polish mazurka unmatched, and that the most beautiful women and the most courageous men are Polish'. Is there anyone today who would be able to make a statement like Sir William's? It is time Poles remembered those occasions when their hearts were full of national pride and when they used to say proudly: 'Good, because Polish!'

Leksykon polskich symboli

Lexicon of Polish symbols

- Polskie araby uchodzą w świecie za wierzchowce dzielne, mocne, dobrze zbudowane oraz dumne
- Polish Arabian horses are regarded in the world as strong, brave, sturdy and proud

Araby i aukcja Pride of Poland

Arabian horses and the Pride of Poland Auction

Polska uchodzi za drugą, po Półwyspie Arabskim, ojczyznę końskiej arystokracji.

KAŻDEGO ROKU, w połowie sierpnia, cały koński świat spotyka się w Janowie Podlaskim na wielkim święcie – Dniach Konia Arabskiego – i jednej z najsłynniejszych aukcji wierzchowców – Pride of Poland (odbywa się ona nieprzerwanie od 1970 r., choć pod różnymi nazwami). Rytm życia najstarszej w Polsce państwowej stadniny koni wyznacza to właśnie wydarzenie. Rok dzieli się tu na trzy okresy: przed aukcją, w czasie jej trwania i po aukcji. I choć konie można oglądać i kupować przez cały rok, to na sierpniową imprezę przybywają najznamienitsi goście: europejscy hodowcy, tureccy dygnitarze, anglosaska arystokracja, amerykańscy milionerzy, a nawet arabscy szejkowie. Shirley Watts (żona słynnego perkusisty grupy The Rolling Stones) jest stałą bywalczynią, a wierzchowcami kupionymi na janowskich aukcjach zapełniła niemal całą swoją stajnię.

Wśród hodowców panuje opinia, że araby to konie wyłącznie piękne. Tymczasem polskie araby (Pure Polish) uchodzą w świecie za wierzchowce dzielne, mocne, dobrze zbudowane oraz dumne. Nasze hodowle słyną z pięknych klaczy. Na trwałe zapisały się w historii dwie najdroższe: Penicylina, za którą zapłacono 1,5 mln dol. na aukcji w USA w 1985 r., oraz Kwestura, wylicytowana za 1,125 mln euro w 2008 r. Ogiery również są wysoko cenione. El Paso, najdrożej sprzedany koń na aukcji janowskiej, osiągnął niebagatelną kwotę 1 mln dol., a gniady Bask dorobił się pomnika w USA, w Lexington (Kentucky). Do Stanów Zjednoczonych został sprzedany w 1963 r. Pozostawił po sobie ponad trzy tysiące synów i córek najwyższej klasy, za co odznaczono go Wielkim Orderem Zasłużonego dla Hodowli Koni.

Według legendy ta najpiękniejsza końska rasa pochodzi od pięciu klaczy Mahometa, na których uciekał on z Mekki do Medyny. W starych poradnikach można przeczytać, że „koń arabski winien być suchy, jak pieprz na pustyni. I lekki. Między szkieletem, a skórą, na głowie i kończynach, nie ma prawa mieć ani grama tłuszczu. Ni mięsa. Tylko skóra".

Najwyraźniej polski klimat przypadł do gustu tym szlachetnym wierzchowcom. W XVI w. król Zygmunt II August hodował je w Knyszynie, na początku XIX w. Wacław Rzewuski jeździł po nie do Syrii. U Beduinów zaopatrywały się znamienite rody posiadające własne stada w Jarczowcach (Dzieduszyccy), Białej Cerkwi (Braniccy), Sławucie (Sanguszkowie) czy Albigowej (Potoccy). Araby często służyły do uszlachetniania innych ras.

Dzisiaj w Polsce istnieją trzy państwowe stadniny arabów: w Janowie Podlaskim, Michałowie i Białce oraz wiele prywatnych. Zarejestrowanych jest prawie tysiąc klaczy i 160 kryjących ogierów. Są wśród nich siwki o sierści nieskazitelnie białej lub srebrzystej niczym księżycowa poświata, ich gniadzi kuzyni połyskujący w słońcu wszystkimi odcieniami mahoniu i nie mniej szlachetne, kasztanowate piękności czy niezwykle rzadkie „czarne perły" (ostatnio szczególnie w cenie).

Poland is regarded as the homeland of equestrian aristocracy, second only to the Arabic Peninsula.

EACH YEAR, in mid August, the world of horse breeders meets in Janow Podlaskie – Days of Arabian Horses – at one of the most famous auctions of saddle-horses, Pride of Poland (organised continuously since 1970, but under different names). The rhythm of the life of the oldest, national bloodstock stud in Poland is determined by this event. The year is divided into three periods: before the auction, during the auction and after the auction. You can buy and inspect horses throughout the whole year, but the majority of visitors such as: European breeders, Turkish dignitaries, Anglo-Saxon aristocracy, American millionaires and Arab sheiks arrive for the August event. Shirley Watts (wife of Charlie, Rolling Stones drummer) is a *habitué*, and has filled almost her entire stable with palfreys bought at auctions in Janow.

There is an opinion among breeders that Arab horses are beautiful horses whereas Pure Polish Arabian horses are regarded in the world as strong, brave, sturdy and proud. Our studs are famous for their beautiful mares with the two most expensive mares in history: Penicillin, sold for 1,5 mln dollars in 1985 at a USA auction and Kwestura sold for 1,125 mln Euro in 2008. Stallions are also highly priced. El Paso was the most expensive stallion sold at the Janow auction, and the bay Bask has a statue in Lexington, USA (Kentucky). He was sold to the USA in 1963 and has left over three thousand high class colts and fillies for which he was honoured with the Great Order for Breeding.

According to legend, the most beautiful race of horses are descended from the five mares on which Mohammed escaped from Mecca to Medina. In any old handbook you can read that 'an Arab horse should be dry, dry like pepper in the desert. And light. Between a skeleton and skin, the head and limbs having not a gram of meat or fat. Only skin.'

Apparently, the Polish climate suits these noble beasts. In the XVI century, King Zygmunt II August bred them in Knyszyn, and at the beginning of XIX century Wacław Rzewuski went to Syria looking for more horses. The Bedouins have supplied the best horses that are now part of the stables of Jarczowice (Dzieduszyc), White Church (Brannic), Sławuć (Sanguszkowie) and Albigów (Potocki). Arab horses have often been used to 'strengthen' other races.

Today there are three national Arabian horse studs in Poland, Janów Podlaski, Michałowice and Białka and many other, private ones with almost one thousand mares and 160 stallions registered. Among them can be found greys with flawless white coats of silver moon light. Their bay cousins shine in the sun with all the glossy tones of mahogany together with no less noble chestnut beauties. And those rare and remarkable 'black pearls'. They are precious examples of the *genus equus*, especially when it comes to their price.

A Polska szkoła archeologii

Polska jest archeologiczną potęgą nad Nilem.

■ Kazimierz Michałowski w swoim gabinecie w warszawskim Muzeum Narodowym
■ Kazimierz Michałowski in his office at the National Museum in Warsaw

ZAŁOŻYCIEL POLSKIEJ SZKOŁY ARCHEOLOGII, prof. Kazimierz Michałowski, mawiał, że „poziom kultury kraju mierzy się tym, czy prowadzi wykopaliska w Egipcie". Dzięki jego osobistemu zaangażowaniu Polacy nad Nilem należą dziś do ścisłej naukowej elity. Popiersie naszego naukowca stoi od 2007 r. przed Muzeum Egipskim w Kairze. Znalazł się tam obok Auguste'a Mariette'a, założyciela placówki, oraz Jeana-François Champolliona, który jako pierwszy odczytał egipskie hieroglify. W tym samym roku w muzeum odbyła się wystawa eksponatów odkrytych przez polskich egiptologów. W ten sposób uhonorowano 70-letnią pracę naszych naukowców w kraju faraonów.

Kazimierz Michałowski (1901–1981) zaczynał karierę archeologa w latach 30. w Grecji. Jeszcze przed II wojną światową uczestniczył w wykopaliskach nad Nilem – kopał wówczas w Górnym Egipcie. Po wojnie eksplorował nieznane dla archeologii regiony Nubii (południowy Egipt i północny Sudan), a jego odkrycia przekonały rząd w Kairze o konieczności ratowania zabytków, które znajdą się pod wodą po zbudowaniu tamy na Nilu w Asuanie. Do połowy lat 60. kierowana przez Michałowskiego polska misja odsłoniła spod piasków Sahary wczesnochrześcijańską bazylikę, nekropolię biskupów oraz pałac. Wykopaliska prowadzone pod ogromną presją czasu przywróciły do życia niezwykłą kolekcję sakralnych malowideł, które zakonserwowane zdobią dzisiaj Galerię Faras w warszawskim oddziale Muzeum Narodowego. To zresztą zawsze wyróżniało polską szkołę archeologiczną – współpraca archeologów z konserwatorami. Michałowski zapoczątkował także rekonstrukcję świątyni grobowej Hatszepsut – potężnej królowej Egiptu pochowanej w Deir el-Bahari. Dziś wymuskany przez pokolenia polskich uczonych obiekt jest obowiązkowym punktem programu na turystycznej mapie kraju.

Polscy archeolodzy dali się również poznać nad Nilem jako rewolucjoniści. Do niedawna obowiązywała teoria, że w początkach kraju faraonów istniały dwa zwalczające się królestwa – Dolnego i Górnego Egiptu. Tymczasem Krzysztof Ciałowicz i Marek Chłodnicki, prowadząc wykopaliska w Tell el-Farcha w Delcie Nilu, 120 km na północny wschód od Kairu, stwierdzili, że przed uformowaniem się państwa egipskiego egzystowały dwie

Polish school of archaeology

Poland is the archaeological authority on the Nile.

pokojowo do siebie nastawione kultury: na południu – Nagada, a na północy – dolnoegipska. Odnaleźli również imiona pierwszych władców kraju: Narmera i Iry Hora. Z kolei badania ucznia Michałowskiego – Karola Myśliwca, dyrektora Zakładu Archeologii Śródziemnomorskiej PAN – prowadzone w Sakkarze niedaleko Gizy i odkrycie grobowca wezyra (najwyższego urzędnika na dworze faraona) jednoznacznie pokazały, jak osłabienie władzy centralnej przyczyniło się do upadku Starego Państwa – pierwszego królestwa faraonów. Jedno z najważniejszych odkryć z późniejszego o 2,5 tys. lat okresu panowania Rzymian nad Nilem również należy do Polaków. Grzegorz Majcherek odsłonił w Aleksandrii najstarszy uniwersytet świata.

THE FOUNDER of the Polish school of archaeology, Kazimierz Michałowski, used to say that the cultural development of a country is measured by whether it carries out excavations in Egypt. Thanks to his personal involvement, Polish personnel on the banks of the Nile are the leading archaeological authority of the region today. In 2007, the bust of the Polish archaeologist was placed in front of the Egyptian Museum in Cairo, next to its founders Auguste Mariette and Jean-François Champollion, who was the first man to translate Egyptian hieroglyphs. During that same year, the museum exhibited the findings excavated by Polish Egyptologists and in this manner the work of Polish archaeologists in the land of the Pharaohs was honored.

Kazimierz Michałowski (1901–1981) began his career in archaeology in the 1930's in Greece. Before World War II, he participated in excavations beside the Nile River, working in Upper Egypt. After the war, he explored the regions of Nubia (southern Egypt and the northern Sudan) up till then unknown. His discoveries convinced the government in Cairo of the necessity of saving these historic sites which were to be flooded after the completion of the Aswan dam. Up to the mid 1960's, Michałowski's excavations revealed an early Christian basilica, a bishop's necropolis and a palace. The excavations, conducted under a great pressure of time, also brought to light an amazing collection of sacral paintings which, after renovation, decorate the Faras Gallery in the National Museum in Warsaw to this day – a noteworthy feature of Polish archaeology has been the continuous cooperation of excavators with conservators. Michałowski also initiated the reconstruction of the tomb of Hatshepsut, a notable Egyptian queen buried in Deir el-Bahari. Today, the tomb restored by the Polish team, is one of the most interesting and important destinations on the country's touristic route.

Polish archaeologists were known on the banks of the Nile as revolutionaries. Until recently, a popular theory was that in the early lands of the Pharaohs, there were two competing kingdoms, Upper and Lower Egypt. However, Krzysztof Ciałowicz and Marek Chłodnicki conducting excavations in Tell el-Farch in the Nile delta, 120 kilometers to the south-east of Cairo, announced that before Egypt came into existence, two peaceful tribes coexisted; Nagada in the south, and the Lower Egyptians in the north. They also discovered the names of the country's first rulers: Narmer and Iry-Hor. Research by Karol Myśliwiec (Michałowski's student) the head of the Mediterranean Archeology Department of the Polish Academy of Sciences, today the Mediterranean and Oriental Culture PAS, carried out in Sakkara, close to Giza, and his discovery of the tomb of a Vizir (the premier councilor at the court of the Pharaoh) clearly proved how much the weakening of the king's power contributed to the fall of the Ancient Country, the first Kingdom of the Pharaohs. One of the major discoveries from the 2,500 year period of Roman presence was also by Polish archaeologists such as Grzegorz Majcherek who discovered the world's oldest university in Alexandria.

■ Świątynia Hatszepsut. Od lat prace nad jej rekonstrukcją prowadzi polska misja archeologiczna
■ The Temple of Hatshepsut. Polish archeologists have worked on its reconstruction for many years

B Bałtyk

Największą dumą polskiego wybrzeża są piękne, szerokie, piaszczyste i naturalne plaże.

MORZE BAŁTYCKIE od początku dziejów państwa polskiego odgrywało niezwykle ważną rolę gospodarczą i polityczną. Było istotnym obiektem strategicznym i naszym oknem na świat, przyczyniając się do rozkwitu gospodarczego i kulturalnego kraju. Do Gdańska docierały statki i tratwy z polskim zbożem, chętnie kupowanym w Europie Zachodniej. Dzięki niemu rozwijały się rybołówstwo i przemysł stoczniowy, a w XX i XXI w. również turystyka, gdyż polskie plaże należą do najpiękniejszych na Starym Kontynencie. Są bowiem dzikie i naturalne, a nie zabetonowane, jak śródziemnomorskie kurorty. A zamiast hotelowych drapaczy chmur stoją przy nich kameralne pensjonaty.

O panowanie na Bałtyku i nad Bałtykiem rywalizowało kilka państw. Dlatego Polska często musiała walczyć o dostęp do morza, a na skutek wojen lub zawieranych układów politycznych kilkakrotnie go traciła i ponownie odzyskiwała. Kiedy więc po I wojnie światowej Rzeczpospolita odzyskała niepodległość, morze było przedmiotem swoistego kultu i dumy. Dlatego przejęcie we władanie fragmentu wybrzeża urosło do rangi symbolu narodowego i zostało uczczone pomnikiem. Uroczyste zaślubiny Polski z morzem odbyły się 10 lutego 1920 r. w Pucku – jedynym wówczas porcie morskim (Gdańsk miał bowiem status wolnego miasta). W ciągu kilku lat, by podnieść rangę polskiego wybrzeża i uniezależnić się od Gdańska, wybudowano Gdynię – nowy port, największy i najnowocześniejszy wówczas nad Bałtykiem.

Dzisiaj polskie wybrzeże ma 510 km. W większości są to łagodnie schodzące ku wodzie piaszczyste plaże, na które od wieków sztormy wyrzucają kawałki złocistych bursztynów. Ale są też wysokie klify na wyspie Wolin (70 m) i w Gdyni (60 m).

The Baltic Sea

■ Wybrzeże w Gdyni. Klif Redłowski ma 60 m wysokości
■ Gdynia coastline. Redłowski cliff 60 m high

The most remarkable parts of the Polish coastline are the beautiful and seemingly endless sandy beaches.

Bo wybrzeże Bałtyku to nieustająca walka dwóch żywiołów: lądu i morza. Pod naporem fal urwiste fragmenty osuwają się do morza. W sposób najbardziej spektakularny widać to w Trzęsaczu, gdzie natura niszczy nie tylko krajobraz, ale i boski przybytek – kościół, z którego została już tylko jedna ściana stercząca ponad wysokim klifem. W tym samym czasie w innych miejscach tworzą się nowe fragmenty lądu – mierzeje (m.in. Wiślana i Helska) oddzielające od fal morskich zatoki, a nawet całe jeziora (Gardno, Łebsko, Jamno).

Polskie plaże nad Bałtykiem należą do najpiękniejszych w Europie. Są szerokie (najszersza ma ponad 100 m i znajduje się w Świnoujściu) i oddzielone od lądu szerokimi pasami wydm oraz iglastych lasów, których żywiczny aromat miesza się ze słoną bryzą morską. Piasek jest na nich miękki i drobny jak mąka, w kolorze jasnego złota, a jego głównym składnikiem (90-95 proc. zawartości) jest kwarc. Do kurortów takich jak Krynica Morska, Hel, Łeba, Ustka, Mielno czy Świnoujście każdego roku ściągają tysiące miłośników kąpieli morskich i słonecznych, a także amatorów sportów wodnych, jak choćby windsurfingu, nurkowania wrakowego czy wędkarstwa morskiego.

Na skutek ocieplania klimatu i rosnących upałów polskie wybrzeże z roku na rok nabiera atrakcyjności. Bo kiedy przebywanie nad ciepłymi morzami staje się coraz trudniejsze do zniesienia, położony w strefie klimatów umiarkowanych Bałtyk wydaje się doskonałą alternatywą.

THE BALTIC SEA has played a significant economic and political role from the earliest days of the Polish state. As a major strategic objective and a gate to the outside world it contributed to the economic growth and the cultural development of the country. Gdańsk was the destination of ships and rafts on the Vistula River transporting Polish cereal, in great demand in Western Europe. In the 20th and 21st centuries, as the fishing and shipyard industries developed tourism grew in importance also with the Polish beaches, among the most beautiful in Europe, attracting crowds of visitors. However, the beaches have retained their pure and natural characteristic, unlike some of the Mediterranean over developed beach resorts. In place of high hotels, Polish resorts have modest guest houses.

A number of countries have over the centuries competed to dominate intrede on the Baltic Sea. Poland had to fight for its access to the sea which was cut and restored several times by wars and changing political climates. With the ending of the First World War and Polish independence regained, access to the sea was something to take pride in. And it was for this reason that control over a part of the coastline was a major symbolical event marked by the raising of a monument. The ceremony of reunion between Polish land and sea took place on the 10th February, 1920, in Puck – in the only shipyard then existing in Poland (Gdańsk was still an independent city). In order to heighten the importance and significance of the Polish coast, and become less dependent on Gdańsk, a new shipyard was built – Gdynia, the largest and most modern shipyard on the Baltic Sea.

Today, the Polish coastline is 510 km long. It consists mostly of gentle, sandy beaches and it has the high cliffs of Wolin Island (70 m) and in Gdynia (60 m) with the occasional pieces of golden amber flung on the shores by storms. The Baltic coast is an arena of confrontation between two elements: earth and water. Assaulted by the sea, crags and cliffs collapse into the sea. This 'battle' can be seen in its most spectacular form in Trzęsacz, where Nature has taken her toll not only on the landscape, but on sacral buildings also – what is left of a church once much in use, is now just one of its walls overhanging the precipice. Further along, new parts of land are being formed, the spits (Wiślana and Helska) separating bays and even entire lakes (Gardno, Łebsko, Jamno) from the sea.

The Polish beaches of the Baltic Sea are among the most beautiful in Europe. They are wide (the widest, situated in Świnoujście, over 100 m) and separated from the land by vast dunes and conifer forests, where the scent of resin mixes with the salty tang of the offshore breeze. The sand here is soft and as fine as flour. It has a bright golden colour and consists mainly of quartz (90–95 percent). Summer resorts such as Krynica Morska, Hel, Łeba, Ustka, Mielno and Świnoujście attract thousands of seaside and sunbathing lovers every year, as well as water sports enthusiasts: windsurfing, wreck diving and sea fishing.

Year after year, the Polish coastline is gaining in popularity as the climate changes and warms. If spending your holidays in the warmer seas of the south becomes uncomfortable, then the mild-climatic Baltic Sea region is the perfect alternative.

■ Szeroka, piaszczysta plaża w Trójmieście
■ Wide sandy beach at the Tricity

B

Biebrza

Unikatowe w skali Europy królestwo bagien i ostoja rzadkich ptaków wodno-błotnych.

■ Symbolem Biebrzańskiego Parku Narodowego jest wojowniczy batalion
■ The Ruff is the symbol of the Biebrza National Park

NA TLE EUROPY ZACHODNIEJ, gdzie bagna się raczej osusza, niż chroni, rozlewiska nad rzeką Biebrzą są prawdziwym unikatem. To największy i najlepiej zachowany na Starym Kontynencie zespół bagien i torfowisk, a do tego prawdziwy ptasi raj, zamieszkiwany lub odwiedzany przez wiele rzadkich gatunków ptaków wodno-błotnych. Jest wśród nich batalion, nazywany bojownikiem – symbol Biebrzańskiego Parku Narodowego. Są bekasy, żurawie, cietrzewie, czajki, rycyki, brodźce, orliki, sowy błotne i pięć gatunków rybitw. Biebrza jest też jednym z największych na świecie siedlisk wodniczki – małego ptaka zagrożonego całkowitym wyginięciem. W sumie nad Biebrzą doliczono się aż 268 gatunków ptaków.

Sama rzeka nie jest imponująca, liczy 165 kilometrów długości, od źródeł na Podlasiu po ujście do Narwi. Jednak kiedy w czasie wiosennych roztopów jej nieuregulowane wody rozlewają się szeroko, podtapiając łąki i zagajniki, powstaje królestwo grząskich bagien niemal niedostępnych dla człowieka. Bagna biebrzańskie zarówno swoje powstanie, jak i przetrwanie zawdzięczają człowiekowi. Najpierw na skutek wylesiania na miejscu dawnej puszczy powstały grzęzawiska. Potem zaś przed osuszeniem i zamianą w tereny rolnicze obroniły je względy strategiczne. Okoliczne podmokłe tereny tworzyły bowiem doskonałą naturalną barierę. W jedynym przewężeniu Kotliny Biebrzańskiej nadającym się na przeprawę dla nieprzyjacielskich wojsk wybudowano pod koniec XIX w. twierdzę Osowiec, której betonowe pozostałości można oglądać do dzisiaj.

Walory przyrodnicze tych okolic doceniają miłośnicy birdwatchingu, czyli podglądania ptaków. Ściągają z całej Europy: wiosną – kiedy ptaki przylatują i odbywają gody, a potem karmią pisklęta, oraz jesienią – podczas ptasich przelotów. Skrzydlatych mieszkańców podpatrują z licznych wież widokowych i szlaków turystycznych poprowadzonych groblami (jak Grobla Honczarowska) bądź kładkami (jak w rezerwacie Czerwone Bagno). Odważniejsi przemierzają leniwie płynącą rzekę płaskodennymi łodziami – to dość wywrotny środek lokomocji, ale pozwala na dotarcie do miejsc o wyjątkowej urodzie.

Początki ochrony nadbiebrzańskiej krainy przypadają na lata międzywojenne, kiedy to powstały pierwsze dwa rezerwaty: Grzędy (1921) oraz

The Biebrza River

A kingdom of swamps and the nesting grounds of rare European wetland bird species.

Czerwone Bagno (1925). W 1989 r. utworzono Biebrzański Park Krajobrazowy, który po czterech latach przekształcono w największy polski park narodowy (59 223 ha). W 1995 r. Biebrzański Park Narodowy został uznany za ostoję o międzynarodowym znaczeniu, chronioną w ramach Konwencji z Ramsar. W 2004 r. dolinę Biebrzy włączono też do sieci Natura 2000. Zarówno rzeka, jak i kraina swe nazwy wzięły od bobrów licznie zamieszkujących całą dolinę. Do dzisiaj rzekę nazywa się czasem Bobrzą. Ale największym (dosłownie i w przenośni) władcą okolicy jest łoś. Ocalałe w odosobnieniu, na bagnach zwierzęta rozmnożyły się i dały po wojnie początek wszystkim łosiom żyjącym dziś w Polsce. Ponad 400 z nich zamieszkuje dolinę Biebrzy.

COMPARED WITH WESTERN EUROPE, where swamps have dried out or are not so protected, the backwaters of the Biebrza River are indisputably unique and exceptional. This is the largest and best preserved complex of swamps and peat bogs on the Old Continent, a real paradise for birds and inhabited or visited by numerous species of rare wetlands birds. These include the Ruff (wading sandpiper), called the fighter – the symbol of the Biebrza National Park. Here you will find Common Snipes, Cranes, Black Grouse, Northern Lapwing, Black-tailed Godwit, Common Sandpiper, Lesser Eagles, Mud Owls and five species of Terns. The Biebrza River is also one of the largest in the world habitat of the Aquatic Warbler – a tiny bird close to extinction. In total, it is estimated there are 268 bird species living by the Biebrza River.

The river itself may not seem very impressive; it is 165 km long from its sources in Podlasie to where it joins the Narew River. However, during the spring thaw its unregulated waters spill over vast areas, flooding meadows and bushes, creating a kingdom of swamps almost inaccessible to people. The Biebrza swamps owe their creation and existence to man. At the outset, because of the deforestation in the region, marshes appeared in the place of former forests. Later, it was protected from drying and changing into farming lands for strategic reasons. The wetlands are an ideal natural barrier. In the only narrow spot of the Biebrza Valley, where an enemy army could cross the river, the fortress of Osowiec was built at the end of the 19th century. Its concrete ruins can be still seen.

The environmental significance of this area is appreciated by bird watching enthusiasts. They come from all parts of Europe: in spring – when the birds arrive and mate and later raise their offspring, and in autumn – during bird migration. Birdwatchers can view the birds from numerous watch towers and visitor paths leading to dikes (Grobla Honczarowska) and wooden footbridges (Czerwone Bagno/Red Swamp reserve). The most courageous cross the river in flat-bottomed boats – this is a rather unstable means of transport, but the only way of reaching spots of exceptional beauty.

The Biebrza River zone was initially protected in the period between the wars when the first two reserves were established: Grzędy (1921) and Czerwone Bagno (1925). The Biebrza National Park was founded in 1898 and four years later it was transformed into the largest national park in Poland (59 223 ha). In 1995 the Biebrza National Park was designated as a wetland site of worldwide significance and is under the protection of the Ramsar Convention and in 2004, the Biebrza Valley was included into the Natura 2000 program. Both the river and the area took their names from the great number of beavers which inhabit the region and the river is still sometimes called Bobrza. But the ruler of these lands is the large and stately elk. These animals, which have survived very much secluded from the outside world, have grown in numbers and are the progenitors of all elk in Poland. Today over 400 have their habitat in the Biebrza Valley.

■ Wiosną biebrzańskie rozlewiska rozkwitają kaczeńcami
■ In spring the Biebrza wetlands blossom with marsh marigolds

B

■ W Europie większe od bielika są tylko sępy i orłosęp
■ Except for vultures, there are no bigger birds in Europe than the White-tailed Sea Eagles

Bielik

White-tailed Sea Eagle

Największy skrzydlaty drapieżca Polski, pierwowzór godła narodowego.

The largest winged predator in Poland and the original model for the eagle on the Polish coat of arms and flag.

OD CZASÓW BOLESŁAWA CHROBREGO wizerunek bielika umieszczany jest na monetach, a od 1295 r. znajduje się w godle naszego kraju. Jako symbol państwa występował zawsze – z krótką przerwą w czasach PRL – w złotej koronie na głowie.

Bieliki (niesłusznie nazywane orłami, należą bowiem do podrodziny orłanów) osiągają do metra długości, a rozpiętość ich skrzydeł przekracza nawet dwa metry. Samice są nieco większe i trochę cięższe – ważą do 6 kg, podczas gdy samce tylko do 4,5 kg. Upierzenie w okresie młodzieńczym, niezależnie od płci, jest ciemnobrunatne. Wchodząc w wiek dojrzały, ptaki nieco jaśnieją. Najbardziej zmienia się barwa ogona, który u 5-letnich bielików staje się śnieżnobiały. Jaśnieje również upierzenie na głowie. Dziób mają jasnożółty, bardzo mocny.

Bieliki (*Haliaeetus albicilla*) są typowymi drapieżnikami. Chętnie polują na duże ryby (karpie, szczupaki, leszcze), ptaki wodne (kaczki, perkozy, gęsi), a także na zające i króliki. Wygłodniały bielik potrafi schwytać nawet młodą sarnę. Podczas ostrej zimy ptaki żywią się także padliną.

Na wolności bieliki dożywają do 30 lat, w niewoli – jeśli nie są niepokojone przez konkurentów – nawet do 42. Są silnie związane z terytorium – jedna para potrzebuje około 100 km^2 powierzchni, choć znane są przypadki gniazdowania dwóch par w odległości zaledwie 280 m od siebie.

Drapieżniki łączą się w pary na całe życie, choć po śmierci jednego z partnerów drugi potrafi dość szybko znaleźć nowego towarzysza. Para wybiera sobie miejsce w pobliżu rzeki lub jeziora i buduje gniazdo na wysokim drzewie – bywa, że stos gałęzi, mchów i piór ma ponad metr średnicy, dwa metry wysokości i waży nawet tonę. Zdarza się, że konary drzew nie wytrzymują ciężaru budowli, dlatego w regionach występowania bielików ornitolodzy instalują na drzewach platformy, które pełnią funkcję fundamentów pod ich przyszłe mieszkania. Prawną ochroną objęte są nie tylko ptaki, ale również gniazda – od stycznia do lipca nie wolno zbliżać się do nich na odległość mniejszą niż pół kilometra, przez pozostałą część roku – 200 m. Sama lokalizacja gniazd objęta jest tajemnicą.

Niezwykła dbałość o ten gatunek wynika z faktu, że już pod koniec XIX w. populacja bielików znajdowała się na granicy wymarcia i nie przekraczała 40 par. Jeszcze po II wojnie światowej wskutek masowego stosowania DDT (popularnego pestycydu, który powodował uszkodzenia skorupek jaj) ptaki nie osiągały sukcesów lęgowych. Dopiero od lat 70. XX w., gdy DDT wyszedł z użycia, liczba bielików zaczęła wzrastać. Dziś w Polsce mamy już około 700 par. Populacja jest na tyle stabilna, że nasze rodzime ptaki zostały nawet „wyeksportowane" do Irlandii, gdzie mają przyczynić się do odnowienia gatunku wybitego na wyspie przez myśliwych.

SINCE THE TIMES OF BOLESŁAW I, the Brave, the image of the White-tailed Sea Eagle has been stamped on Polish coins. From 1295, with a short break during communism, the eagle has also worn a golden crown.

White-tailed Sea Eagles (mistakenly called eagles, as they belong to the *genus Haliaeetus*) can reach one meter in size, with a wing-span exceeding 2 meters. The females of the species are slightly bigger and heavier and can weigh up to 6 kg, whereas males only up to 4,5 kg. Their plumage when they are young is dark-brown, regardless of gender. When the birds mature, the colour brightens, as does the head feathering. Their beaks are bright yellow and very hard.

White-tailed Sea Eagles (*Haliaeetus albicilla*) are typical predators; they hunt large fish (carp, pike, bream), sea birds (ducks, grebes, geese), rabbits and hares. A starving White-tailed Sea Eagle can even take on a young roe deer. During cold winters, the birds also feed on the carcasses of animals. In the wild White-tailed Sea Eagles live for approximately 30 years and in captivity sometimes to 42 years, provided that they are not disturbed by other birds. They are strongly territorial. One couple requires around 100 km^2 to live and hunt in, although there have been cases of couples nesting only 280 m from each other.

These predators mate for life but if one of the birds dies its mate might find another companion quite quickly. The mated pair chooses a place to nest in close to a river or a lake and build their nest very often in a high tree. At times, the nest stack of branches, moss and feathers can be over one meter wide, two meters high and weigh up to a ton. Sometimes the tree cannot bear this weight so whenever White-tailed Sea Eagles appear in an area ornithologists install tree platforms to support their 'houses'. The birds are not only protected, but their nests also and their nesting locations are kept secret. From January to July approaching them closer then half a kilometer is prohibited and during the rest of the year, the distance allowed is 200 m.

The care these birds are under results from the fact that in the late 19th century, White-tailed Sea Eagles were close to extinction and their population was down to no more than 40 mating pairs. For a period after World War II, many chicks could not hatch successfully due to the massive use of DDT pesticides (which damaged the egg shells). In the 1970's, the use of DDT was banned and the numbers of White-tailed Sea Eagles increased. Today, there are around 700 mating pairs in Poland. Their population is stable enough to be able to 'export' some of the birds to Ireland where they now are reviving the local population of birds which had been decimated over the years by indiscriminate hunting.

B Bitwa o Anglię

Waleczność i umiejętności polskich pilotów znacząco przyczyniły się do zwycięstwa aliantów w największej batalii powietrznej w dziejach świata.

■ Polscy piloci dywizjonu 303
■ 303 Polish Fighter Squadron pilots

SŁYNNE ZDANIE brytyjskiego premiera Winstona Churchilla: „Nigdy w dziejach wojen tak wielu nie zawdzięczało tak wiele tak nielicznym" (Never in the field of human conflict was so much owed by so many to so few) odnosiło się do uczestników Bitwy o Anglię, w tym wielu bohaterskich polskich lotników. W 1940 r. uratowali oni Wielką Brytanię przed niemiecką inwazją i wpłynęli na losy II wojny światowej. Dowódca lotnictwa myśliwskiego RAF-u, marszałek sir Hugh C.T. Dowding, przyznał, że „gdyby nie pomoc wspaniałego zespołu Polaków, z ich trudną do porównania walecznością, wahałbym się stwierdzić, czy wynik bitwy byłby taki sam". Do narodowego panteonu pamięci weszły nazwiska pilotów: Stanisława Skalskiego, Witolda Urbanowicza, Piotra Łaguny, Jana Zumbacha, Witolda Łokuciewskiego i wielu innych.

Po pokonaniu Francji w czerwcu 1940 r. Hitler gotów był zawrzeć pokój z Wielką Brytanią. Jednakże premier Winston Churchill odmówił jakichkolwiek pertraktacji z Niemcami, pomimo tego że Anglia nie była przygotowana do obrony. Niemcy zaczęli więc szykować się do desantu morskiego. Szef Luftwaffe, marszałek Hermann Göring, obiecał zaś Hitlerowi, że „wybombarduje Anglię z wojny".

Największa batalia powietrzna w dziejach świata rozpoczęła się w sierpniu 1940 r. i trwała do końca października. Niemcy mieli miażdżącą przewagę (ponad 2650 bombowców i myśliwców, przy 1960 brytyjskich samolotach), jednakże Anglicy dobrze organizowali obronę i wykorzystywali radary. Mieli też złamany przez polskich matematyków szyfr Enigmy, co pozwalało im odczytywać tajne depesze. Dzięki temu siły RAF-u koncentrowały się dokładnie tam, skąd nadlatywały niemieckie samoloty.

Nade wszystko jednak Brytyjczycy potrzebowali doświadczonych pilotów. Pomimo początkowego sceptycyzmu co do umiejętności Polaków w walce myśliwskiej zgodzili się na utworzenie – obok istniejących dwóch dywizjonów bombowych: 300 i 301 – dwóch dywizjonów myśliwskich: 302 i 303. Weszły one do walki w sierpniu i wrześniu, decydujących miesiącach bitwy o Anglię.

Nasze dywizjony wsławiły się niezwykłą bojowością i skutecznością. Dywizjon 303 był najlepszą jednostką lotniczą w całej bitwie – zgłosił zestrzelenie 126 maszyn wroga. 151 polskich pilotów sta-

■ Dywizjon 303 w szyku bojowym
■ 303 Polish Fighter Squadron in battle formation

nowiło w siłach RAF-u największą, po Anglikach, grupę lotników. Strącili lub uszkodzili ponad 200 maszyn Luftwaffe, co stanowiło około 12 proc. strat niemieckich.

Przełomowy okazał się 15 września. Mimo użycia największych dotąd sił Niemcom nie udało się przełamać obrony. Od tej pory przeszli głównie do działań nękających i terrorystycznych, takich jak bombardowanie celów cywilnych w Londynie i innych miastach. Hitler odwołał plan inwazji „Lew Morski", pozostawiając na zachodzie otwarty front, co stało się jedną z przyczyn jego klęski pięć lat później. Anglicy, przekonani już do umiejętności Polaków, zgodzili się na rozbudowę ośmiu dywizjonów myśliwskich i czterech bombowych, zwanych od nazwiska dowódcy „Cyrkiem Skalskiego".

The Battle of Britain

The heroism and flying skills of Polish pilots contributed considerably to the Allied victory in the largest military air campaign in the history of the world.

THE WELL KNOWN phrase spoken by British Prime Minister Winston Churchill: "Never in the field of human conflict was so much owed by so many to so few", referred to the participants of the 'Battle of Britain' which included many heroic Polish pilots. In 1940 they saved Britain from German invasion which had a great influence on the course of World War II. The Commander of RAF Fighter Command at that time, Air Chief Marshal Hugh C.T. Dowding has acknowledged that "if it hadn't been for the help of the marvelous Polish squadron with their unmatched bravery, I would hesitate to say that the result would have been the same". Names of Polish pilots such as Stanisław Skalski, Witold Urbanowicz, Piotr Łaguna, Jan Zumbach, Witold Łokuciewski and many others have entered the national pantheon of remembrance.

After conquering France in June 1940, Hitler was ready to make peace with Britain. Prime Minister Winston Churchill refused to enter into any negotiations with Germany despite the fact that England was not prepared militarily to defend itself. As Germany started preparations for a landing on the south coast of England the commander of the Luftwaffe, Marshal Hermann Göring, promised Hitler that he would "bomb England out of the war".

The largest air campaign in history started in August 1940 and lasted till the end of October. Germany had a crushing supremacy with over 2650 bombers and fighters compared to 1960 British aircraft but they organized their defenses and using the new radar system were able to hold off the aerial invasion. They also had the 'Enigma' code which had been 'cracked' by Polish mathematicians which allowed them to read German High Command messages. The result was that the RAF could focus their defenses exactly where they were required when the German planes flew over to Britain.

The most important need at the beginning of the campaign were experienced pilots. Despite the initial skepticism concerning Polish skills in aerial combat, it was agreed to establish – alongside the already existing 300 and 301 bomber squadrons – two fighter squadrons, 302 and 303. These entered the war in August and September, the months in which the Battle of Britain was decided.

Our airmen became famous because of their exceptional courage and particular tactics in battle with a high rate of kills. 303 Squadron was a well regarded unit during the battle with 126 enemy planes shot down. The 151 Polish pilots were the largest group after the English contingency of aviators in the RAF. They brought down or damaged over 200 Luftwaffe aircraft, 12% of the German losses.

The 15 of September was the turning point in the aerial war. Despite the use of the largest force ever put together, the Germans were unable to break the British defenses. The German plan was changed to bombing civilian targets, such as London and other cities. Hitler called off the invasion plan, 'Sea Lion', leaving the western front open which was one of the reasons for the German defeat five years later. The British government convinced now of the flying skills of their Polish allies expanded Fighter Command with eight fighter and four bomber squadrons and named them, 'Skalski's Circus' after the name of their commander.

B

Bitwa Warszawska 1920

Jedna z dwudziestu najważniejszych bitew w historii świata. Batalia, która powstrzymała ekspansję komunizmu w Europie.

■ Kadr z filmu „Bitwa Warszawska 1920" w reżyserii Jerzego Hoffmana
■ Stills from Jerzy Hoffman's film Battle of Warsaw 1920

DECYDUJĄCA BITWA wojny polsko-bolszewickiej znana jest jako „Cud nad Wisłą". Nazwę tę nadała jej, opozycyjna wobec dowodzącego Józefa Piłsudskiego, Narodowa Demokracja, usiłując pomniejszyć rolę Marszałka i jego sztabu w zwycięstwie. Lecz nawet jeśli do ostatecznej wiktorii przyczyniło się wiele szczęśliwych zbiegów okoliczności (m.in. złamanie rosyjskich szyfrów i zdobycie radiostacji), batalia ta uznana została za przykład kunsztu polskiej sztuki wojennej. Przyrównywano ją do bitwy pod Wiedniem, kiedy to Polacy uratowali Europę przed nawałą turecką. Tym razem powstrzymali rozlanie się bolszewickiej rewolucji na państwa Europy Środkowej, a zapewne i na cały kontynent.

Niecałe dwa lata po odzyskaniu niepodległości w 1918 r. Polsce śmiertelnie zagroziła bolszewicka Rosja. 2 lipca 1920 r. dowódca bolszewickiego Frontu Zachodniego, Michaił Tuchaczewski, wydał rozkaz: „Na Zachodzie ważą się losy wszechświatowej rewolucji, po trupie Polski wiedzie droga do ogólnoświatowego pożaru... Na Wilno, Mińsk, Warszawę – marsz!".

5 czerwca 1. Armia Konna Siemiona Budionnego przerwała front pod Samohorodkiem. Józef Stalin, ówczesny komisarz wojsk południowych, chciał ruszyć na Lwów, Budapeszt i Wiedeń. Być może mimowolnie przyczynił się do ocalenia Polski, bowiem Lenin zawahał się i z opóźnieniem zaakceptował główny kierunek natarcia Tuchaczewskiego na Warszawę.

„Ten nieustanny robaczkowy ruch większej ilości nieprzyjaciela, ruch trwający tygodnie, sprawia wrażenie czegoś nieodpartego, nasuwającego się jak jakaś ciężka, potworna chmura" – pisał Józef Piłsudski, polski marszałek, który stanął na czele Rady Obrony Państwa. Pomiędzy rosyjskim frontem zachodnim i południowym powstała luka. Tę przestrzeń operacyjną dostrzegli Piłsudski i szef sztabu, gen. Tadeusz Rozwadowski. 6 sierpnia Naczelnik Państwa wydał rozkaz przeciwuderzenia znad Wieprza.

Jedna z najważniejszych bitew w historii rozpoczęła się 13 sierpnia. Rosjanie napotkali zaciekły opór Polaków w walkach o Radzymin, na przedpolach Warszawy. Miasto pięciokrotnie przechodziło z rąk do rąk. Następnego dnia pod Modlinem i nad Wkrą kontratakowała 5. armia gen. Władysława

The Battle of Warsaw 1920

This battle is considered one of the twenty most important battles in history. The battle that stopped communist expansion in Europe.

■ Plakat nawołujący do walki w obronie zagrożonej ojczyzny
■ Poster calling to fight in defence of the endangered homeland

Sikorskiego. Decydujące natarcie tzw. grupy uderzeniowej, przygotowane starannie przez Piłsudskiego, miało miejsce 16 sierpnia nad Wieprzem. Wojska rosyjskie zostały zmuszone do wycofania się w kierunku Prus. Zaskoczony Tuchaczewski zbyt późno zorganizował odwrót okrążanej Armii Czerwonej, która rozpoczęła paniczną ucieczkę. Rosjanie byli bici na wszystkich frontach. W bitwie nad Niemnem gen. Rydz-Śmigły przypieczętował wielkie zwycięstwo. Do niewoli trafiło kilkadziesiąt tysięcy jeńców. Polska suwerenność została obroniona.

Być może świadomość wagi tej bitwy, mało obecnej w zachodniej historiografii, przywróci epopeja „Bitwa Warszawska 1920", w reżyserii Jerzego Hoffmana, której premierę zaplanowano na wrzesień 2011 r.

THE DECIDING BATTLE of the Polish-Bolshevik war is known as the Miracle on the Vistula. This name was given to the battle by the National Democracy party, in opposition to Marshal Józef Piłsudski, in order to diminish his and his staff's role in it. There were many factors and circumstances in favour of the small Polish Army which contributed to the final victory (deciphering the Russian codes, seizure of their wireless equipment) and the battle has been recognized as a major example of the Polish art of warfare. It has been compared to the battle of Vienna, when Polish forces saved Europe from Turkish invasion. This time they stopped the spread of the Bolshevik revolution into central European countries and probably the entire continent.

In 1918, less than two years after regaining independence, Poland was threatened by Bolshevik Russia invasion. On 2 July 1920, the Commander of the Bolshevik Army on the Western Front, Michail Tuchaczewski, gave this order: 'Here in the west the destiny of worldwide revolution is to be ignited and the path to the global blaze leads across the Polish corpse... To Vienna, Minsk, Warsaw – March!" On 5th June, the 1st Cavalry Regiment commanded by Siemon Budinny broke through the front at Samohorodek.

Joseph Stalin, at that time the commissar of the southern troops, had planned to attack Lvov, Budapest and Vienna. Perhaps, unwillingly he contributed to saving Poland, because Lenin hesitated then accepted Warsaw as the main direction of Tuchaczewski's delayed offensive.

"This incessant creeping movement of a large part of the enemy, for weeks now, seems compelling, approaching us as some dark heavy cloud" – wrote Marshall Józef Piłsudski, who had taken on the leadership of the Council of National Defense. A gap appeared between the Russian western and southern fronts. This breach was spotted by Piłsudski and his head of staff, Gen. Tadeusz Rozwadowski and on August 6, Piłsudski gave the order to counterattack across the Wieprz River.

On August 13 one of the most important battles in history began. The Russians met with fierce resistance from the Poles in the fighting near Radzymin, very close to Warsaw, and the small town changed hands five times. Near Modlin on the Wkra River, the 5th army commanded by Gen. Władysław Sikorski counterattacked. This decisive attack by the so called impact group, meticulously prepared by Piłsudski, took place on 16 August. The Russian army was forced to withdraw towards Prussia. Surprised by the move Tukhachevsky was too late in organizing the withdrawal of the surrounded Red Army which began to retreat in a general panic. In the Niemen River battle Gen. Rydz-Śmigły sealed the victory and Poland's sovereignty was safeguarded. The Russians were defeated on all the fronts and tens of thousands of prisoners of war were taken.

The understanding of the significance of this battle, rather low in Western historiography, will be improved by the film epopee 'The Battle of Warsaw 1920' directed by Jerzy Hoffman, which is planned to premiere in September 2011.

■ Choć jest ptakiem pospolitym i występującym niemal w całym kraju, objęty został ochroną gatunkową
■ Although they are not listed as a protected species, they are looked after wherever they nest

Bocian biały

Co piąty bocian na świecie jest Polakiem.

BOCIANI KLEKOT rozlega się na polskim niebie od końca marca do końca sierpnia. Ten biało-czarny ptak brodzący, z czerwonym dziobem i nogami, jest nieoficjalnym przyrodniczym symbolem naszego kraju. Na Czarnym Lądzie, gdzie zimuje, trzyma się z dala od człowieka. Tymczasem w Europie gniazda zakłada w pobliżu osiedli ludzkich, a w naszym kraju jest szczególnie „zaprzyjaźniony" z człowiekiem. Gniazda buduje na drzewach, słupach, dachach, a także na konstrukcjach przygotowanych przez gospodarzy. Tą bliskością bociany zaskarbiły sobie sympatię ludzi, a ich obraz w kulturze ludowej prawie zawsze był pozytywny. Wedle zachowanych legend to właśnie bociany przynoszą dzieci, oczyszczają ziemię ze szkodników i chronią dom przed pożarem czy uderzeniem pioruna. Wyrządzenie krzywdy zwierzęciu sprowadza zaś na człowieka nieszczęście.

By dotrzeć do Polski, przemierzają około 8 tys. km ze swoich afrykańskich siedlisk – znad Nilu, Afryki Zachodniej, Wielkiej Doliny Ryftowej czy z południowego krańca Czarnego Lądu (RPA). Zwykle lecą w grupach po kilkadziesiąt, a nawet kilkaset zwierząt – zdarza się, że stado liczy nawet 20-30 tys. osobników. Z uwagi na znaczną masę ciała (3-4,5 kg) i słabo rozwinięte mięśnie piersiowe, za pomocą których poruszają skrzydłami, bociany większą część tej trasy pokonują biernym lotem szybowcowym – w tym celu wykorzystują prądy wznoszące powstałe wskutek nagrzewania się powietrza. Z tego też powodu lecą nad lądem, omijając Morze Śródziemne. Znakomita większość z ponad 50 tys. bocianich par powracających rokrocznie do Polski dociera na terytorium naszego kraju przez Egipt, Bliski Wschód i Turcję. Osiągają prędkość do 30 km/godz. Po drodze nad sawannami, Saharą i rozlewiskami Nilu czyha na nie wiele niebezpieczeństw – drapieżne ptaki i myśliwi. Kilka lat temu jeden z bocianów przyleciał z Afryki do Europy ze strzałą wbitą w szyję – na szczęście udało się go uratować.

Choć ptaki te spotykamy niemal w całym kraju (oprócz gór), to szczególnie upodobały sobie rejony na wschód od Wisły, a zwłaszcza niektóre zakątki, m.in. Pentowo – europejską wieś bocianią (gdzie znajduje się 31 gniazd) czy Żywkowo, okrzyknięte bocianią stolicą Polski, a także przygraniczny pas na Warmii (Lejdy, Szczurkowo, Bobrowo), który zyskał miano ostoi bocianów.

Po przylocie do Polski ptaki wracają do swoich gniazd, to ono cementuje ich związek. Ale jeśli jeden z ptaków spóźnia się z powrotem z Afryki, jego partner szuka sobie nowego towarzysza życia. Bociany żerują na łąkach, mokradłach, terenach z niewysokimi zaroślami i świeżo zaoranych polach, a więc w miejscach obfitujących w ich przysmaki, m.in. jaszczurki, myszy, ryby, norniki, dżdżownice, pędraki, żaby i pisklęta (w Afryce żywią się szarańczą).

W połowie maja wykluwają się młode – zazwyczaj od jednego do pięciu. Po dwóch miesiącach są na tyle duże, by samodzielnie rozpocząć żerowanie. Pod koniec sierpnia ptaki zaczynają gromadzić się na łąkach na słynnych sejmikach i szykują się do odlotu. Do afrykańskiego zimowiska docierają pod koniec listopada.

White Stork

One in five storks in the world is Polish.

THE CLATTER OF STORKS can be heard in Polish skies from the end of March till the beginning of August. This black and white wading bird, with a red beak and legs, is the unofficial symbol of Poland. In Africa, where it passes its winters, it is a reclusive bird and keeps away from people. In Europe though, it has established nests near human settlements and it is particularly close to people in Poland. It builds nests in trees, on electricity poles, roofs, as well as on special constructions prepared by householders. This proximity has won the sympathy of people for the storks and their image in folk culture has always been positive. According to the many legends, storks bring children, drive away pests and protect houses from fire and lightning. Harming a stork brings bad luck.

To get to Poland, storks have to fly a distance of approximately 8,000 kilometres from their African habitat – in the vicinity of the Nile River, in Western Africa, the Grand Rift Valley or the southern parts of the Black Continent (South Africa). They usually fly in groups of several dozen, sometimes even hundreds of birds – and flocks of 20-30 thousand birds have been seen. Because of their weight to size ratio (3-4.5 kg) and weakly developed breast muscles which they use to move their wings storks cover most of the distance in a passive gliding flight – using the rising currents created by heated air. This is also why they fly over land, bypassing the Mediterranean Sea. A great majority of the more than 50,000 stork pairs returning every year to Poland arrive flying high over Egypt, the Middle East and Turkey. On their way above the savannahs, the Sahara Desert and the backwaters of the Nile River they are threatened by many dangers – predator birds and hunters. A few years ago, one of the storks from Africa arrived in Europe with an arrow in its neck – luckily it was saved.

Although these birds can be encountered almost everywhere in the country (apart from the mountains), they are particularly fond of the areas east of the Vistula River especially: Pentowo – the European Stork Village (with 31 stork nests) and Żywkowo called the stork capital of Poland, as well as the border lands of Warmia (Lejdy, Szczurkowo, Bobrowo), which have been given the name of stork refuge.

On arriving in Poland the birds return to the nests they had in previous years, which is one of the bonds in their relationship. But if one of the birds is late from Africa, its partner looks for a new mate for life. Storks feed in meadows, wetlands, terrain with low bushes and freshly ploughed fields – places abundant in their particular delicacies: lizards, mice, fish, microtus, worms, larvae, frogs and bird nestlings (in Africa they feed on locust).

Their own nestlings – usually one to five - hatch in May. After two months they are big enough to fend for themselves. At the end of August the birds begin to gather on the meadows for their famous 'parliaments' and ready themselves for their trip to warmer climates which they reach, their African nesting-sites, at the end of November.

B Bursztyn

90 procent światowego wydobycia jantaru pochodzi z wybrzeży Bałtyku.

BURSZTYN BAŁTYCKI to nasz narodowy skarb. Często bywa zresztą nazywany „złotem Bałtyku". To skamieniała żywica drzew iglastych sprzed 40 milionów lat. I choć na świecie znanych jest około stu odmian żywic kopalnych, to właśnie polski sukcynit ceniony jest najwyżej, ze względu na wysoką zawartość kwasu bursztynowego (od 3 do 8 proc.), bogactwo barw i stopień przezroczystości. Zaś Gdańsk okrzyknięty został światową stolicą bursztynu. Tutaj znajduje się Muzeum Bursztynu, założono Międzynarodowe Stowarzyszenie Bursztynników i rokrocznie odbywają się największe na świecie Międzynarodowe Targi Bursztynu, Biżuterii i Kamieni Jubilerskich „Amberif". Miłośnicy sztuki zdobniczej mają wtedy niepowtarzalną okazję przespacerować się „Bursztynową Piątą Aleją" – gdzie w kilkudziesięciu sklepach i galeriach mogą kupować biżuterię wyjątkowej urody oraz przedmioty dekoracyjne.

Etruskowie za bursztyn płacili tyle samo, co za złoto. Grecy, z uwagi na miodową barwę, nazywali go zastygłymi łzami córek Heliosa, boga słońca, lub skamieniałymi promieniami słonecznymi. Pierwsze ślady zainteresowania jantarem (słowiańska nazwa bursztynu) na ziemiach polskich pochodzą sprzed 4,5 tys. lat, kiedy na terenie dzisiejszych Żuław pojawiły się pracownie bursztynników. Początkowo bursztyn był traktowany jak ozdoba, bywał obiektem kultu, amuletem lub środkiem płatniczym. Potrzeba było niemal 2 tys. lat, by w VII w. p.n.e. zaczął podbijać południe Europy. Sprowadzany przez kupców do Rzymu, chętnie był kupowany przez patrycjuszy, a nawet pojawiał się w skarbcu samego Cezara. We wczesnym średniowieczu był masowo transportowany tzw. Bursztynowym Szlakiem z terenów dzisiejszej Polski, Litwy i Obwodu Kaliningradzkiego (Rosja) do Akwilei i Rzymu, gdzie kupcy powracający Jedwabnym Szlakiem ze Wschodu wymieniali go na egzotyczne przyprawy.

Świetny interes na bursztynie zrobili Krzyżacy, władający od 1226 r. bursztynonośnymi terenami. Zapewnili sobie monopol na wydobycie, posiadanie i obróbkę jantaru. Dopiero po latach zgodę na wydobycie i obróbkę bursztynu uzyskali rzemieślnicy z Gdańska i to im zawdzięczamy najwspanialsze dzieła sztuki, m.in. koronę wyrzeźbioną z jednej bryły jantaru dla króla Jana III Sobieskiego oraz słynną Bursztynową Komnatę – wystrój gabinetu króla pruskiego Fryderyka I, który w całości miał być zrobiony ze „złota Bałtyku". Dziś w Carskim Siole koło Petersburga znajduje się replika zaginionego w ostatnich dniach II wojny światowej dzieła. Jego budowa trwała 24 lata. Oryginał prawdopodobnie spłonął w czasie pożaru zamku w Królewcu.

Jantar jest nie tylko piękną ozdobą, lecz również cennym materiałem do badań paleontologicznych i botanicznych. W bryłkach skamieniałej żywicy często znajdują się inkluzje – zatopione owady, fragmenty roślin, a nawet jaszczurki – nietknięte i zakonserwowane od milionów lat! Jedna z nich z uwięzionym wewnątrz komarem, rozpaliła wyobraźnię twórcy „Parku Jurajskiego", który fantazjował, że z krwi owada można wydobyć DNA dinozaura i na jego podstawie odtworzyć gada. Na razie jest to realne

Amber

Ninety percent of the global production of amber comes from the coasts of the Baltic Sea.

BALTIC AMBER IS Poland's national treasure and is often called gold from the Baltic Sea. In fact it is the fossilized resin of conifer trees from 40 million years ago. Although there are approximately 100 kinds of fossil resins which have been discovered across the world, it is this Polish *succinite*, with its high content of amber acid (3-8 percent Dicarboxylic acids – organic compounds), its vividness and greater transparency, that is valued the most. Gdańsk has been raised to the position of the world's capital of amber, and has an Amber Museum, the International Amber Collectors Association and the annual International Fair of Amber, Jewelry and Gemstones 'Amberif'. Admirers of the decorative arts have the opportunity of walking along 'Amber Fifth Avenue', where dozens of boutiques and galleries sell jewelry and decorative objects of exceptional beauty.

The Etruscans were quite willing to pay for amber as much as for gold. The Greeks, recognizing its honey colour, compared amber to the petrified tears of the Sun God Helios daughters, or to the solidified rays of the sun. The first evidence of any attention being given to jantar (the Slavic name for amber) in Poland dates back over 4,500 years, when amber was collected for trading in the lands of modern Żuławy. Initially, amber was treated as decoration; it was also used in religious practices and in the making of amulets and was considered a form of legal tender. Nearly 2,000 years had to pass before it successfully made its way to the south of Europe in the 7th century. It was brought to Rome by traders and was sold to patricians. It finally it found its way into the Imperial treasury, there to be much admired by the Caesars.

In the early Middle Ages it was transported on a large scale along the so-called Amber Road, from Lithuania and the Kaliningrad Oblast and the lands of modern Poland to Aquileia and Rome where traders returning from the East along the Silk Route bartered it for exotic spices. The Teutonic Knights, who ruled the amber-rich lands from 1226, grew rich from its trade. They had a monopoly of its excavation, ownership and processing. Years had to pass until artisans from Gdańsk were allowed to collect and process the amber, to produce great works of art, including the crown carved from one block of amber for Jan III Sobieski, and the famous Amber Chamber for the King of Prussia, Friedrich I, made entirely from the gold of the Baltic Sea. Today, in Tsarskoye Selo near Saint Petersburg there is a replica of the chamber which was lost in the last days of the World War II. Its re-construction had lasted 24 years. The original was most likely destroyed in 1945 during the fire in Kalinigrad Castle.

Jantar is not only a beautiful form of decoration, but also an important material in palaeontological and botanical research. Fossil resin blocks often contain inclusions, such as insects, plant fragments and even lizards, intact and preserved for millions of years! The inclusion of an imprisoned mosquito so excited the imagination of the actors in the film Jurassic Park, that they imagined that they could create dinosaurs cloned from DNA taken from fossilized mosquito blood preserved in amber. So far this remains possible only through the magic of the cinema.

■ Bursztyn nazywa się „złotem Bałtyku". Kolekcjonowany jest w formie naturalnych bryłek bądź pod postacią eleganckiej biżuterii
■ Amber is often called 'the gold of the Baltic Sea' It is sold in the form of natural, uncut pieces or elegant cut jewelry

C Fryderyk Chopin

Jeden z największych kompozytorów w dziejach muzyki.

■ Chopin koncertujący w salonie Radziwiłłów w Berlinie w 1829 r. – obraz Henryka Siemiradzkiego
■ Chopin playing the piano in Prince Radziwiłł's Salon in Berlin in 1829. Painting by Henryk Siemiradzki

SPUŚCIZNA FRYDERYKA CHOPINA (1810–1849), na tle dorobku Bacha, Mozarta czy Beethovena, jest dosyć skromna: zaledwie kilkanaście godzin muzyki, i to niemal wyłącznie na fortepian solo. Należy on jednak do największych twórców w dziejach muzyki. Wywarł na jej losy ogromny wpływ. Ukazał nieznane wcześniej możliwości brzmieniowe fortepianu, jego ekspresji, kolorystyki i wirtuozerii, z czego potem korzystali Liszt, Rachmaninow, Skriabin, Debussy, Ravel. Był nowatorem w zakresie harmonii i formy. Nadał nowy kształt takim utworom jak preludium, nokturn, scherzo, ballada czy etiuda. Czerpał z tradycji i folkloru polskiego, zwłaszcza w polonezach i mazurkach, ale jego muzyka ma charakter uniwersalny. W tej dziedzinie stał się wzorem dla innych kompozytorów drugiej połowy XIX w.

Fryderyk Chopin nosił, co prawda, francuskie nazwisko, ale nikt nie ma wątpliwości, że był Polakiem. Urodził się w Żelazowej Woli 1 marca 1810 r. W dokumentach z chrztu zapisano datę 22 lutego, ale prawdopodobnie był to błąd popełniony przez ojca. Kilka miesięcy później rodzina Chopinów przeniosła się do Warszawy. Szybko dostrzeżono wyjątkowe zdolności muzyczne chłopca, który rozpoczął naukę w wieku sześciu lat, pierwszą kompozycję, Poloneza B-dur, skomponował mając zaledwie siedem, a już rok później wystąpił na pierwszym koncercie w pałacu Radziwiłłowskim.

Jako cudowne dziecko był ulubieńcem warszawskiej publiczności. Ukończył Liceum Warszawskie. Studiował w Szkole Głównej Muzyki. Przez cały czas koncertował i komponował. W 1829 r. podbił swą grą wiedeńską publiczność. Kiedy w listopadzie 1830 r. wyjeżdżał z Warszawy, nie wiedział, że na zawsze opuszcza ojczyznę. Miał 20 lat, a w dorobku kompozytorskim dwa koncerty, a także szereg innych utworów, m.in. dziewięć polonezów i Sonatę c-moll.

W 1831 r., po upadku powstania listopadowego, Chopin osiadł w Paryżu, który był ośrodkiem polskiej emigracji i centrum życia muzycznego Europy. Zimą 1832 r. dał tu pierwszy publiczny koncert, zaprzyjaźnił się z Bellinim, Rossinim, Berliozem czy Delacroix. Stał się cenionym pedagogiem, wydawał utwory drukiem, grywał na paryskich sa-

Frédéric Chopin

■ Portret Fryderyka Chopina Ary Scheffera z 1847 r. Kopia van Boxela z 1972 r.
■ Chopin's portrait by Ary Scheffer (1847). Reproduction by van Boxel (1972)

One of the greatest composers in the history of music.

lonach i komponował. Robert Schumann w recenzji dla jednej z lipskich gazet napisał o nim: „Panowie, kapelusze z głów, oto geniusz!".

Stworzył ponad 200 różnego rodzaju kompozycji. Do najlepiej znanych należą Preludium Des-dur op. 28, Polonez A-dur op. 40 oraz Etiuda c-moll op. 10 nr 12 „Rewolucyjna" – muzyczny akt rozpaczy kompozytora na wieść o upadku powstania listopadowego. Kiedy zmarł 17 października 1849 r., w pogrzebie uczestniczył cały Paryż. Pochowano go na cmentarzu Pére-Lachaise. Do ojczyzny wróciło tylko jego serce, przewiezione przez siostrę kompozytora, Ludwikę Jędrzejewiczową – umieszczono je w kościele św. Krzyża w Warszawie.

W 2010 r., z okazji 200. rocznicy urodzin kompozytora, otwarto w Warszawie nowe Muzeum Chopina, zaliczane do najnowocześniejszych placówek biograficznych na świecie.

THE CREATIVE OUTPUT of Frédéric Chopin (1810–1849), when compared to that of Bach, Mozart or Beethoven, appears relatively modest; not more then 20 hours of music written almost exclusively for solo piano. However, Chopin has greatly influenced the style and interpretation of music and he is considered today one the greatest composers of all time. He brought to the fore the previously unknown acoustic capabilities of the piano, its expressiveness, shades of sound and virtuosity, later used by Liszt, Rachmaninov, Scriabin, Debussy and Ravel. He was an innovator of harmony and form. He redesigned such genres as the prélude, nocturne, scherzo, ballade and étude. Chopin derived his ideas from Polish folklore and tradition, predominantly in his polonaises and mazurkas, but his music has a universal appeal. In this, he became a musical reference to be emulated by other composers.

Although Chopin's name sounded French, everyone living in the second half of the 19th century knew he was Polish. He was born in Żelazowa Wola on 1 March, 1810. His baptismal certificate was signed on 22 February, most likely his father's mistake. Several months later, the Chopin family moved to Warsaw, where the boy's extraordinary talent was quickly noticed. He started his education at the age of 6 and wrote his first composition, Polonaise in B major, at the age of 7, and gave his first performance in the Radziwiłł Palace only one year later. He was a child prodigy and the pet of Warsaw audiences. Chopin graduated from the Warsaw Lyceum and studied at the Main School of Music and performed and composed continuously. In 1829 he won the admiration of Viennese audiences. When he left Warsaw in November 1830 he did not know he would never return Poland. Frédéric was 20 years old, and had a musical collection of 2 concertos and many compositions, including 9 polonaises and a sonata in C minor.

In 1831, after the collapse of the November Uprising, Chopin settled in Paris, the center of the Polish Emigration and the heart of musical Europe. In the winter of 1832, he performed his first concert there and became acquainted with Bellini, Rossini, Berlioz and Delacroix. A highly regarded teacher Chopin also published his compositions and played at Paris parlour receptions. In a review for one of the Leipzig newspapers of those times, Robert Schumann wrote: "Gentlemen, hats off to the genius!"

Over 200 compositions are credited to Frédéric Chopin. Among his most widely known are: Prélude in D-flat major, Op. 28; Polonaise in A major, Op. 40 and the 'Revolutionary Étude' in C minor, Op. 10, No. 12, which reflected the composer's despair on hearing of the failure of the November Uprising. On the day of his funeral, 17 October, 1849, a vast Parisien crowd attended his burial in Pére-Lachaise cemetery. His heart was returned to Poland, brought by the composer's sister Ludwika Jędrzejewiczowa, and placed in the Holy Cross Church in Warsaw.

To commemorate the 200th anniversary of the composer's birth in 2010 a new Chopin Museum was opened in Warsaw and is now counted as the most modern repository in the world of biographical material concerning Frédéric Chopin.

C Chrzest Polski i zjazd gnieźnieński

Początek ewangelizacji Polski i uznania jej niezależności.

■ „Zaprowadzenie chrześcijaństwa" – płótno Jana Matejki z 1889 r., ze zbiorów Muzeum Narodowego w Warszawie
■ Christianization of Poland by Jan Matejko (1889), from the collection of the National Museum in Warsaw

TERYTORIA ZAMIESZKANE PRZEZ PLEMIĘ POLAN, określane początkowo mianem „państwa Piastów", zaistniały jako silny kraj w IX-X w. Położone pomiędzy Bałtykiem i Karpatami oraz Odrą a Bugiem, od około 1000 r. nazywane były „Polską" (Polonia). Przyjęcie chrztu w obrządku rzymskim na trwałe wprowadziło Polskę w orbitę kultury zachodniej.

Kronikarz, zwany Gallem Anonimem, napisał, że ziemiami państwa Polan władali Siemowit, Lestek i Siemomysł z rodu Piastów. Niestety, do naszych czasów nie zachowały się żadne szczegóły na ich temat. Znana jest jedynie legenda o zacnym Piaście Oraczu (ojcu Siemowita), który ugościł wysłanników niebios, a oni w podzięce błogosławili jego synowi.

Prawdopodobnie rodzące się państwo, jak zwykle w tamtych czasach, było początkowo organizacją rozbójniczą, z księciem i arystokracją wojskową na czele, żyjącą z wypraw po niewolników oraz kontrolującą szlaki handlowe. Za pierwszego historycznego władcę uznaje się księcia Mieszka I, który dokonując śmiałych kalkulacji politycznych (pozyskanie opieki papiestwa i wsparcia militarnego Czech oraz uniezależnienie od rosnących wpływów niemieckich), zdecydował się na przyjęcie chrześcijaństwa w obrządku rzymskim. Oddalił swe „pogańskie" żony (a miał ich siedem!) i ożenił się z czeską księżniczką Dobrawą. W odpisie najstarszego polskiego rocznika „Świętokrzyskiego Dawnego" zanotowano pod rokiem 966: „Mieszko, książę Polski, został ochrzczony". Datę tę przyjęto za początek ewangelizacji. Do kraju zaczęli ściągać misjonarze i mnisi. Wprowadzono łacinę, nauczano pisania i czytania, zaczęto wznosić murowane kościoły i klasztory oraz wprowadzać nowoczesne metody uprawy roli, a miejsce okrutnych, pogańskich zwyczajów zajęło praktykowanie przykazania miłości i chrześcijańskiego dekalogu.

W 997 r., podczas misji na terenach zamieszkanych przez Prusów (w okolicy obecnego Elbląga), męczeńską śmierć poniósł szanowany w całej Europie biskup Wojciech. Syn Mieszka I, Bolesław Chrobry, wykupił jego ciało i złożył w swej stolicy – Gnieźnie. Dwa lata później Wojciech został uznany za świętego. Do jego grobu, na początku 1000 r., przybył cesarz niemiecki Otton III, dążący do stworzenia uniwersalnej monarchii, złożonej

Poland's Baptism and the Congress of Gniezno

The beginning of Poland's evangelization and the recognition of its independence.

z Romy (Italii), Galii (Francji), Germanii (Niemiec) i Sklawinii (Polski rozumianej jako Słowiańszczyzna). Bolesław Chrobry przyjął cesarza z wielkim przepychem. Otton III „zdjąwszy diadem cesarski, włożył go na głowę Bolesława, na przymierze przyjaźni i za chorągiew triumfalną dał mu w darze gwóźdź z Krzyża Pańskiego z włócznią św. Maurycego, za co w zamian ofiarował mu Bolesław relikwie św. Wojciecha". Tak opisał to spotkanie, w którym uczestniczyli także przedstawiciele papiestwa i europejscy książęta, kronikarz.

W wyniku wielkiego zjazdu gnieźnieńskiego książę Bolesław przestał być płacącym trybut sługą cesarstwa. Dowodem uznania niezależności Polski była zgoda na utworzenie arcybiskupstwa w Gnieźnie oraz biskupstw w Krakowie, Wrocławiu i Kołobrzegu. Dzieła budowania niezależności dopełnił sam Bolesław, koronując się w 1025 r. na króla Polski.

LANDS INHABITED BY THE POLANIE TRIBE, initially called the 'Piast lands' came into existence as a powerful country in the 9th–10th century. Situated between the Baltic Sea and the Carpathian Mountains, the Oder and Bug rivers, these lands have been called Poland (Polonia) for approximately 1000 years. A Roman Church baptism introduced Poland to the influence of Western culture.

The chronicler Gall Anonymous wrote that Siemowit, Lestek and Siemomysł of the Piast dynasty ruled Polans' country. Unfortunately, no evidence concerning them has been found. The legend, Piast the Ploughman (Siemowit's father), who met the envoys from the 'heavens' and they in their gratitude blessed his son, is the only known reference to these times.

The nascent state was probably initially a 'robber baron' form of economy headed by the duke and the military aristocracy who lived off the trade in slaves and the control of trading routes. Mieszko I is known as the first historic ruler of the country. In a series of daring political moves (acquiring the protection of the Pope and the military support of the Czechs and independence from the growing German influence) he became a Christian of the Roman order. He banished his 'pagan' wives (and he had seven of them!) and married the Czech princess Dobrava. A copy of the oldest Polish writings 'Old Świętokrzyskie' noted in 966: 'Mieszko, the duke of Poland, was baptized'. This year is considered to be the beginning of the evangelization of Poland. Missionaries and monks began arriving in the country. The Latin language was introduced, reading and writing were taught, brick churches and monasteries were built, modern agricultural methods were introduced and the place of savage pagan traditions was taken by efforts to live by the commandments of love as found in the Christian Decalogue.

In 997, during a mission in an area inhabited by Prussians (near today's Elbląg), Bishop Wojciech, renowned in all of Europe, suffered the death of a martyr. Mieszko's son, Bolesław I Chrobry, retrieved his corpse and put it to rest in his capital – Gniezno. Two years later Wojciech was pronounced a saint. German Emperor Otto III, in his quest to create a common monarchy comprising of Roma (Italy), Galia (France), Germania (Germany) and Sklavinia (Poland was considered a part of Slavic lands) visited his tomb at the beginning of 1000. Bolesław Chrobry received the Emperor with great pomp and ceremony. Otto III "took his Emporial diadem off and put it on Bolesław's head, as a sign of friendship and as a triumphant sign, he gave him nails from the Lord's Cross and St. Maurice's spear, in return for which Bolesław gave him a relic of St. Adalbert". This is how the meeting in which representatives of the Papacy and European dukes took part was described by a contemporary chronicler.

As a result of the Congress of Gniezno, Duke Bolesław ceased to be a slave of the Empire paying tribute to it. The evidence of the recognition of Poland's independence was the agreement to create an archbishopric in Gniezno and bishoprics in Kraków, Wrocław and Kołobrzeg. Bolesław himself completed the act of independence by crowning himself the King of Poland in 1025.

■ Książę Mieszko I, pierwszy władca Polski
■ Duke Mieszko I. first historic ruler of Poland

E Ekologia po polsku

Dzika przyroda jest jednym z cenniejszych zasobów, jakie Polska wniosła do Unii Europejskiej. A nasze rolnictwo uchodzi za najbardziej ekologiczne na Starym Kontynencie.

PÓŁ WIEKU powojennego odcięcia od cywilizacji zachodnioeuropejskiej spowodowało dramatyczne zapóźnienie rozwoju Polski. Jednak nie w każdym aspekcie miało ono negatywne skutki. Kiedy w Niemczech i Francji budowano autostrady, reformowano rolnictwo, regulowano rzeki, ekologia nie była jeszcze modnym tematem podejmowanym w publicznej debacie. Zaniedbująca to wszystko Polska pozwoliła dzikiej przyrodzie rozkwitnąć. Z kolei dziś, rozwijając infrastrukturę, ale posiadając już świadomość ekologiczną, mamy szansę nie popełnić błędów Zachodu i ocalić ostatnie naturalne zakątki naszego kraju.

Polska wciąż może poszczycić się ostatnimi na kontynencie europejskim dziewiczymi obszarami. Najwięcej jest ich na wschodzie kraju. Fragment pradawnej puszczy, która niegdyś porastała Europę, pozostał na granicy Polski i Białorusi. Dziś już tylko w Puszczy Białowieskiej zachował się naturalny rytm życia lasu, nazwany przez naukowców „pulsem pierwotnej puszczy". Unikalna na skalę europejską jest także dolina Biebrzy. Leniwie meandrująca rzeka i otaczające ją potężne rozlewiska są ojczyzną licznych gatunków ptaków i niezbędnym dla nich przystankiem na trasie międzykontynentalnych wędrówek. Tylko dzięki izolacji rezerwatów otoczonych bagnami w Poleskim Parku Narodowym przetrwał rzadki gatunek – żółw błotny.

Przez Polskę, a dokładnie przez sam jej środek, płynie ostatnia nieuregulowana duża rzeka Europy. Rozdarcie kraju między zaborców i „przespanie" rewolucji przemysłowej spowodowały, że zamiast betonowych nabrzeży i zbiorników retencyjnych, dzięki którym Wisła stałaby się ruchliwą „rzekostradą" niczym Ren, królowa polskich rzek każdej wiosny rozlewa się (zwłaszcza w środkowym biegu), zatapiając łąki, pola, a nawet... miasta. Dzięki temu jednak powstaje wyjątkowy ekosystem. Jest tak unikalny, że planuje się nawet powołanie kolejnego parku narodowego, który obejmie dolinę środkowej Wisły.

Zamiast powszechnych w Europie Zachodniej upraw monokulturowych, gdzie kilometrami ciągną się łany żyta czy rzepaku, w Polsce królują małe poletka, na których są bardzo zróżnicowane uprawy. Przyczyniło się do tego wyjątkowe rozdrobnienie własności na wsi, ale w efekcie powstał raj dla owadów, płazów, ptaków i drobnych ssaków. Dodatkowym atutem takiej gospodarki jest fakt, że tak małych poletek często nie opłaca się sztucznie opryskiwać i nawozić, dzięki czemu polskie rolnictwo uznawane jest za najbardziej ekologiczne na kontynencie, podobnie jak powstająca z niego żywność.

Najtrudniejszym wyzwaniem Polski w XXI w. będzie zrównoważony rozwój. Z jednej strony musimy cywilizacyjnie dogonić Europę, z drugiej zaś ocalić przed zniszczeniem ostatnie dziewicze zakątki kraju.

- W Polsce przeważają niewielkie poletka, ale to właśnie z nich pochodzą najbardziej ekologiczne produkty
- Polish landscape of small farms which produce the most ecological products

Ecology the Polish way

Nature at its most untamed is one of the important resources which Poland has brought into the European Union. Our agriculture is considered the most ecological in all the Old Continent.

HALF A CENTURY cut off from western European influence after World War II was the reason for the rather dramatic backwardness in Poland's development. However, this has not had negative results in all aspects of life in Poland. When motorways were being built in Germany and France and agriculture was being reformed and rivers were being regulated, ecology was not a popular subject in Polish public debate. Poland has neglected many aspects of western progress Nature to spread untamed. Today, with developing infrastructures with ecological awareness we have a chance to make fewer mistakes than in the West and save the last natural and leaving unchanged corners in our country.

Poland is proud of its surviving primeval regions on the European continent. Most of them are located in the east of the country with a part of the prehistoric forest, which once covered Europe, still enduring on the border of Poland and Belarus. These days the natural rhythm of life referred to by scientists as 'the pulse of the primordial forest' has been maintained in the Białowieża Forest. The Biebrza River Valley is also unique on a European scale. The lazy, meandering river and the vast backwaters surrounding it are home to numerous bird species and an essential stop on their intercontinental migratory flights. Rare species of mud turtles have survived because of the isolation of the reserves surrounded by swamps in Polesie National Park.

The last not regulated, large European river flows through Poland, right through the centre of the country. As a consequence of the Partitions of the country between its invaders and 'sleeping through' the industrial revolution, the Vistula, the queen of Polish rivers spills over every spring (especially in its middle course) flooding meadows, fields and even towns, instead of being shored up with concrete walls and retention basins as the River Rhine. The outcome, a unique ecosystem has been created along the banks of the Vistula for Nature in all its untamed beauty. This is such an exceptional condition that the establishment of a new national park in the middle section of the Vistula River Valley is planned.

Instead of the mono-crops popular in Western Europe, where fields of rye or canola are spread over kilometres, Poland is dominated by small strip parcels of land with very diversified crops, the consequence of the exceptional breaking up of private property in the country in particular farming property With the result, a paradise for insects, amphibians, birds and small mammals. An additional advantage of this type of mini-economy is the fact that it is often unprofitable to artificially fertilize such small fields which means that Polish agriculture is among the most ecological on the continent and the food it yields is considered organic.

The most difficult task for Poland in the 21st century will be sustainable development. On the one hand, we need to catch up with Europe in 'post industrial' levels, on the other – we have to save the last virgin areas of our country from disappearing into the history books.

■ Model maszyny szyfrującej Enigma w muzeum w Bletchley Park – dawnym brytyjskim centrum kryptologicznym

■ An Enigma cipher machine in the Bletchley Park museum, the former British cryptology center

Enigma

Osiągnięcia polskich kryptologów przyczyniły się do zwycięstwa aliantów i skrócenia II wojny światowej.

WSZYSTKO ZACZĘŁO SIĘ, kiedy dwóch niemieckich inżynierów wymyśliło elektryczno-mechaniczne urządzenie szyfrujące. Skonstruowana przez nich linia maszyn, zwanych popularnie Enigmami (z greckiego – zagadka), od lat 20. XX w. była stosowana w poufnej korespondencji handlowej. Później Niemcy wykorzystywali je w dyplomacji i armii. Do końca wojny byli przekonani, że ciągle doskonalony kod Enigmy jest nie do złamania. Nie wiedzieli, że dzięki wieloletnim pracom polskich kryptologów alianci uzyskali dostęp do ich depesz i korespondencji wojennej.

Urządzenie kształtem przypominało dużą maszynę do pisania – dzięki systemowi obracających się pierścieni zamieniało znaki oryginalnego tekstu na ciąg pozornie przypadkowych liter, które wysyłano w formie depeszy. Odbiorca potrzebował takiej samej maszyny i specjalnego klucza, za pomocą którego mógł odczytać wiadomość. Ilość możliwych kombinacji w ustawieniu pierścieni i przełączników była tak ogromna, że Francuzi i Anglicy uznali ten szyfr za nie do złamania. Kiedy jednak w 1928 r. zbrojąca się III Rzesza wprowadziła Enigmę do wyposażenia armii, dla Polaków złamanie szyfru stało się sprawą bezpieczeństwa narodowego.

Biuro Szyfrów polskiego wywiadu zorganizowało tajne kursy kryptologiczne na Uniwersytecie Poznańskim, a następnie zatrudniło najlepszych absolwentów – wybitnych matematyków, m.in. Mariana Rejewskiego, Henryka Zygalskiego i Jerzego Różyckiego. Przy pracy nad złamaniem szyfru Polacy zastosowali wyrafinowane teorie matematyczne. Bardzo pomocne okazały się również plany Enigmy, które w 1931 r. zdobył wywiad francuski. Ponieważ były one niekompletne, Francuzi uznali materiały za nieprzydatne i chętnie podzielili się nimi z Polakami. Eksperymentując z handlową wersją Enigmy i budując własne modele maszyn, Rejewski szybko zorientował się, w jaki sposób zmieniany jest klucz do odczytywania wiadomości. Dzięki prowadzonej przez Polaków analizie matematycznej Enigma zaczęła zdradzać swoje tajemnice i pod koniec 1932 r. Rejewski odczytał pierwszą depeszę. Niemcy jednak zmieniali sposób kodowania wiadomości oraz klucze, a nawet ilość i rodzaj pierścieni w urządzeniach. Polacy konstruowali więc coraz doskonalsze maszyny deszyfrujące. Wyścig trwał aż do końca 1938 r., kiedy to poziom skomplikowania Enigmy był już tak wysoki, że do rozszyfrowywania trzeba było skonstruować aż 60 potężnych maszyn zwanych „bombami kryptologicznymi". Koszty dalszych prac okazały się zbyt wysokie dla polskiego wywiadu. W lipcu 1939 r. Polacy podzielili się więc swoimi osiągnięciami z Francuzami i Brytyjczykami. Ci ostatni kontynuowali prace w ośrodku Bletchley Park, ale nie zaprosili Polaków do współpracy.

Zarówno sam fakt rozpracowania Enigmy, jak i ogromny wkład Polaków w to przedsięwzięcie były utajnione aż do lat 70. XX wieku. Nowe wersje Enigmy były bowiem wykorzystywane także po wojnie przez liczne rządy krajów rozwijających się. W 1979 r. powstał polski film, a następnie serial telewizyjny, „Sekret Enigmy". Jednym z jego konsultantów był sam Marian Rejewski.

Enigma

The breakthrough by Polish cryptologists which contributed to the Allied victory and a quicker ending to World War II.

THE FIRST ELECTRIC-MECHANIC CODING DEVICE was invented by two German engineers at the end of World War I. The machines constructed by them, known as Enigmas (from Greek – riddle), were used from the 1920's in confidential business correspondence then later in German diplomatic and military communications. Until the end of World War II the Germans were convinced that the constantly enhanced Enigma codes were unbreakable. They had no way of knowing that through the work, over many years, of Polish cryptologists the Allies had in fact obtained access to their military intelligence communications.

The device looked similar to a typewriter – with its system of turning rotors it translated the digits of the original text into a series of seemingly random letters which were sent out in the form of a telegram. The receiver needed the same machine and a special key with which he could read the messages. The possible combinations of rotor settings and switches were so great that the French and British considered the code unbreakable. However, when in 1928 the emergent III Reich introduced the Enigma machines into military equipment, breaking the code became an issue of national security for Poland.

The Code Bureau of Polish Intelligence organized secret courses in cryptology at the University of Poznań and hired its best graduates – outstanding mathematicians, Marian Rejewski, Henryk Zygalski and Jerzy Różycki. The Poles applied sophisticated mathematical concepts to break the code. The plans of Enigma, obtained by French Intelligence in 1931 were also very helpful. As they were incomplete, the French ruled them unusable and shared them with the Poles. Experimenting with the trade version of Enigma and developing their own working models, Rejewski quickly realized how the key to reading the messages was changed. As a result of the mathematical analysis conducted by the Polish team, Enigma started to reveal its secrets and by the end of 1932 Rejewski deciphered the first telegram. The Germans then changed the way of coding and the keys and the number and kind of rotors in the devices. The Poles persevered and constructed more elaborate deciphering equipment. The race lasted until 1938 when Enigma was so complicated it took 60 hefty machines, 'cryptology bombs', to decipher telegrams. In July 1932 the Poles shared their achievements with the French and British. The latter continued the work in the top secret cryptology center, Bletchley Park, but they did not invite the Poles to participate.

Both the facts – cracking Enigma as well as the vital Polish contribution were classified until the 1970's. New versions of Enigma were also used after the war by numerous governments of developing countries. In 1979 a Polish film and a TV series 'The secret of Enigma' were produced. Marian Rejewski was one of the consultants for the series.

F Festiwale **filmowe**

Słyną z ambitnego repertuaru i goszczą największych twórców z całego świata.

■ Międzynarodowy Festiwal Sztuki Autorów Zdjęć Filmowych „Camerimage". Na zdjęciu: Sławomir Idziak, operator filmowy
■ The International Film Festival of the Art of Cinematography 'Cameraimage'. Sławomir Idziak, camera operator

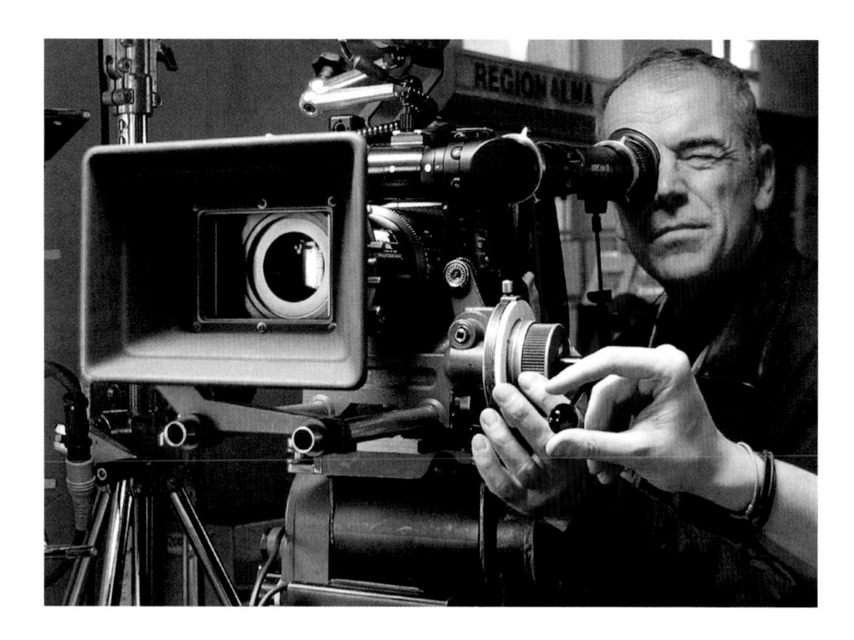

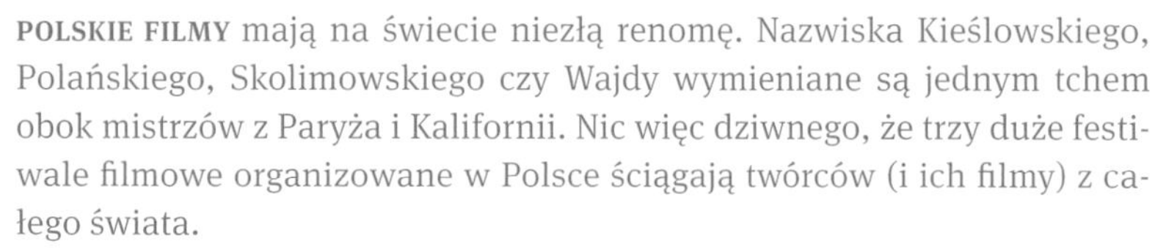

POLSKIE FILMY mają na świecie niezłą renomę. Nazwiska Kieślowskiego, Polańskiego, Skolimowskiego czy Wajdy wymieniane są jednym tchem obok mistrzów z Paryża i Kalifornii. Nic więc dziwnego, że trzy duże festiwale filmowe organizowane w Polsce ściągają twórców (i ich filmy) z całego świata.

Największy i najważniejszy jest Warszawski Festiwal Filmowy. To jedyna impreza, którą FIAPF, czyli Międzynarodowa Federacja Stowarzyszeń Producentów Filmowych, zaliczyła do grona 13 najważniejszych festiwali na świecie, stawiając tym samym Warszawę obok takich filmowych gigantów jak Cannes, Berlin czy Wenecja. WFF powstał w październiku 1985 r. jako ambitna impreza studencka i z tych czasów do dziś pozostał wysoki poziom filmów tam prezentowanych. Równocześnie z kameralnego, lokalnego wydarzenia odbywającego się w jednym niedużym kinie rozrósł się do festiwalu i targów dla profesjonalistów, o których „The Hollywood Reporter" napisał, że „to impreza, na której należy być".

Podczas dziesięciu festiwalowych dni w dziewięciu kinowych salach wyświetlanych jest około 200 filmów. Króluje kino ambitne, czasami niszowe, często niezależne i kontrowersyjne. Najwyższy laur festiwalu, Nagrodę Publiczności, otrzymali już Jim Jarmusch, Peter Greenaway, Krzysztof Kieślowski, Godfrey Reggio, Peter Weir. Dyrektorem Warszawskiego Festiwalu Filmowego od 1992 r. jest Stefan Laudyn. Twórca WFF i jego pierwszy dyrektor Roman Gutek wycofał się w tym czasie z organizacji imprezy, a od 2001 r. prowadzi inny międzynarodowy festiwal – Era Nowe Horyzonty.

Pierwsza jego edycja odbyła się w Sanoku, cztery kolejne w Cieszynie i Czeskim Cieszynie, a od 2006 impreza znalazła stałe miejsce w kalendarzu wydarzeń kulturalnych Wrocławia. Era Nowe Horyzonty stawia na kino artystyczne, niekonwencjonalne i bezkompromisowe. Jak mówi jego pomysłodawca: „Jest to festiwal dla publiczności wymagającej i szukającej w sztuce nowych doświadczeń i przeżyć, oczekującej od twórców własnego, oryginalnego języka". Triumfy święci więc na nim kino irańskie, amerykańskie kino niezależne, produkcje z Europy Środkowej, Azji i Australii. Słowem, wszystko to, co w dzisiejszym kinie jest ożywcze i ważne, a czego nie pokaże żaden multipleks.

Jednak najoryginalniejszym polskim festiwalem jest Plus Camerimage – Międzynarodowy Festiwal Sztuki Autorów Zdjęć Filmowych – prestiżowa i największa na świecie impreza poświęco-

Film Festivals

An ambitious repertoire and the most prominent directors from around the world.

na sztuce operatorów filmowych. Tu nie ocenia się wartkiej akcji ani gwiazdorskich ról, ale same zdjęcia – jak pięknie, oryginalnie i twórczo wszystko zostało sfilmowane. Twórcą i dyrektorem festiwalu, od jego pierwszej edycji w 1993 r., jest Marek Żydowicz. Początkowo impreza odbywała się w Toruniu i Łodzi, a w 2010 przeniosła się do Bydgoszczy. Nagrody – Złote Żaby (za etiudy studenckie wręczane są Złote Kijanki) – otrzymali twórcy zdjęć do takich dzieł jak „Fortepian", „Dworzec nadziei", „Motyl i skafander" czy „Slumdog, milioner z ulicy". Jak mówi organizator festiwalu: „Operatorzy – zapomniani bohaterowie wielu filmów – wreszcie zostali zauważeni, docenieni i zrozumiani".

POLISH FILMS are world-famous. Names such as Kieślowski, Polański, Skolimowski and Wajda are mentioned in the same breath as those of the masters of the 7th art from Paris to California and all points in between. It is no wonder then that as many as three important festivals organized in Poland draw directors (with their films) from the four corners of the globe.

The biggest and the most important festival is the Warsaw Film Festival. It is the only event which is recognized by FIAPF, the International Federation of Film Producers Associations, as one of the 13 most important film festivals in the world. This has placed Warsaw among film festival giants such as Cannes, Berlin and Venice. The WFF was founded in October 1985 as an ambitious student happening and up to the present it has maintained the high level of all the films presented. At the same time the WFF has grown from a local, small-audience event that took place in one cinema into a Festival and a Fair for professionals. *The Hollywood Reporter* called the Fair the place to be. There are about 200 films screened in 9 theaters during the ten days of the Festival. Ambitious, sometimes niche, often independent and controversial productions dominate the selection. The highest Festival award – The Audience Award – has been granted to Jim Jarmusch, Peter Greenaway, Krzysztof Kieślowski, Godfrey Reggio and Peter Weir, to mention just a few. Stefan Laudyn has been the director of the WFF since 1992, after the founder of the WFF and its first director, Roman Gutek, resigned from organizing the event. Since 2001 Roman Gutek has been involved principally with the Era New Horizons Festival.

Its first edition was held in Sanok, the following four in Cieszyn and since 2006 this event has been regularly scheduled in Wrocław. Era New Horizons emphasizes artistic, unconventional and uncompromising cinema with, 'films that go beyond the limits of conventional cinema'. As its founder puts it, "This is a Festival for demanding audiences who are looking for new experiences and emotions in art. These audiences expect artists to speak their own, original language". This is where Iranian films, American independent cinema and films from Central Europe, Asia and Australia triumph. In a word, everything that is invigorating and important in modern cinema and which would never be shown in a multi – cinema – complex has its chance here.

However, the most innovative Polish film festival is Plus Camerimage – The International Film Festival of the Art of Cinematography. It is a prestigious and also the most important event dedicated to cinematography in the world. Here no one judges the action nor the acting of those in the leading role, but the eye of the camera – how beautifully, originally and creatively everything was filmed. The founder of the festival and its director since its first edition in 1993 is Marek Żydowicz. At its beginnings Toruń was the venue, then Łódź, and in 2010 it finally settled in Bydgoszcz. Awards – Golden Frogs (Golden Tadpoles are awarded to students for their end of study project films) have been given to cinematographers for their photography in, *The Piano, Central Station*, *The Diving Bell and the Butterfly* and *Slumdog Millionaire.* 'The work of cinematographers, sometimes the forgotten heroes of many films, has at last been noticed, valued and understood,' says the organizer of the Festival.

■ Wrocław podczas festiwalu Era Nowe Horyzonty
■ Wrocław during the Era New Horizons Festival

F Flaga

Biało-czerwone barwy narodowe.

NA CO DZIEŃ BIAŁO-CZERWONE FLAGI łopoczą na gmachach państwowych, a podczas oficjalnych świąt – na budynkach, ulicach, a nawet pojazdach. Polscy sportowcy i kibice rozpoznawani są po biało-czerwonych kolorach na całym świecie. W przeszłości barwy te były często symbolem walki o wolność. Oficjalnie biel i czerwień są naszymi barwami narodowymi od 1831 r., ale historia flagi zaczęła się znacznie wcześniej.

Barwy, jako znaki rozpoznawcze, znane są od starożytności. Już w Polsce piastowskiej proporce odgrywały rolę znaków bojowych i symboli umożliwiających rozróżnianie walczących. Z czasem wyróżnikiem stały się herby, które umieszczano na sztandarach. Pierwszą chorągiew państwową wprowadzono w Polsce w XIII w., po koronacji Przemysła II na króla. Wtedy to na proporcach pojawił się Orzeł Biały na czerwonym tle. Koronacja Władysława Łokietka w 1320 r. potwierdziła, że sztandar ten jest symbolem jedności narodowej zjednoczonego państwa Polaków. Nasyconą barwę czerwoną uzyskiwano wówczas z barwnika pochodzącego z wysuszonych poczwarek owada zwanego czerwcem polskim. Chorągiew podnoszono tylko w obecności króla i był to sygnał np. do rozpoczęcia bitwy. Od XIV w. polska flaga z Orłem Białym była już znana w Europie, a wraz z nią barwy biało-czerwone.

The Polish Flag

The national colours of white and red.

W czasach unii polsko-litewskiej flaga Rzeczypospolitej była podzielona na dwa pola: na jednym był Orzeł Biały, na drugim – Pogoń, przy czym nadal dominowały barwy białe i czerwone. August II Mocny na początku XVIII w. wprowadził białe kokardy przypinane do kapeluszy polskich żołnierzy. Podczas uchwalenia Konstytucji 3 maja w 1791 r. poproszono damy o noszenie białych sukien z czerwonymi wstęgami, co panie uczyniły z takim entuzjazmem, że zabrakło pąsowych wstążek. Choć w czasach insurekcji kościuszkowskiej, na znak poparcia rewolucji francuskiej, także nad Wisłą noszono niekiedy trójkolorowe kokardy.

Po utworzeniu Księstwa Warszawskiego w 1807 r. a potem Królestwa Polskiego w 1815 r. oraz przede wszystkim podczas powstania listopadowego w 1830, powrócono do białych kokard, jako wyrazu patriotyzmu. W 1831 r. Sejm przyjął barwy biało-czerwone: „kokardę narodową stanowić będą kolory herbu królestwa Polskiego i W.X. Litewskiego to jest kolor biały z czerwonym". Wtedy to po raz pierwszy kwestia barw narodowych została uregulowana w powszechnie obowiązującej ustawie. Odtąd Polacy występowali pod tymi właśnie barwami (zmieniała się jedynie intensywność barwy czerwonej), choć często były one zakazywane przez zaborców czy okupantów. W czasie II wojny światowej biało-czerwona flaga odgrywała ważną rolę w działaniach ruchu oporu – nocą zawieszano ją na słupach, latarniach, w miejsce symboli hitlerowskich, na znak, że „jeszcze Polska nie zginęła".

Na oficjalnej fladze państwowej na białym tle umieszczony jest herb Rzeczypospolitej, podobnie jak na banderze wojennej. Barwy państwowe, podobnie jak pozostałe symbole narodowe, podlegają ochronie prawnej. Za znieważenie flagi grozi kara – wszak o prawo do noszenia tych barw walczyło wiele pokoleń Polaków.

■ Polskie barwy narodowe znane są doskonale na całym świecie m.in. dzięki kibicom siatkówki czy skoków narciarskich

■ The Polish national colours are well known around the world thanks to the cheering fans of volleyball and ski jumping

THE POLISH WHITE AND RED FLAG is flown on the roofs of state institutions every day but on official ceremonial days it can be seen on other buildings also, dotting the streets, even attached to public transport vehicles. Polish athletes and cheering spectators are recognizable by their white and red colours. In former time's flags were symbols of the struggle for independence with white and red becoming the official national colours in 1831. The history of the flag, the modifications and its role in Polish society over the years, is long.

Coloured banners have served as a means of identification from ancient times. During the Piast dynasty in Poland, flags were rallying points during battles. With time they were replaced by personal emblems sown on individual standards. Poland saw the introduction of its first national flag in the 13th century, after the coronation of Przemysł II. It was then that the white eagle on a red background appeared on the flag. The coronation of Władysław I in 1320 confirmed the standard's symbolic role of maintaining national and state unity. The saturated colour of the flag was achieved by a colorant made of the dried chrysalis of the Polish cochineal. The flag was raised only in the presence of the king, indicating, for instance, the start of a battle. From the 14th century, the White Eagle on a red white background flag has been recognized across Europe.

During the Polish-Lithuanian Commonwealth, the flag was divided in two: one part presented the Polish White Eagle, the other – the Lithuanian Pursuer, with the dominance of white and red. In the early 18th century, Augustus II the Strong introduced the practice of attaching white cockades to the hats of Polish soldiers. When the Constitution of May 3, 1791, was ratified, women were asked to wear white dresses with red ribbons. This met with such enthusiasm that the material for ribbons quickly ran out. During the Kościuszko Uprising, three-colour cockades were also worn in Poland to display support for the French Revolution.

After establishing the Duchy of Warsaw in 1807, and later the Kingdom of Poland in 1815, and more importantly during the November Uprising of 1830, white cockades came back into use as a means of expressing patriotism. In 1831, the Polish Parliament (*Sejm*) officially confirmed that the national colours would consist of those of the Kingdom of Poland and the Grand Duchy of Lithuania, i.e. white and red. Ever since, Poles have used the white and red colours (with changing intensity) although the occupants during the Partitions would repeatedly ban their use. During World War II, the white and red flag played an important role in the resistance movement – it was hung on lamp posts replacing Nazi symbols and indicating that 'Poland has not yet perished.'

The official national flag features the emblem on a white background, similar to the battle flag. National colours, just as all other national symbols, are under legal protection. Profanation of the flag is a crime and liable to prosecution. So many generations have fought for the right to wear the national colours that respect for this symbol of national unity is important.

F Wirtuozi **fortepianu**

Paderewski, Rubinstein, Zimerman, Blechacz – kontynuatorzy wielkich tradycji polskiej pianistyki.

NA POCZĄTKU BYŁ FRYDERYK CHOPIN i jego następcy. W 1888 r. na koncercie w Paryżu rozbłysła gwiazda Ignacego Jana Paderewskiego (1860–1941), który wkrótce potem ugruntował swą pozycję triumfalnym tournée po USA. Z rad Paderewskiego korzystał Artur Rubinstein (1887–1982), jeden z największych pianistów XX stulecia, który w ponad 80-letniej karierze dał sześć tysięcy koncertów.

Choć Polska nie jest ojczyzną fortepianu, to jednak na świecie często bywa z nim kojarzona. W Warszawie co pięć lat odbywa się przecież jeden z najstarszych konkursów muzycznych na świecie, o wielkim prestiżu i światowym rozgłosie – Międzynarodowy Konkurs Pianistyczny im. Fryderyka Chopina. Konkurs wymyślił jako sposób na propagowanie dorobku polskiego artysty kompozytor i pedagog, prof. Jerzy Żurawlew. W pierwszej edycji, która odbyła się w Warszawie w 1927 r., wzięło udział 26 pianistów z ośmiu krajów. O prawo startu w szesnastym konkursie w 2010 r. ubiegało się 346 młodych muzyków, a do złożonego z czterech etapów konkursu dopuszczono 81 pianistów z 24 krajów.

Pomimo wielu różnic pomiędzy dawnymi i współczesnymi konkursami jest coś, co je łączy – w każdej edycji objawiają się wielkie talenty. Od nagród zdobytych w konkursie chopinowskim rozpoczęły się kariery tak znakomitych pianistów jak: Bella Dawidowicz, Halina Czerny-Stefańska, Adam Harasiewicz, Wladimir Ashkenazy, Fou Ts'ong, Maurizio Pollini, Martha Argerich, Garrick Ohlsson czy Mitsuko Uchida.

W 1975 r. zwyciężył niespełna 19-letni student Akademii Muzycznej w Katowicach, Krystian Zimerman, dziś zaliczany do największych indywidualności. Każdy jego koncert jest wydarzeniem, bo artysta gra najwyżej 40 recitali w roku. Starannie wybiera miejsca, uwzględniając wiele warunków: akustykę sali, możliwość dostarczenia własnego fortepianu Steinway, w którym wprowadził kilka zmian konstrukcyjnych, wreszcie wrażliwość publiczności. Na szczęście są też jego płyty, których Deutsche Grammophon wydał już 25 – od ćwierć wieku firma ta ma wyłączność na nagrania polskiego pianisty.

Virtuosos of classical piano music

■ Ignacy Jan Paderewski międzynarodową karierę rozpoczął w 1888 r. w Paryżu
■ Ignacy Jan Paderewski started his international career in Paris in 1888

Paderewski, Rubinstein, Zimerman, Blechacz continue the fine tradition of Polish classical piano music.

IF WE LOOK AT THE HISTORY and development of music in Europe we find Frédéric Chopin and those who followed him as early precursors and innovators. Then in 1888, at a concert in Paris it was Ignacy Paderewski's star (1860–1941) which shone. And he soon strengthened his position with a triumphant tour across the USA. His words of advice were listened to and followed by one of the greatest pianists of the 20th century, Artur Rubinstein (1887–1982), who gave 6,000 concerts throughout his 80-year career.

Although Poland is not considered the homeland of the classical piano it is often associated with the country. Every 5 years, Warsaw hosts one of the world's oldest musical competitions, the renowned and prestigious International Frédéric Chopin Piano Competition. It was established by teacher and composer, professor Jerzy Żurawlew, to promote the musical heritage of Chopin. In its first edition in Warsaw in 1927, 26 pianists from 8 countries took part. In 2010, 346 pianists applied to take part in the 16th edition, out of which 81 musicians from 24 countries qualified to the 4-round competition.

In spite of many differences between the early and the modern competitions, they share one thing in common – each edition reveals a great talent. Winning the Chopin Competition has launched the careers of great pianists such as, Bella Dawidowicz, Halina Czerny-Stefańska, Adam Harasiewicz, Vladimir Ashkenazy, Fou Ts'ong, Maurizio Pollini, Martha Argerich, Garrick Ohlsson and Mitsuka Uchida.

In 1975, the winner was an only just 19-year-old student of the Academy of Music in Katowice, Krystian Zimerman, who is now counted as one of the greatest piano virtuosos of our times. As he gives no more then 40 performances a year each of his concerts is a major event. The pianist chooses his concert venues himself, taking a number of factors into consideration: the concert hall's acoustics, the possibility of using his customized Steinway piano and the sensitivity of the audience. Fortunately his albums are widely available thanks to Deutsche Grammophone which owns the exclusive rights to Zimerman's recordings and has already released 25 of his CDs.

Rafał Blechacz followed in the footsteps of Zimerman by winning the Warsaw competition in 2005. "I realize people now expect me to play Chopin," he said just after winning and he has attempted to fulfill this expectation. Currently, his *résumé* features performances in major European, US and Japanese concert halls. He also plays pieces by other composers and has been recording for Deutsche Grammophone since 2007. Krystian Zimerman and Rafał Blechacz continue the honourable tradition of Polish classical piano music.

One year after his victory at the Chopin Competition, Krystian Zimerman was invited to Paris by Artur Rubinstein to receive words of advice which proved to be of great significance for his musical development. Twenty years later, continuing the tradition of these many years, he shared his experience with Rafał Blechacz.

W ślady Krystiana Zimermana podąża Rafał Blechacz, który zwyciężył w warszawskim konkursie w 2005 r. „Mam świadomość, że ludzie oczekują ode mnie interpretacji chopinowskich" – powiedział bezpośrednio po tym sukcesie i przez pierwsze lata starał się spełnić te oczekiwania. Obecnie ma za sobą debiuty w najważniejszych salach Europy, USA czy Japonii i sięga po utwory innych kompozytorów, a od 2007 r. też nagrywa dla Deutsche Grammophon.

W rok po swoim zwycięstwie w konkursie chopinowskim Krystian Zimerman został zaproszony do Paryża przez Artura Rubinsteina. Wskazówki, jakie wówczas otrzymał, miały wielkie znaczenie dla jego rozwoju. Dwadzieścia lat później podzielił się swymi doświadczeniami z Rafałem Blechaczem. Tradycje polskiej pianistyki zostały zachowane.

■ Rafał Blechacz został zwycięzcą XV Międzynarodowego Konkursu Pianistycznego im. Fryderyka Chopina w 2005 r.
■ Rafał Blechacz was the winner of the 15th International Frédéric Chopin Piano Competition in 2005

Gniezno

Kolebka polskiego państwa i chrześcijaństwa.

■ Trumna z relikwiami św. Wojciecha
■ Sarcophagus containing the relics of Saint Adalbert

W SAMYM SERCU WIELKOPOLSKI, na Pojezierzu Gnieźnieńskim, w otoczeniu jezior: Jelonek, Świętokrzyskiego i Winiary, leży legendarne miasto Lecha – wodza plemion Polan. Słyszał o nim każdy Polak, wszak to pierwsza stolica Polski – tak przynajmniej sądzono przez długie lata. I choć ostatnie badania prowadzone na poznańskim Ostrowie Tumskim podważają rangę Gniezna jako głównej siedziby piastowskiej, nie zmienia to faktu, że najważniejsze wydarzenia w początkach państwa polskiego, jak chrzest Polski (rok 966) i zjazd gnieźnieński (1000), miały miejsce właśnie tutaj.

Miasto często nawiedzały wojny i pożary, dlatego przetrwało tu niewiele śladów piastowskiej przeszłości. Dzisiaj można ją wyczytać z nazw ulic: Mieszka I, Chrobrego, Dąbrówki. Można ją prześledzić w Muzeum Początków Państwa Polskiego oraz w katedrze gnieźnieńskiej – miejscu koronacji pięciu królów (wśród nich pierwszego – Bolesława Chrobrego), a także siedzibie głowy polskiego Kościoła. Od 1418 r. (z przerwą między 1992 a 2009) każdy arcybiskup gnieźnieński piastuje równocześnie godność prymasa Polski.

Chłodną i nieco ponurą nawę główną świątyni rozjaśnia znajdujący się w centralnej części prezbiterium, wsparty na sześciu orłach, srebrny relikwiarz w formie trumny ze szczątkami pierwszego polskiego świętego – Wojciecha, patrona świątyni, Gniezna oraz całej Polski. Najcenniejszym zabytkiem katedry są słynne Drzwi Gnieźnieńskie. Masywne wrota z brązu (o rozmiarach: 328 x 84 cm – lewe skrzydło, 323 x 83 cm – prawe) niosą opowieść o życiu św. Wojciecha. Na 18 płaskorzeźbach przedstawiono jego narodziny, życie pełne cudów, męczeńską śmierć i złożenie ciała w grobie w gnieźnieńskiej katedrze. Drzwi są dokumentem historycznym i jednym z najwybitniejszych pomników sztuki romańskiej w Polsce. Nazywane Drzwiami Królestwa przez wiele wieków umacniały poczucie narodowej wspólnoty, stanowiąc symbol polskiej państwowości.

Gniezno to jedno z najważniejszych sanktuariów religijnych w Polsce i to nie tylko za sprawą katedry, ale także licznych kościołów. Miejscowi zwykli żartować, że gdziekolwiek by rzucić kamieniem, zawsze trafi się jakiegoś księdza. Najcenniejszy po katedrze jest kościół św. Jana Chrzciciela z gotycką polichromią w prezbiterium. Warte odwiedzenia są również: kościół i klasztor Franciszkanów, powstały z połączenia dwóch świątyń: Franciszkanów (nawa główna) i Klarysek (nawa boczna), oraz świątynia św. Michała Archanioła, przy której każdego roku odbywa się procesja z relikwiami św. Wojciecha.

Miasto położone jest na Szlaku Piastowskim, łączącym ważne pod względem historycznym miejsca, m.in. Ostrów Lednicki i Giecz (z oddziałami Muzeum Pierwszych Piastów), Kruszwicę czy

Gniezno

polskie Pompeje, czyli Biskupin słynący z wrześniowego Festynu Archeologicznego. W tym ostatnim można zobaczyć rekonstrukcję drewnianego grodu z VIII w. p.n.e. – największej z tego okresu, odkrytej w Europie, osady warownej. Jej pozostałości zachowały się dzięki zakonserwowaniu w pokładach torfu. Trzydzieści pięć najważniejszych obiektów ze Szlaku Piastowskiego i całej Wielkopolski, w skali 1:20, można oglądać w Skansenie Miniatur w Pobiedziskach.

■ Katedra gnieźnieńska po zachodzie słońca
■ Gniezno Cathedral after sunset

The cradle of the Polish State and Christianity of the country.

IN THE VERY HEART OF THE WIELKOPOLSKA REGION, in the Gniezno Lakelands, surrounded by the lakes Jelonek, Świętokrzyskie and Winiary, lies the legendary town of Lech – Lech was the chief on the Polanie tribe. Every child in Poland has heard of this town, the first Polish capital which it has been believed to have been for many years. Although recent research conducted at Poznań Ostrów Tumski undermines Gniezno's significance as the first seat of the Piast dynasty, the fact remains that the most important events in the early days of Polish nationhood, such as the baptism into Christianity of Poland (966) and the Congress of Gniezno (1000), took place here.

The city was often beleaguered by wars and devastated by fires, thus not much of the history of the Piast period has been saved to this day. Nowadays, a recollection of those times can be discovered by reading the Polish kings street names: Mieszko I, Chrobry and Dąbrówka. Those times can also be relived in the Museum of the Beginnings of the Polish State and Gniezno Cathedral where five Polish kings (including the first king, Bolesław Chrobry) were crowned. Gniezno is also the seat of the Polish Church. From 1418 (with a break between 1992 and 2009) each Gniezno archbishop still holds the office of Polish primate.

The cold and slightly gloomy nave of the Cathedral is lit by the central, silver shrine, the sarcophagus, supported by six eagle sculptures, holding the remains of the first Polish saint – the patron of the Cathedral, Gniezno and Poland, St. Adalbert. The sacral objects of great importance in the Cathedral are the Gniezno Doors. The massive bronze doorway (left wing 328 x 84 cm, right wing 323 x 83 cm) tell the story of St. Adalbert's life. Eighteen bas-relief images follow his life from birth, through adulthood with miracles, to his martyrdom and burial beneath Gniezno Cathedral. The doorway is a historical document and one of the major works of Romanesque art in Poland. Also known as the Gate to the Kingdom, the Doors serve as evidence of national unity and are a symbol of the Polish state.

Gniezno is one of the central religious sanctuaries in Poland not only because of the Cathedral, but also because of its numerous churches. Local people joke that wherever you throw a stone, you will always hit a priest. Second in importance to the Cathedral is the Church of St. John the Baptist with its Gothic polychromes in the chancel. Other places to visit are the Church of the Franciscans established by merging the former Franciscan Church (nave), the Clare Sisters Church (aisle) and the Church of St. Michael the Archangel, where a procession with the remains of St. Adalbert takes place annually.

The city is situated on the Piast Route connecting historically significant locations such as Ostrów Lednicki and Giecz with sections of the Museum of the First Piasts, Kruszwica, and the so-called Polish Pompei – the town of Biskupin known for its archaeology festival in September. The open air museum at Biskupin is an archaeological site and a life-size model of an Iron Age fortified settlement, the biggest in Europe. The vestiges of the town have been saved with their foundations preserved in peat. Thirty-five historical examples from the Piast Route and from Wielkopolska can be seen on a scale of 1:20 in the Miniature Open Air Heritage Park in Pobiedziska.

G Godło

Orzeł biały – jeden z najważniejszych symboli państwa.

- Na fladze godło państwowe umieszczane jest pośrodku białego pasa
- The flag features the national emblem on a white background

MAJESTATYCZNY ORZEŁ to, obok silnego lwa, zwierzę najczęściej umieszczane w godłach państwowych. W Polsce pojawił się niemal od początku tworzenia państwa – jego wizerunku można się dopatrzyć już na monetach Bolesława Chrobrego (choć niektórzy twierdzą, że to paw królewski). Orzeł biały jako godło Polski przyjmował różne kształty oraz barwy szponów i tła. Czasem też pozbawiano go korony. Jednak od 1295 r. pełni zaszczytną funkcję godła narodowego. Nawet w czasie zaborów, mimo że występował z innymi elementami (z Pogonią podczas powstania listopadowego czy na piersi rosyjskiego czarnego orła dwugłowego w Królestwie Polskim), był symbolem polskości.

Przyjmuje się, że pierwowzorem naszego godła narodowego jest bielik – największy skrzydlaty drapieżca Polski, przez długie wieki uważany za króla ptaków i nazywany orłem. Dzisiaj zalicza się go do podrodziny orłanów charakteryzujących się brakiem upierzenia na skokach (dokładnie tak jak u ptaka na godle) w przeciwieństwie do orłów, które mają pióra na nogach, aż do palców.

Według legendy trzej bracia: Lech, Czech i Rus, wyruszyli w poszukiwaniu najlepszego miejsca

The Polish State emblem

The White-tailed Sea Eagle – one of the most important symbols of the country.

do osiedlenia się. Lech (przywódca plemienia Polan) natrafił na wielkie drzewo, a na nim gniazdo białego orła. W miejscu tym założył gród zwany Gniezdnem (od słowa gniazdo), a potem Gnieznem. I przybrał herb Orła Białego. Bardziej wiarygodne są przekazy sfragistyczne (na pieczęciach). Przyjmuje się, że pierwszy umieścił orła na pieczęci majestatycznej, jako herb całego państwa, król Przemysł II. Było to w 1295 r. Orzeł biały na czerwonym tle, z rozpostartymi skrzydłami i złotą koroną, był godłem państwa za panowania Władysława Łokietka i Kazimierza Wielkiego, rządzących w XIV w. Jego wygląd znamy z relacji Jana Długosza dotyczącej bitwy pod Grunwaldem, a zamieszczonej w XV w. w „Rocznikach".

Podczas rozbiorów, w XIX w., orzeł biały pełnił szczególną funkcję, jako symbol uczuć patriotycznych. Po odzyskaniu niepodległości w 1918 r. rozgorzała walka o koronę na głowie orła. Kwestia ta na tyle różniła polskie stronnictwa polityczne, że dopiero w 1927 r. władze II Rzeczypospolitej oficjalnie zatwierdziły orła białego ukoronowanego. Ten sam kształt orła przyjęto po II wojnie światowej, ale komuniści pozbawili go korony – symbolu dawnej, „pańskiej" Polski. Po zwycięstwie „Solidarności" i obaleniu komunizmu w 1989 r. przywrócono godło Polski z 1927 – orła w koronie zwróconego w prawo, ze złotymi szponami, na czerwonym polu tarczy. Ten ostatni element sprawia, że heraldycy symbol ten nazywają „herbem Rzeczypospolitej Polskiej", bo składa się z dwóch elementów: godła herbowego, czyli orła, oraz tarczy herbowej.

W nawiązaniu do herbu król August II Mocny ustanowił w 1705 r. Order Orła Białego, nadawany za największe zasługi dla Polski. Z biegiem lat przybrał on kształt Krzyża Maltańskiego. Po latach niewoli jego znaczenie przywrócił sejm w 1921 r., ale po 1949 zastąpiono go Orderem Budowniczych Polski Ludowej. Od 1992 znów jest najważniejszym polskim odznaczeniem nadawanym przez Prezydentów Rzeczypospolitej Polskiej. Pierwszym kawalerem współczesnego Orderu Orła Białego został papież Jan Paweł II, który przyczynił się do obalenia komunizmu.

A MAJESTIC EAGLE and the mighty lion, are animals most often chosen for national emblems. The eagle has been the Polish emblem almost from the beginning of the formation of the state – its image can be seen on coins from the reign of Bolesław Chrobry (some claim it is a royal peacock). The White-tailed Sea Eagle, as Poland's emblem, has had differing shapes and colours for its talons and the background. Sometimes its crown was removed. However, from 1295 it has had the prominent role of national emblem. Even in the times of the Partitions, although it was presented along with other elements (with a Pahonia – historical symbol of Grand Duchy of Lithuania – during the November Uprising, on the chest of a Russian black two-headed eagle in the Kingdom of Poland), it was a symbol of the Polish spirit.

It is accepted that the White-tailed Sea Eagle – the largest winged predator in Poland, which was for years considered the king of birds – is the prototype of our emblem. At present it is classified as a member of the *Buteoninae* sub-family characterized by the lack of feathers on their legs (as can be seen in the emblem) unlike other eagles which have feathers right to their talons.

According to legend, the three brothers: Lech, Czech and Rus, set out to look for the best location to settle their tribes. Lech (leader of Polanie tribe) found a huge tree with a White-tailed-eagle's nest in it. There he founded a hamlet called Gniezdno (*gniazdo – nest*), and later Gniezno and took the White-tailed-eagle as emblem. However, sigillographic evidence is more reliable as can be seen in seals attached to documents and it is believed that King Przemysł II was the first to place the eagle as the emblem of the entire country on his royal seal in 1295. The White-tailed Sea Eagle against a red background, with its wings spread and a golden crown was the country's emblem during the reign of King Władysław Łokietek and King Kazimierz Wielki, both of whom ruled in the 14th century. We know what it looked like from the Grunwald battle account by Jan Długosz, written in the 'Annals' in the 15th century.

During the 19th century Partitions, the White-tailed Sea Eagle had the specific role of the symbol of patriotic sentiment. Following independence in 1918, a dispute arose over the crown on the eagle's head. The matter of the crown divided Polish political parties so profoundly that it was only in 1927 that the authorities of the 2nd Republic of Poland were able to approve the crowned eagle. The same eagle was accepted after World War II, but the communists took its crown away, as it was considered the symbol of old 'aristocratic' Poland. After the victory of 'Solidarity' and the overthrow of communism in 1989, Poland's emblem from 1927 was reintroduced – the crowned eagle facing the staff, with gold talons, on the red background of the badge. This is called by heraldry experts the 'emblem of the Republic of Poland': the helm – the eagle and crest - the badge.

As a reference to the emblem, King August II Mocny founded the Order of the White Eagle in 1705 which is presented to civilians and the military for their merits. With the passage of time it took the shape of a Maltese Cross. After the years of Partitions, it was reintroduced by Parliament in 1921, but after 1949 it was replaced by the Order of the Builders of People's Poland. From 1992, the orginal was restored and has once again been the most important Polish distinction granted by the President of the Republic of Poland. Pope John Paul II who contributed to the overthrow of communism was the first Chevalier of the Order of the White Eagle.

G Gościnność

Polska gościnność jest od wieków znana i podziwiana przez inne narody.

NA ZACHODZIE uznaje się Polaków za naród słynący z gościnności. „Czem chata bogata" wita się każdego gościa w polskim domu. I choć czasem uważa się, że słynne „Zastaw się, a postaw się" wynika z chęci imponowania innym, to jednak przeważa przekonanie, że to otwarte polskie serca, szczere i hojne, pragnące obdarować gości wszystkim co najlepsze. Wszak „Gość w dom, Bóg w dom" – głosi staropolskie powiedzenie. I nie jest ono jedynie pustym frazesem. To kilka wieków naszej kultury i tradycji.

Polska gościnność kojarzy się przede wszystkim z suto zastawionym stołem. Nie bez powodu. Biesiady i uczty od wieków towarzyszyły wszystkim ważniejszym wydarzeniom, zarówno rodzinnym, jak i historycznym. A stół uginający się pod ciężarem jadła odzwierciedlał bogactwo domu, poziom życia jego mieszkańców oraz stosunek do zaproszonych gości. Cudzoziemców zawsze zadziwiała niezwykle bogata oprawa polskich uczt. Wiele z tej tradycji przetrwało do dnia dzisiejszego, zwłaszcza w małych miasteczkach i na prowincji. Każde święto (zwłaszcza Boże Narodzenie i Wielkanoc) jest okazją do przygotowania wielkiego przyjęcia.

Nie ulega wątpliwości, że żadna osoba zaproszona do prawdziwie polskiego domu nigdy nie wyjdzie z niego głodna. Bo gdy na Zachodzie stawia się przed nią niewielką przekąskę, w polskiej rodzinie z byle okazji zostanie przyjęta kilkudaniową, obfitą i suto zakrapianą ucztą. W naturze Polaków głęboko zakorzeniona jest bowiem przesada, a nasza tradycyjna gościnność jest jednym z jej przejawów. Jak kochamy, to na zabój, jak nienawidzimy, to do grobowej deski, jak walczymy, to do ostatniej kropli krwi, jak jemy, to do przesytu, a dla miłych nam gości jesteśmy szczodrzy i oddajemy im serce na dłoni.

Hospitality

Polish hospitality has been known and appreciated by European nations for centuries.

Słynny dziejopisarz, Jan Długosz, już w XV w. twierdził, że szlachta polska jest „dla obcych i gości ludzka i uprzejma, w gościnności miłująca się i przodująca nad innymi narodami". Szymon Starowolski w XVII w. pisał o Polakach, że „do towarzystwa, uprzejmości, szczodrości oraz gościnności tak bardzo skorzy, iż obcych i cudzoziemców nie tylko chętnie gościną podejmują, lecz jeszcze i wielkim poszanowaniem otaczają", a ponadto są „prędcy do naśladowania obyczajów tych, z którymi przestają, zwłaszcza cudzoziemców".

Świat zmienił się od tamtych czasów nie do poznania. Dzisiaj ludzie żyją w coraz większej izolacji, zamykając swe domy i serca przed przybyszami. Ale Polacy ciągle jeszcze znacznie częściej niż inne narody spotykają się w domach, a nie w kawiarniach i restauracjach. Chętnie zapraszają do nich również cudzoziemców. A polska gościnność ciągle budzi onieśmielenie, czasem nawet zakłopotanie. Bo jeśli już Polacy zaakceptują przybysza, to kochają go jak swego, bezustannie starają się to podkreślać i okazywać mu na każdym kroku. To dlatego cudzoziemcy zawsze mogli czuć się u nas jak w domu i w większości przypadków już w drugim pokoleniu uznawali nasz kraj za swą nową Ojczyznę.

AMONG WESTERN SOCIETIES Polish people are well known for their hospitality. Every guest entering a Polish home is greeted accordingly with the saying "My home is your home". It is sometimes thought that another saying "Spend all your money, but dazzle your guests" provides an insight into Polish inborn pride and the need to impress others, but usually it is understood as an example of generosity, frankness and the greatness of Polish hearts, eager to satisfy their guests' every need. "Guest in the house is God in the house", another old Polish proverb, not just a cliché – it comes from centuries of Polish culture and tradition.

Polish hospitality is usually associated with a richly set table, and that is not without a reason. For centuries feasts and banquets have accompanied all major events – domestic and historical. A table groaning with food illustrated the richness of the house, the wealth of its host and his family and their attitude towards strangers. Foreigners have always been amazed by the abundant settings of Polish festive tables. Much of this tradition has been preserved to this day, especially in small towns and in the provinces. Each holiday, notably Christmas and Easter, is an occasion for a great celebration.

Without a doubt, any person invited to a true Polish home will not leave it hungry. In the West, guests might be offered a snack, but a Polish family always greets them with multi-course, abundant and well accompanied by wines and beers, feast on any occasion, be it a holiday or just a visit. Excess is deeply rooted in the Polish character and this traditional hospitality is one proof of it – a Pole's true love is a matter of life and death, a Pole's hatred lasts for life, a Pole always fights to the last drop of blood, a Pole always eats until he is too full to move, and a Pole is always generous and gracious towards his guests.

The chronicler, Jan Długosz, in the 15th century said that Polish gentry are "kind and humane towards strangers and guests and leaders in hospitality over other nations". Szymon Starowolski wrote about Poles in the 17th century that "they are so keen on companionship, courtesy, generosity and hospitality that they not only welcome their guests with pleasure, but they also treat them with great respect" and he also wrote that "they are apt to follow the customs of those that they greet, especially foreigners".

The world has changed greatly since those times. Today people tend to isolate themselves more and more, closing their homes and hearts to all comers. But Poles still like to meet at home more than in a café or a restaurant, unlike other European nations. They often invite foreigners to their home and this kind of hospitality can still make other nations feel awkward and a bit overawed because when a Pole accepts a stranger, he loves him (or her) like his own, constantly trying to show and emphasize it. This is why foreigners have always been able to feel as if they were in their native land when in Poland and in many cases their children come to consider Poland their new homeland.

■ Polska gościnność kojarzy się przede wszystkim z jedzeniem i suto zastawionym stołem
■ Polish hospitality is more often than not associated with generous amounts of food

G Grunwald

Jedna z największych i najbardziej krwawych bitew w historii średniowiecznej Europy.

ZAPROSZENI W XIII W. na ziemie polskie rycerze Zakonu Szpitala Najświętszej Marii Panny Domu Niemieckiego w Jerozolimie (Krzyżacy) przybyli z misją chrystianizacji plemion pruskich i ochrony północnych rubieży Polski. Z czasem potęga zakonu stała się tak wielka, że zagroziła interesom Polski i Litwy. Trwający długie lata konflikt dyplomatyczny i zbrojny osiągnął apogeum na początku XV w., kiedy doszło do wielkiej wojny z zakonem. Jej kulminacją była bitwa pod Grunwaldem. Zwycięstwo sprzymierzonych wojsk polsko-litewskich przez stulecia było kanwą polskiego patriotyzmu i trafiło do narodowego panteonu sławy.

W 1226 r. polski książę Konrad Mazowiecki sprowadził Krzyżaków na ziemię chełmińską. Usunięci z Palestyny, a potem z Węgier, w ramach szerzenia chrześcijaństwa zajęli w krwawych bojach Prusy, Inflanty, połacie Żmudzi. Kolejnym celem była pogańska Litwa. Wtargnęli też do Gdańska i na Pomorze, odcinając Polskę od Bałtyku. Po wyborze wielkiego księcia litewskiego Jagiełły na tron polski i chrzcie Litwy w 1386 r. misja zakonu utraciła rację bytu, lecz nie zamierzał on wycofać się z zajętych terytoriów. Polacy i Litwini chcieli zaś odzyskać swoje ziemie.

15 lipca 1410 r. na polach między Stębarkiem, Łodwigowem a Grunwaldem stanęło pod wodzą króla Władysława Jagiełły 20 tys. Polaków, 10 tys. Litwinów (dowodzonych przez wielkiego księcia Witolda) i około tysiąca Tatarów. Wielki mistrz zakonu Ulrich von Jungingen przywiódł blisko 21 tys. konnych (głównie europejskiego rycerstwa) i 5 tys. piechurów. Rycerzy zakonnych było zaledwie 250.

Całodzienna bitwa toczyła się ze zmiennym szczęściem. Początkowo słabiej uzbrojone wojska litewskie nie wytrzymały natarcia ciężkiej jazdy. Współcześni historycy litewscy twierdzą, że był to świadomy manewr Witolda, który odciągnął znaczące siły krzyżackie z pola walki. Tymczasem, po ich powrocie z pogoni za Litwinami, bliskie zwycięstwa chorągwie polskie dostały się w kleszcze. Wielki mistrz ruszył na czele odwodowych chorągwi. Podczas tego manewru Jagiełło znalazł się w niebezpieczeństwie: zaatakował go niemiecki rycerz z Łużyc – Dypold Koekritz. 60-letni władca zwalił śmiałka na ziemię.

Grunwald

■ „Bitwa pod Grunwaldem" – obraz Jana Matejki znajdujący się w zbiorach Muzeum Narodowego w Warszawie
■ The Battle of Grunwald by Jan Matejko, a part of the collection of the National Museum in Warsaw

One of the greatest and bloodiest battles in Medieval European history.

Do boju powrócili Litwini, losy bitwy się odmieniły. Zginął wielki mistrz i niemal cała starszyzna zakonu. Choć Jagiełło wstrzymał pogoń i natarcie na krzyżacką stolicę – Malbork, zagrażająca Słowianom militarna potęga zakonu przestała istnieć. Ostatecznie przypieczętował to w 1466 r. II pokój toruński, czyniący z państwa zakonnego lennika Polski. Zwycięstwo nad Krzyżakami dało podstawy do rozwoju silnego państwa Jagiellonów, którego wpływy w szczytowym okresie rozciągały się od Bałtyku po Morze Czarne.

Dzisiaj, co roku w lipcu, odbywają się Dni Grunwaldu. Punktem kulminacyjnym jest rekonstrukcja historyczna. W 600-lecie bitwy (2010) przybyło ponad 5 tys. odtwórców ról, a inscenizację oglądało 180 tys. widzów. W Stębarku (niem. Tannenberg) znajduje się Muzeum Bitwy Grunwaldzkiej. Mit Grunwaldu jest ciągle żywy w – w 2010 r. w Warszawie odbyła się premiera rock-opery „Krzyżacy".

INVITED TO POLISH LANDS in the 13th century, the Order of the Brothers of the German House of Saint Mary in Jerusalem (the Teutonic Knights) arrived with a mission to Christianise the Prussian tribes and to protect the northern borders of Poland. As time passed the power of the Knights increased so much as to threaten the interests of Poland and Lithuania. The diplomatic and military conflict lasted many years and reached its peak in the early 15th century when the great war with the Order broke out. The war came to an end with the Battle of Grunwald. The Commonwealth's victory became the cornerstone of Polish patriotism for many centuries to come and has entered the national pantheon of illustrious historical events.

In 1226, Polish Duke Konrad I Mazowiecki brought the Teutonic Knights to Chelmo Land. Leaving Palestine and later Hungary, the Knights occupied Prussia, the Duchy of Livonia and vast areas of Żmudź with their mission to spread Christianity there and then further to pagan Lithuania. The Knights annexed Gdańsk and Pomerania, cutting Poland's access to the Baltic Sea. After the Grand Lithuanian Duke Jagiełło was elected King of Poland, and after Lithuania was baptised in 1386, the Order's mission was completed. However, the Knights had no intention of withdrawing from the occupied territories which the Poles and Lithuanians wanted to recover.

On July 15, 1410, the fields between Stębark, Łodwigów and Grunwald were filled with 20,000 Poles led by King Władysław Jagiełło, 10,000 Lithuanians led by Grand Duke Witold and some 1,000 Tatars. The Grand Master of the Order, Ulrich von Jungingen, commanded approximately 21,000 cavalry (mostly European knights) and 5,000 heavy infantry. There were only 250 Knights of the Order present.

The battle lasted the entire day during which victory kept passing from one side to the other. The badly armed Lithuanian army could not withstand the onslaught of the Order's heavy infantry and contemporary historians believe it was a deliberate move by Duke Witold, who lured the strong enemy forces away from the battle field. After chasing the Lithuanians, the heavy infantry returned to the field and surrounded the Polish armies. During the maneuver, Jagiełło was trapped and attacked by a Lusatian knight, Dypol Koekritz, but the 60-year-old Jagiełło knocked the daring knight off his horse.

The Lithuanians had by now returned to the battlefield and fortunes changed. In the fighting that followed the Grand Master was killed, along with nearly all the senior command. Jagiełło did not follow up the victory with a conclusive siege of the Teutonic capital, Malbork, but the might and power of the Teutonic Knights which had threatened the Slavic nations had been broken. Their fate was eventually sealed in 1446, when the Second Peace of Toruń was signed, turning the Order into a Polish fiefdom. The victory over the Order led to the development of a strong state and the Jagiellon dynasty which was to extend its influence, at its peak, from the Baltic to the Black Sea.

Today, the Grunwald Days take place annually, every July with a historical reconstruction of the battle. In 2010, the 600th anniversary of the battle was re-enacted by over 5,000 performers watched by 180,000 spectators. The Grunwald story lives on in Polish mythology. The Museum of the Battle of Grunwald is located in Stębark. In 2010, 'Teutonic Knights. A Rock Opera', premiered in Warsaw.

H

Himalaiści

Specjalnością polskiego himalaizmu są wyprawy zimowe.

■ Jerzy Kukuczka podczas wyprawy na ośmiotysięcznik Nanga Parbat w 1985 r.
■ Jerzy Kukuczka during his attempt at the over 8,000 meter high Nanga Parbat in 1985

TYLKO POLACY, choć pochodzą z nizin Europy, potrafią zimą, w najtrudniejszych warunkach i pionierskimi drogami, wspinać się na najwyższe szczyty świata. Fenomen polskiego himalaizmu trwa nieprzerwanie od lat 70. XX w. Kiedy wszystkie najwyższe szczyty Himalajów i Karakorum były już zdobyte latem, Polacy postanowili wejść na nie zimą.

Pierwszą wyprawę zorganizowano na Noszak – wznoszący się na 7492 m n.p.m. najwyższy szczyt Afganistanu. Jej kierownikiem został rzutki i charyzmatyczny Andrzej Zawada. Kiedy po latach okrzyknięto go architektem polskich sukcesów w Himalajach, przylgnęło do niego przezwisko „Lider". Jak ogromnym krokiem naprzód w eksploracji gór była ta wyprawa, może świadczyć fakt, że rząd Afganistanu po raz pierwszy w historii poprosił uczestników wyprawy o specjalną notę dyplomatyczną. Rząd polski musiał w niej przyznać, że ma świadomość, jakie warunki panują zimą w najwyższych górach, i bierze na siebie odpowiedzialność za losy wyprawy i życie jej członków. Po heroicznym oblężeniu góry Andrzej Zawada i Tadeusz Piotrowski stanęli 13 lutego 1973 r. na szczycie. Rok później Zawada zaatakował zimą Lhotse. I choć nie dotarł na sam wierzchołek, przekroczył magiczną barierę 8 tys. m.

Od tej pory himalaizm zimowy stał się specjalnością Polaków. Kilka lat wydeptywania ścieżek w nepalskich ministerstwach zaowocowało zgodą na zimowy atak Mount Everestu. 20-osobowa wyprawa złożona z najlepszych polskich wspinaczy w pierwszych dniach 1980 r. założyła bazę pod „Dachem Świata". Po półtoramiesięcznym oblężeniu, przy huraganowym wietrze i temperaturze spadającej do -50 st. C na szczycie stanęli Leszek Cichy i Krzysztof Wielicki. Polski wyczyn próbował powtórzyć Reinhold Messner (pierwszy zdobywca Korony Himalajów, czyli 14 ośmiotysięczników), ale bezskutecznie. Do dziś zimą na szczy-

Himalayan climbing

Polish Himalayan climbers specialize in winter expeditions.

cie Everestu stanęło zaledwie kilka osób! Latem – kilka tysięcy.

Messner zainspirował jednak innego polskiego wygę gór, Jerzego Kukuczkę, do walki o Koronę Himalajów. Wspinacz dokonał tego w koncertowym stylu – w czasie o połowę krótszym od Messnera, a na szczyty wchodził zimą, nowymi, bardzo trudnymi drogami i często bez tlenu. Gdy Kukuczka zdobył swój ostatni, czternasty szczyt, Messner, który w tym wyścigu ubiegł go na finiszu, przysłał depeszę: „Nie jesteś drugi, jesteś wielki". Dwa lata później Kukuczka zginął w czasie wyprawy na Lhotse. Kolejnym Polakiem, który skompletował Koronę Himalajów (w 1996 r.), był Krzysztof Wielicki.

Na najwyższym szczycie świata w 1978 r., jako pierwsza Europejka, stanęła Wanda Rutkiewicz. Ta najwybitniejsza polska himalaistka w osiem lat później jako pierwsza kobieta zdobyła też K2 (w Karakorum), który uchodzi za najtrudniejszy z całej korony. Niestety, w 1992 r. zaginęła na stokach Kangczendzongi.

Mimo dotkliwych strat polski himalaizm wciąż dostarcza światu kolejnych zdobywców – w 2010 r. do ekskluzywnego grona pogromców Korony Himalajów dołączył Piotr Pustelnik. Chwalebne tradycje kobiet podtrzymują zaś Anna Czerwińska (sześć ośmiotysięczników) i himalaistka młodego pokolenia Kinga Baranowska (siedem).

■ Czorten poświecony pamięci trzech polskich himalaistów
■ Commerative stone to three Polish climbers

ONLY POLISH CLIMBERS, although they come from the lowlands of Europe, can ascend the highest peaks of the world in winter, in the most difficult conditions and using pioneer routes. The phenomenon of Polish Himalayan climbing has lasted without a break since the 1970's. When all the highest peaks of the Himalayas and the Karakorum Range had been conquered during the summer period, the Polish contingency decided to climb them in winter!

The first expedition was organized to climb Noshaq – the 7492 metres above sea level summit in Afghanistan. Energetic and charismatic Andrzej Zawada was its leader. When years later he was called the originator of Polish success in the Himalayas, he became known by his nickname of 'Leader'. The significance of this expedition can be shown by the fact that the Afghani government, and for the first time in the history of climbing, asked the participants for a diplomatic note. The Polish government had to acknowledge in the note that it was aware of the conditions which prevailed in winter on the highest mountains and that it took responsibility for the fate of the expedition and the lives of its members. At the end of the heroic 'invasion' of Noshaq, Andrzej Zawada and Tadeusz Piotrowski stood on its peak on 13 February 1973. A year later Zawada attacked Lhotse in winter. Although he did not reach the summit, he did go beyond the all-important altitude of 8,000 metres.

Since then winter Himalayan climbing has became a Polish specialty. After a few years of negotiating, with their foot in the door of several Nepali ministries, an agreement was reached to ascend Mount Everest, in winter. The team of 20 of the best Polish climbers set up a base camp under the 'Roof of the World' in the first days of 1980. Following a month and a half of hard ascents, in raging snow storms with temperatures dropping to minus 50 Celsius, Leszek Cichy and Krzysztof Wielicki reached the summit of Everest. Reinhold Messner (the first person to stand on the Crown of the Himalayas peaks, the 14 eight-thousanders) attempted to repeat the Polish venture, but was not successful. Today, there are few people who have made it to the top of Everest in winter – but several thousand in summer!

Messner was however the inspiration for the expedition of another experienced Polish climber – Jerzy Kukuczka – to take on the Crown of the Himalayas peaks. He did it in the best of style – in a time shorter by half than Messner even though he climbed in winter using new, extremely difficult trails, often without an oxygen mask. When Kukuczka ascended his last, fourteenth peak, Messner who in this race had been first, sent him a telegram: 'You are not second, you are great'. Two years later Kukuczka died during his expedition to Lhotse. The next Polish climber who completed the Crown of the Himalayas (in 1996) was Krzysztof Wielicki.

The first European woman, Wanda Rutkiewicz, reached the highest peak in the world in 1978. Eight years later, this most outstanding Polish female Himalayan climber was the first woman to ascend K2 (in Karakorum), which is considered to be the most difficult in the Crown. In 1992 Wanda Rutkiewicz disappeared on the slopes of Kanchenjunga.

Despite painful losses, Polish Himalayan climbers have provided the world with more champions – in 2010 Piotr Pustelnik joined the prestigious group of the conquerors of the Crown of the Himalayas. The worthy female tradition is kept alive by Anna Czerwińska (six eight-thousanders) and a Himalayan climber of the young generation, Kinga Baranowska (seven eight-thousanders).

H Husaria

Najpiękniejsza i najlepsza kawaleria świata.

■ „Hetman Jan Karol Chodkiewicz z husarią pod murami Chocimia" – płótno Wojciecha Kossaka
■ Hetman Jan Karol Chodkiewicz with hussars beneath the walls of Chocim

Husaria odnosiła niebywałe sukcesy na polach bitew, często pokonując przeciwników wielokrotnie liczniejszych. Jej szarże wywoływały przerażenie i panikę w szykach wrogów. Przekonała się o tym armia Maksymiliana III Habsburga pod Byczyną w 1588 r. oraz armia Karola IX Sudermańskiego rozbita w 1605 r. przez czterokrotnie słabsze wojska hetmana Jana Karola Chodkiewicza pod Kircholmem. Doświadczyli tego Rosjanie pod Kłuszynem w 1610 r., Turcy pod Chocimiem w 1621 oraz Tatarzy pod Martynowem w 1624 i pod Ochmatowem w 1644, a nawet znakomity wódz, król szwedzki Gustaw II Adolf, którego wojska zmierzyły się pod Trzcianą w 1629 r. z żołnierzami hetmana Stanisława Koniecpolskiego.

Husaria pojawiła się na początku XVI w., ale przełomowym okresem w jej historii było panowanie Stefana Batorego. W 1576 r. przybyły z Węgier król ujednolicił jej uzbrojenie. Z jazdy lekkiej, pochodzenia serbskiego, przekształcił ją w jazdę pancerną, chronioną lekkimi zbrojami i szarżującą na specjalnie dobranych, hodowanych w Polsce rumakach – rosłych, szybkich i wytrzymałych, a do tego tak cennych, że tylko najbogatsi mogli sobie na nie pozwolić. Jeźdźców wyróżniały przypięte z tyłu skrzydła i 5,5-metrowa kopia z proporcem. Mieli też długie koncerze (miecze), szable, czekany, bandolety oraz skóry lamparcie, tygrysie lub wilcze narzucane na zbroje.

XVI i XVII w. to okres fascynacji potęgą ognia muszkietów, armat i wzrostu roli piechoty. Rzeczpospolita, zajmująca obszar o powierzchni blisko 1 mln km^2, z nielicznym wojskiem, zagrożona przez niezwykle szybkich Tatarów, była w stanie bronić terytorium dzięki błyskawicznym rajdom kawalerii, przewyższającym znacznie tempo marszu wojsk typu zachodniego. Znakomicie wyszkolona husaria atakowała płytkimi szykami – około 100 m przed oddziałami wroga przechodziła w cwał, w szyku rozproszonym lub skupionym. Szarżujący z prędkością 40-50 km na godzinę husarze celowali kopiami w brzuchy i piersi pikinierów. Atakowali tak, by muszkieterowie nie zdążyli naładować broni. W razie walki na szable i koncerze pocztowi husarza, idący po bokach i z tyłu, osłaniali swego towarzysza, podczas gdy on zadawał śmiertelne sztychy i cięcia. Wszystkie armie wojujące w tamtych czasach z Polakami stroniły od walki w polu, obawiając się miażdżącej siły husarii.

Uzasadniona duma husarii z czasem przerodziła się w pychę. Husarze powtarzali, że nawet gdyby niebiosa miały runąć, oni podtrzymają je kopiami. Znakomicie umiał wykorzystać husarię Jan III Sobieski – końcowym akordem jej świetności była największa szarża kawalerii polskiej pod Wiedniem w 1683 r. W XVIII w. wzrost siły broni palnej i zubożenie szlachty po wyniszczających wojnach z Kozakami, Rosją, Szwecją, Siedmiogrodem i Turkami spowodowały utratę znaczenia husarii.

Zbroje husarskie prezentuje dziś Muzeum Wojska Polskiego w Warszawie i Muzeum Narodowe w Krakowie. Można je było także zobaczyć podczas inscenizacji bitwy pod Kłuszynem, w jej czterechsetną rocznicę, w lipcu 2010 r. w Warszawie.

Polish Hussars

Stylish and skilled cavalry, the finest in the world.

POLISH HUSSARS WERE ASTONISHINGLY SUCCESSFUL on battlefields, often defeating enemies which outnumbered them several times. Their charges would fill the enemy formations with fear and panic. The army of Maximilian III of Austria realized what this felt like during the battle at Byczyna in 1588, as much later did the army of Charles IX of Sweden, beaten in 1605 by a four-times smaller army under Polish Hetman, Jan Karol Chodkiewicz, at Kircholm. So did the Russians at Klushino in 1610, the Turkish at Khotyn in 1621, the Tatars at Martyniv in 1624 and Okhmativ in 1644, and finally the great King Gustavus Adolphus of Sweden whose armies faced the soldiers of Polish Hetman Stanisław Koniecpolski at Trzcianka in 1629.

Polish hussar units were established in the early 16th century, but the decisive period of their existence was the reign of the king of Hungarian origin, Stephen Bathory. In 1576, he modified the weaponry the hussars carried. He turned the light Serbian cavalry into heavy cavalry, protected with light armor on specifically chosen horses bred in Poland – large, fast, hardy and so expensive than only the wealthiest could afford them. The hussar horsemen had frames with eagle wings attached to their backs and 5.5-meter lances with pennons. They also carried their original long sabers, axes and muskets with leopard, tiger and wolf pelts covering their armour.

During the 16th and 17th centuries, many nations began to use the fire power of musket volleys and cannons and at the same time increased the role of their infantry. With an area of nearly 1 million square kilometers and only a small army, Poland was able to successfully defend her territory against the Tatar invasions using rapid cavalry tactics, outdoing the marching pace of Western armies. The well trained hussars charged in loose formations and at a distance of approximately 100 meters from the enemy, they closed ranks and broke into a gallop. Charging at around 40-50 kms the hussars aimed their lances at the abdomens and chests of the enemy pikemen. They attacked forcefully to prevent the enemy from reloading their muskets. In hand to hand combat, small groups of hussar protected individual hussars as they chopped and stabbed. Armies warring against Poland tried to avoided set piece battles as the devastating force of the hussar charge was feared greatly.

As time passed, the high opinion the hussars had of themselves grew into too much pride. They had a saying that if the sky were to fall, they would stop it with their sabers. Jan III Sobieski fully realized how to exploit the hussars – as he did in the charge at Vienna in 1683. In the 18th century the hussars lost their military importance as a result of the advances in controlled volleys of musket fire, and the impoverishment of the Polish gentry after the devastating wars with the Cossacks, the Russians, Sweden, Transylvania and Turkey.

Today hussar armour is exhibited in the Museum of the Polish Army in Warsaw and in the National Museum in Krakow. It was also presented in Warsaw at the staging of the battle of Klushino, which commemorated the battle's 400th anniversary in 2010.

H Hymn

Uroczysta pieśń ojczysta.

■ Tekst hymnu narodowego na wykonywanych współcześnie imitacjach starodruków, ze zbiorów Biblioteki Publicznej Miasta Rydułtowy
■ Text of the national anthem in an old printing style. Public Library Rydułtowy

HYMN POLSKI

Jeszcze Polska nie zginęła
Kiedy my żyjemy.
Co nam obca przemoc wzięła,
Szablą odbierzemy
Marsz, marsz, Dąbrowski,
Z ziemi włoskiej do Polski!
Za Twoim przewodem,
Złączym się z narodem.

Przejdziem Wisłę, przejdziem
Wartę, będziem Polakami.
Dał nam przykład Bonaparte,
Jak zwyciężać mamy.
Marsz, marsz, Dąbrowski,
Z ziemi włoskiej do Polski!
Za twoim przewodem,
Złączym się z narodem.

Jak Czarniecki do Poznania
Po szwedzkim zaborze
Dla ojczyzny ratowania
Wrócim się przez morze.
Marsz, marsz, Dąbrowski,
Z ziemi włoskiej do Polski!
Za Twoim przewodem,
Złączym się z narodem.

Mówi ojciec do swej Basi
Cały zapłakany,
Słuchaj jeno, pono nasi
Biją w tarabany.
Marsz, marsz, Dąbrowski,
Z ziemi włoskiej do Polski!
Za Twoim przewodem,
Złączym się z narodem.

Józef Wybicki

HYMN to, obok flagi i godła, najważniejszy symbol narodowy, choć znacznie młodszy od dwóch pozostałych. Słowa polskiego hymnu: „Jeszcze Polska nie zginęła, kiedy my żyjemy" były aktualne przez stulecia, kiedy Polacy walczyli o niepodległość.

Uważa się, że pierwszym polskim hymnem była „Bogurodzica". Najstarszy zapis tej podniosłej pieśni religijnej pochodzi z połowy XIII w.; śpiewało ją rycerstwo pod Grunwaldem w 1410 r. i w czasie koronacji Władysława III Warneńczyka w 1434 r. W dobie reformacji rolę hymnu przejęła średniowieczna pieśń kościelna „Te Deum laudamus". W XVIII w. król Stanisław August Poniatowski zauważył brak świeckiego hymnu i zlecił napisanie go Ignacemu Krasickiemu, ale jego utwór „Święta miłości kochanej Ojczyzny" nie przyjął się na długo. W czasie rewolucji we Francji triumf święciła „Pieśń Armii Nadreńskiej", znana później jako „Marsylianka".

Polską pieśń państwową stworzył Józef Wybicki, choć nie spodziewał się, że jego utwór stanie się hymnem. Był pisarzem i żołnierzem – przeszedł długą drogę bojową jako konfederat barski, uczestnik insurekcji kościuszkowskiej, obrońca Warszawy. Po upadku powstania kościuszkowskiego udał się na emigrację do Paryża, skąd w 1797 r. został wysłany do Reggio we Włoszech, aby pomóc generałowi Henrykowi Dąbrowskiemu zorganizować Legiony Polskie. Gdy znalazł się w Reggio nell'Emilia, wzruszył go widok polskich mundurów i mowy ojczystej – napisał wówczas „Pieśń Legionów Polskich we Włoszech", zwaną „Mazurkiem Dąbrowskiego". Oryginalny tekst brzmi:

„Jeszcze Polska nie umarła,
Kiedy my żyjemy,
Co nam obca moc wydarła,
Szablą odbijemy.
Marsz, marsz Dąbrowski,
Do Polski z ziemi włoski,
Za Twoim przewodem,
Złączem się z narodem"

Proste słowa i bliski sercu polski mazur, z akcentem na pierwszą nutę taktu, sprawiły, że pieśń stała się popularna w legionach, a następnie w Księstwie Warszawskim, kiedy armia ruszyła z Napoleonem na Rosję w 1812 r. Podczas powstania w 1830 r. „Mazurek Dąbrowskiego" był już polskim hymnem, a zawdzięczał to wciąż aktualnym słowom z pierwszej zwrotki. To właśnie one, wraz z charakterystyczną melodią, odegrały istotną rolę w dobie walki o utrzymanie świadomości narodowej i niepodległość. Pieśni słowackie, czeskie, chorwackie, ukraińskie, górnołużyckie, serbskie, a także federacji jugosłowiańskiej wzorowane były na „Mazurku Dąbrowskiego".

W 1861 r., przed powstaniem styczniowym, rolę hymnu odgrywała też podniosła pieśń „Boże, coś Polskę". Zakazany przez zaborców „Mazu-

The National Anthem

■ Józef Wybicki – twórca „Mazurka Dąbrowskiego"
■ Józef Wybicki, the author of the 'Dąbrowski Mazurek'

A solemn hymn.

rek Dąbrowskiego" stał się manifestacją niezłomnej polskości. W 1927 r. został oficjalnie uznany za hymn państwowy i tak jest aż do dzisiaj.

XIX-wieczne pozytywki wygrywające „Mazurka Dąbrowskiego" oraz najstarsze nagrania płytowe tej pieśni, z początku XX w., zgromadzono w Muzeum Hymnu Narodowego w Będominie (oddział Muzeum Narodowego w Gdańsku), w barokowym dworku z początku XVIII w., w którym urodził się Józef Wybicki. Polska jest jedynym krajem posiadającym muzeum hymnu państwowego.

THE ANTHEM is the national symbol of the greatest importance followed by the flag and the emblem, although it is more recent than the flag and emblem. The words of the Polish national anthem "Poland has not yet perished as long as we remain" were important for the two centuries when Poles fought for their independence.

It is assumed that the first Polish national anthem was 'Bogurodzica'. The oldest record of this hymn dates back to the mid 13th century. It was sung by the knights at Grunwald in 1410 and during the coronation of Wladyslaw III of Varna in 1434. A Medieval, ecclesiastical hymn 'Te Deum laudamus' became the Polish national anthem at the time of the Reformation. In the 18th century, King Stanislaw August Poniatowski noticed an absence of a secular national anthem and instructed Ignacy Krasicki to write one, but his composition 'O Sacred Love of the Beloved Country' was not used for long. During the French Revolution the 'Chant de guerre pour l'Armée du Rhin', later known as 'La Marseillaise, was very popular.

The Polish national anthem was written by Joseph Wybicki who actually didn't expect his composition to become a national anthem. He was a writer and a soldier who travelled the long Bar Confederacy road, a participant in the Kosciuszko Uprising and a defender of Warsaw. After the defeat of the Kosciuszko Uprising he left for Paris from where he was sent to Reggio, Italy, in 1797 to help General Henryk Dąbrowski organize the Polish Legions. When he arrived in Reggio nell'Emilia he was so moved by the sight of Polish uniforms and men speaking Polish that he wrote the 'Song of the Polish Legions in Italy' called the 'Dąbrowski Mazurek'. The opening lines of the original text are as follows:

Poland has not yet perished,
As long as we remain,
What the foe by force has seized,
Sword in hand we'll regain.
March, March, Dąbrowski,
March from Italy to Poland,
Under your command,
We shall reach our land.

Simple lyrics and a Polish mazurek, dear to the Polish heart, with emphasis on the first beat, made the song very popular among the Legions and then in the Duchy of Warsaw, when the Polish cavalry with Napoleon's army invaded Russia in 1812. During the Uprising of 1830 the 'Dąbrowski Mazurek', because of its topical lyrics in the first verse, was by then the Polish national anthem. The lyrics, together with the characteristic melody, played an important role at the time of the struggle for independence and the preservation of national consciousness. Slovak, Czech, Croatian, Ukrainian, Upper Lusatia, Serbian and the Yugoslavia Federation anthems were modeled on the 'Dąbrowski Mazurek'. In 1861, before the January Uprising, a solemn hymn 'God, save Poland' also played the role of the national anthem. The 'Dąbrowski Mazurek', forbidden by the occupants, became a demonstration of the steadfast Polish nature. It was officially confirmed as the national anthem in 1927 and it is the Polish national anthem to this day.

19th century musical boxes playing the 'Dąbrowski Mazurek' and the oldest recordings of this song from the beginning of the 20th century are in the collection of the Museum of the National Anthem in Bedomin (an affiliate of the National Museum in Gdansk), an early 18th century baroque residence where Joseph Wybicki was born. Poland is the only country in the world which has a National Anthem Museum.

I Informatycy

Nad Wisłą i Odrą rozkwita informatyczne zagłębie.

NIEWIELE JEST DZIEDZIN, w których Polacy tak regularnie stają na podium, jak w przypadku programowania. Zawody w tworzeniu najlepiej działających programów mają równocześnie coś z nauki i sportu. Z jednej strony trzeba postępować zgodnie z prawidłami nauki i informatycznego rzemiosła, a z drugiej pokonać konkurentów w drodze po złote medale. Nasi programiści opanowali tę sztukę do perfekcji, a dzięki temu Polska stała się informatyczną potęgą.

Regularne zwycięstwa polscy informatycy odnoszą w jednym z najbardziej prestiżowych na świecie konkursów programistycznych – Top-Coder. Impreza jest organizowana od 2001 r. przez firmę o tej samej nazwie. Komputerowi mistrzowie (w większości w wieku 18-25 lat) zmagają się w niej przez Internet w pisaniu algorytmów, projektowaniu oprogramo-

IT Specialists

There's an IT valley blossoming on the banks of the Vistula and Oder rivers.

wania oraz tworzeniu programów. Wśród zadań, z jakimi muszą się zmierzyć, są np. pokonanie komputera w grze w domino czy zaprojektowanie interfejsu graficznego dla programu. Zawody sponsorują największe firmy informatyczne, NASA czy amerykańska Agencja Bezpieczeństwa Narodowego, które często kupują stworzone w czasie konkursu oprogramowanie, a laureatom składają oferty pracy.

Polacy radzą sobie wyśmienicie. Pod względem liczby informatyków dostających się do finałów zajmujemy czwarte miejsce, a kilku naszych programistów i szkół utrzymuje się w ścisłej czołówce. W 2008 r. w dwóch z pięciu kategorii Polacy odnieśli zwycięstwa: Przemysław Dębiak w Marathon Match oraz Tomasz Czajka w algorytmach. W tej drugiej kategorii zdobywał laury również Marek Cygan, doktorant z UW (wcześniej triumfował m.in. w konkursie Google Code Jam). Polskie uniwersytety: Warszawski, Wrocławski i Jagielloński, oraz Politechnika Poznańska, nieustannie pojawiają się w pierwszej trzydziestce najlepszych w TopCoder. Wyniki naszych rodaków są tak dobre, że w rankingu narodowym kilka lat temu Polska prześcignęła nawet gospodarzy zawodów – USA.

Polacy wygrywają również w Międzynarodowej Olimpiadzie Informatycznej – w 2006 r. pierwszy był Filip Wolski, a rok później Tomasz Kulczyński. W 2008 r. nasza rodzima drużyna w składzie: Marcin Andrychowicz, Jarosław Błasiok oraz Marcin Kościelnicki, zajęła pierwsze miejsce *ex aequo* z Chinami. Nasi młodzi programiści świetnie sprawdzają się też w Akademickich Mistrzostwach Świata w Programowaniu Zespołowym – w 2003 i 2007 r. triumfował Uniwersytet Warszawski.

W jednym z wywiadów opiekun polskich informatyków, prof. Jan Madey z UW, powiedział, że największą radość sprawia mu, kiedy jego podopieczni pozostają w kraju i są zatrudniani w rodzimych firmach. I choć wabieni są przez zagranicznych pracodawców, jak do tej pory najlepsi z nich znaleźli doskonałe warunki do rozwijania swojej „e-pasji" właśnie nad Wisłą.

THERE ARE FEW OTHER FIELDS of expertise where Polish people stand on a podium as much as they do when it comes to computer programming. Competition in creating the most reliable applications has something to do with both science and sport. On the one hand you have to act in accordance with the principles of science and the expertise of IT. On the other, you have to outdo your rivals and going for gold, beat them. Polish IT specialists have mastered this art to perfection. Thanks to them Poland has become the realm of IT.

Polish programmers regularly come first in one of the most prestigious programming competitions – the TopCoder. The event has been organized since 2001 by the company of the same name. PC masters (mostly 18 to 25 years old) struggle to create algorithms, design software and write applications. Among many the task they have to complete in are winning against the computer in dominoes and designing a graphic interface. The competitions are sponsored by the most powerful IT companies, NASA and the National Security Agency which afterwards often buy the applications written during the competition and employ the winners.

The Poles are doing very well in this race. In terms of the number of IT specialists making it to the finals Poland ranks fourth. Some of the Polish software developers and universities are amongst the leaders in this field. In 2008 Poland won two out of the five categories. Przemysław Dębiak won the Marathon Match and Tomasz Czajka – the algorithms. In the second category Marek Cygan, PhD student from the Warsaw University took his place on the podium and Marek Cygan won the Google Code Jam earlier. Polish universities from Warsaw and Wrocław, the Jagiellonian University and the University of Technology in Poznań are regularly in the first 30 of the TopCoder participants. Their results are so good that some years ago Poland outranked the host country – the USA.

Polish people also come first in the International IT Olympics. In 2006 Filip Wolski was the winner, the following year it was Tomasz Kulczyński. In 2008 the Polish team consisting of Marcin Andrychowicz, Jarosław Błasiok and Marcin Kościelnicki ranked first *ex aequo* with China. Young Polish programmers are doing fine in the ACM International Collegiate Programming Contest too. In 2003 and 2007 Warsaw University took first prize. Professor Jan Madey of Warsaw University, the Polish team supervisor said in an interview that he was happier when his students stayed in the country and were employed by local companies. Although the most accomplished ones are tempted to work abroad, they still find the best conditions for developing their e-passion on the banks of the River Vistula.

■ Światowa elektronika bazuje na osiągnięciach m.in. polskich informatyków
■ The world's leading electronic technologies are based on the achievements of IT specialists amongst them, Polish researchers

Jan Paweł II

Papież-Polak.
Człowiek, który odmienił oblicze Ziemi.

- Gdziekolwiek się pojawiał, zjednywał sobie serca wszystkich ludzi
- Wherever he appeared, he won the hearts of the people

PODCZAS PIERWSZEJ PIELGRZYMKI do Polski Jan Paweł II (1920–2005), odprawiając mszę na placu Zwycięstwa w Warszawie, wypowiedział znamienne słowa: „I wołam ja, Syn polskiej ziemi, a zarazem ja, Jan Paweł II, papież, wołam z całej głębi tego Tysiąclecia (...) Niech zstąpi Duch Twój! I odnowi oblicze Ziemi. Tej Ziemi". Był czerwiec 1979 r. Świat podzielony był na dwa zwalczające się obozy polityczne, komunizm trzymał się mocno. Nikt nie przypuszczał, jak ogromny wpływ będzie miał ten człowiek – papież z dalekiego kraju – na odnowę oblicza całej Ziemi, a przede wszystkim na zmiany, jakie zajdą w jego ojczyźnie.

Konklawe zwołane po śmierci Jana Pawła I złamało trwającą od 455 lat tradycję wybierania papieża spośród włoskich kardynałów. Gdy 16 października 1978 r. ogłoszono nazwisko nowego papieża, świat zamarł z niedowierzania. Biskup krakowski, kardynał Karol Wojtyła, pochodził przecież zza żelaznej kurtyny. Z kraju socjalistycznego, w którym Kościół pozostawał w opozycji do władzy państwowej. Szybko okazało się też, że nowy papież wprowadził w Watykanie całkowicie odmienny od poprzedników styl sprawowania duszpasterskiej posługi. Obrazowo mówiąc: wysiadł z papieskiej lektyki i ruszył w świat, wyciągając ręce do ludzi.

Podczas trwającego 9666 dni pontyfikatu (drugiego co do długości po Piusie IX) Jan Paweł II odbył 102 pielgrzymki zagraniczne (odwiedził 135 państw) i 142 podróże na terenie Włoch. Przebył ponad 1,6 mln km, co odpowiada 40-krotnemu okrążeniu Ziemi wzdłuż równika. Wygłosił 898 przemówień i napisał 14 encyklik. W tym czasie ponad 300 milionów ludzi przeszło na katolicyzm.

Gdziekolwiek się pojawił, zjednywał sobie serca ludzi. Tradycja gromadzących tłumy audiencji, szokujący widok papieża padającego na kolana i całującego ziemię po opuszczeniu samolotu, niezwykła umiejętność wykorzystywania mediów, zrobiły z niego najbardziej wpływowego polityka, który z ogromną stanowczością bronił niezbywalnych praw każdego człowieka. I choć był głową Kościoła katolickiego i przywódcą państwa watykańskiego, przez cały czas pozostał Polakiem, który nigdy nie opuścił ojczyzny. Jego osoba i nauczanie ośmieliły ludzi w wielu krajach do podniesienia głowy. W Polsce w 1980 r. powstał ruch „Solidarność", który rozpoczął erozję bloku państw socjalistycznych. Wsparcie papieża pozwoliło przetrwać trudne lata 80. XX w. i przyczyniło się do największych od czasów II wojny światowej zmian na świecie, tym razem jednak osiągniętych drogą pokojową.

2 kwietnia 2005 r., kiedy ciężko chory Jan Paweł II odchodził do domu Ojca, na ulicach całego świata trwały przy nim setki milionów ludzi. Ból, poczucie wielkiej straty, ale i niespotykanej wspólnoty jednoczyły ich serca. Czuli się odmienieni. O 21.37 zamarli ze zniczami w dłoniach. Sześć dni

John Paul II

The Polish Pope.
The man who changed the world.

później na placu św. Piotra w Watykanie zgromadziło się 200 królów, prezydentów i premierów oraz przedstawiciele wszystkich religii świata i 300 tysięcy wiernych (w całym Rzymie było ich około 5 milionów, w tym 1,5 miliona Polaków). Na trumnie spoczywało otwarte Pismo Święte. Podczas uroczystości wiatr wielokrotnie przewracał jego stronice, aż wreszcie – zatrzasnął księgę. Wezwany ponad ćwierć wieku wcześniej Duch Święty uleciał.

Już w czasie pogrzebu ludzie skandowali: *Santo subito!* – Święty natychmiast! Ten *vox populi* znalazł zrozumienie u hierarchów Kościoła – po trwającym sześć lat procesie beatyfikacyjnym 1 maja 2011 r. Jan Paweł II został wyniesiony na ołtarze. Jego ciało spoczęło w kaplicy św. Sebastiana w Bazylice św. Piotra.

■ Trumna Jana Pawła II podczas pogrzebu na placu św. Piotra
■ The coffin with the body of John Paul II during the funeral on St. Peter's Square

DURING HIS FIRST PILGRIMAGE to Poland, John Paul II (1920–2005), conducting a mass in Victory Square in Warsaw spoke these well remembered words: "Let Your Spirit descend and change the face of the land. This land." This was June 1979 and the world was divided in two opposing political camps, with communism still holding strong. No one could have imagined how much influence a Pope from a distant country would have on changing the religious and political appearance of so many countries, first and foremost his homeland.

The conclave called after the death of John Paul I broke the 455 years old tradition of choosing a Pope from a group of Italian cardinals. When on October 16th, 1978, the new Pope's name was announced, the world fell silent in disbelief. The Krakow bishop and cardinal, Karol Wojtyła, came from behind the Iron Curtain, from a socialist country, where the Church was in opposition to the government. It was immediately evident that the new Pope was introducing, unlike his predecessors, an entirely different style of priesthood and guidance to the Vatican. Speaking figuratively, he rose from the papal throne and set off into the world with his hands reaching out to the people.

During his 9,666 days of pontificate (the second longest, after that of Pius IX), John Paul II went on 12 international pilgrimages (visiting 135 countries) and 142 journeys across Italy. He traveled 1,6 million kilometers, which equals circling the Earth along the equator 40 times. He made 898 speeches and wrote 14 encyclicals. During his pontificate there were over 300 million converts to Christianity.

Wherever he appeared, he won the hearts of the people. He spoke to huge crowds and surprised people by falling on his knees and kissing the ground when he got off the airplane on his arrival in a new country. His extraordinary talent for handling the media made him one of the most influential politicians of his time, whose well-known firmness defended the inalienable rights of all people. Although he was the head of the Catholic Church and the Vatican, he never forgot his Polish roots. His teachings and his personality encouraged people in many countries to lift their spirits. In 1980, the 'Solidarity' movement was born in Poland, and the communist block began to collapse. The Pope's support permitted people to survive the difficult 1980's and contributed to the greatest change the world had experienced since World War II. This time, the change was peaceful.

On April 2nd, 2005, the seriously ill John Paul II left for the House of our Lord, and people around the world came out into the streets praying for his departed soul. The extraordinary sensation of great loss and a feeling of community brought together multitudes of people and at 9:37 pm, holding candles in their hands, they fell silent. Six days later, 200 kings, presidents, prime ministers and representatives of all the world's religions, as well as 300,000 of the faithful (in Rome 5 million people, including 1,5 million Polish) gathered in Saint Peter's Square. An opened bible lay on the coffin. During the ceremony a breeze repeatedly turned its pages until it finally shut the book. The Holy Spirit called out and the soul of the man departed.

During the funeral people were already chanting: *Santo subito!* Make him a Saint now! This voice of the people was heard and understood by the church authorities. After nearly six years of procedures leading to beatification and canonization John Paul II will be raised to sainthood on 1st May 2011. Today his body lies in the crypt of the St. Sebastian Chapel, St. Peter's Basilica, Rome.

J Jasna Góra

Duchowa stolica narodu pielgrzymów.

JAN PAWEŁ II podczas pierwszej pielgrzymki do Częstochowy mówił: „Jasna Góra to miejsce, gdzie można usłyszeć, jak bije serce Kościoła i serce Ojczyzny". W czasie całego pontyfikatu polski papież był tu aż sześć razy.

Jak wielkie znaczenie Jasna Góra ma dla Polaków, najlepiej widać 15 sierpnia, gdy dziesiątki tysięcy pielgrzymów w dzień Wniebowzięcia Najświętszej Marii Panny stają u bram klasztoru. Wyruszyli ze wszystkich miast i miasteczek w kraju, by po przejściu nawet kilkuset kilometrów (z Helu – ponad 600) złożyć hołd Czarnej Madonnie. Tradycja pielgrzymowania jest niemal tak stara jak klasztor. Choć jasnogórskie kroniki nie odnotowały żadnych objawień, to wiara w cudowną moc wizerunku Matki Boskiej Częstochowskiej jest od wieków niezłomna.

Według głęboko zakorzenionej legendy broniła tego miejsca przed Szwedami w czasie potopu (XVII w.), złamała szwedzką potęgę i przeważyła losy wojny polsko-szwedzkiej. Król Jan Kazimierz podczas ślubów lwowskich ogłosił ją Królową Polski. Klasztor napadany był w sumie dziesięć razy. Ale do historii przeszło oblężenie z 1655 r. przyrównane przez księdza Kordeckiego (przywódcę obrony) do wojny trojańskiej i rozsławione przez Henryka Sienkiewicza w „Potopie". Tak zrodził się największy mit narodowy, który z historyczną prawdą miał niewiele wspólnego, ale przyczynił się do wzrostu znaczenia Jasnej Góry. Oprócz miejsca kultu maryjnego stała się niezłomną twierdzą, nabrała patriotycznego wyrazu.

Dziś o pomoc i błogosławieństwo Czarnej Madonny zabiega blisko 5 mln wiernych rocznie. Niektórzy robią to każdego roku, po kilkadziesiąt razy w życiu. Według ustnych przekazów, obraz pojawił się na Jasnej Górze już w 1384 r., dwa lata po fundacji klasztoru przez księcia Władysława Opolczyka, i od samego początku został uznany za relikwię Królestwa Polskiego. Zanim dotarł do Częstochowy, przewędrował ponoć kawał świata – z Jerozolimy przez Konstantynopol i Bełz. Ale geneza obrazu – w myśl tradycji – sięga Łukasza Ewangelisty. Miał on namalować Madonnę z małym Jezusem na ręku na desce ze stołu, przy którym zasiadała Święta Rodzina. Według najnowszych badań wizerunek Madonny powstał jako ikona bizantyjska w XIII w. Rysy na policzku Matki Boskiej to pamiątka po napadzie w 1430 r.

Większość budowli klasztornych ma manierystyczno-barokowy charakter. Otoczone są fortyfikacjami wzniesionymi w latach 1620–1676 przez Krzysztofa Mieroszewskiego. Stojąca w centrum bazylika powstała przed 1463 r., ale przebudowa prowadzona w latach 1690–1695 i w początkach XVIII w. zupełnie zatarła pierwotny wygląd. Wnętrze zdobione malowidłami Karla Dankwarta i sztukateriami Adalberta Bianchiego należy do najbogatszych barokowych wnętrz w Polsce.

Klasztor oo. Paulinów chroni nie tylko najwyższe wartości duchowe i patriotyczne, ale jest też skarbnicą kultury i historii. W skarbcu przechowywane są naczynia liturgiczne i bezcenne wota – świadectwo łask Czarnej Madonny i ludzkiej wdzięczności. Wśród nich dary wotywne Jana Pawła II, m.in. złote serce, zakrwawiony pas sutanny, którą miał na sobie podczas zamachu na placu św. Piotra, krzyż papieski i różańce z bursztynu.

O tym, jak silny był związek Jana Pawła II z Jasną Górą, najlepiej świadczy fakt, że 2 kwietnia, na kilka godzin przed śmiercią, pobłogosławił dwie korony dla Matki Boskiej Częstochowskiej.

The Jasna Góra Monastery

The spiritual capital of the pilgrim nation.

■ Pielgrzymi przed sanktuarium na Jasnej Górze
■ Pilgrims in front of the Jasna Góra Monastery

POPE JOHN PAUL II on his first pilgrimage to Czestochowa said that "Jasna Góra is a place where you can hear the beating of the heart of the Church and of the Nation." During his pontificate the Polish Pope visited the Monastery six times.

The profound meaning of the Jasna Góra Monastery for Poles can be seen on the 15th of August, the day of the Assumption of the Virgin Mary, when tens of thousands of pilgrims arrive at the Monastery gate. They have come from many towns and cities in the country, a walk a few hundred kilometers, (or more than 600 from Hel) to pay tribute to the Black Madonna. This pilgrimage tradition is nearly as old as the monastery itself and even though Jasna Góra chronicles have never mentioned any revelations, the faith in the power of the effigy has remained steadfast through the ages.

According to legend, the Black Madonna defended the Monastery against the Swedes during the Deluge in the 17th century and turned the course of the war in favour of Poland. The Monastery was assailed more than 10 times but the siege in 1655 had the greatest echo in history – it was compared to the Trojan War by Father Kordecki – the commander of the Monastery defenses - and made famous by Henryk Sienkiewcz's 'The Deluge'. (King Jan Casimir announced Her the Queen of Poland in the Oath of Lwow). This is how the greatest national myth, which in fact bears little resemblance to the truth was born and contributed to the importance of Jasna Góra. Apart from being a place of the cult of the Virgin Mary it became an unconquerable fortress with patriotic significance. Today more than 5 million pilgrims a year pray for the blessing of the Black Madonna. Some do it every year, several dozen times in their lives.

The legend is that the painting 'appeared' in Jasna Góra Monastery in 1384, two years after it was commissioned by Prince Wladyslaw Opolczyk. Before it reached Czestochowa it had reportedly travelled a great distance – from Jerusalem, through Constantinople and Bełz. Since then it has been surrounded by an all-embracing cult and has become a historical relic belonging to the Kingdom of Poland. Tradition says that the origins of the painting go back to Luke the Evangelist who was said to have painted the Madonna holding Infant Jesus on the board of the table at which the Holy Family were dining. But, according to the latest research, the effigy of the Black Madonna was created as a Byzantine icon in the 13th century. The cuts on the cheek of the Mother of God are a reminder of the invasion of 1430.

Most of the monastic buildings have Mannerism and Baroque features and are surrounded by fortifications constructed by Christopher Mieroszewski from 1620 to 1676. The basilica was built before 1463, but it was reconstructed in the years 1690-1695 and by the early 17th century it had completely lost its initial appearance. The interior, ornamented with paintings by Karl Dankwart and moldings by Adalbert Bianchi, is one of the richest Baroque interiors in Poland.

The Pauline Father's Monastery not only safeguards the highest spiritual and patriotic principles but is also a treasure trove of culture and history. The Treasury holds the Eucharistic and priceless votive offerings – the testimony of the Black Madonna's grace and the gratitude of postulants among which is the votive offering of John Paul II: a golden heart, a cassock belt bloodstained from a gunshot, the Papal Cross and amber rosaries. The strong attachment of John Paul II to Jasna Góra is best demonstrated by the fact that on the second of April, just a few hours before he died, he had blessed two crowns for the Black Madonna of Czestochowa.

J

Jazz znad Wisły

Komeda, Urbaniak, Dudziak, Stańko – polscy jazzmani światowego formatu.

■ Koncert Michała Urbaniaka podczas festiwalu Jazz na Starówce 2007
■ Michał Urbaniak concert during the 'Jazz at the Old Town 2007' Festival

POCZĄTKOWO JAZZ w naszym kraju był wyrazem buntu. Z czasem stał się polską specjalnością. Nasi jazzmani podbili kluby i estrady na całym świecie, ale największą karierę zrobili w Stanach Zjednoczonych, skąd pochodzi ten gatunek muzyki. Dzisiaj w Polsce odbywa się około 50 imprez jazzowych rocznie.

Jazz objawił się u nas po politycznej odwilży w połowie lat 50. XX w. W czasach stalinowskich grywany był konspiracyjnie w prywatnych domach, ale w 1956 r. wyszedł na ulice Sopotu, gdzie odbył się pierwszy festiwal. Przyciągnął tak wielkie tłumy, że rok później powtórzono imprezę. W 1958 r. festiwal przeniósł się do Warszawy i zaistniał pod nazwą Jazz Jamboree, czyli jazzowy zlot.

Od tej pory, każdego roku, jesienią ściągali do Warszawy fani z krajów, gdzie jazz był ledwo tolerowany. Tu mogli się nim delektować, i to w najlepszym wykonaniu. Na festiwalach gościły największe gwiazdy: Duke Ellington, Miles Davis, Thelonious Monk, Dave Brubeck, Benny Goodman, Keith Jarrett, Chick Corea czy Herbie Hancock.

Polish Jazz

Komeda, Urbaniak, Dudziak, Stańko
– Polish international jazz musicians.

Prezentowano też rodzimych artystów. To jest jazz „już nasz, własny, made in Poland bohater" – napisał jeden z krytyków.

Polscy muzycy szybko zaczęli jeździć po świecie. W 1962 r. pianista Andrzej Trzaskowski (1933–1998) zagrał z zespołem The Wreckers na festiwalach w Newport i Waszyngtonie, koncertował też ze Stanem Getzem. Największe sukcesy odnosił w tamtych czasach pianista Krzysztof Komeda (1931–1969). Jego międzynarodową karierę zapoczątkowała muzyka do „Noża w wodzie" Romana Polańskiego. Film interesował go tak samo jak występy estradowe. Komponował więc m.in. dla Jerzego Skolimowskiego („Ręce do góry") czy wspomnianego już Polańskiego („Rosemary's Baby").

Lata 70. to pasmo wielkich sukcesów w Stanach Zjednoczonych saksofonisty i skrzypka Michała Urbaniaka. Wydana w 1974 r. w USA płyta jego grupy „Fusion" spotkała się z entuzjastycznym przyjęciem i na lata ugruntowała pozycję muzyka, który do kompozycji wprowadził rytmikę zaczerpniętą z polskiej muzyki ludowej. Michała Urbaniaka wspierała żona i wokalistka obdarzona niezwykłym głosem o wysokiej skali – Urszula Dudziak, która od lat 80. rozwijała samodzielną karierę, współpracując z grupą Vocal Summit czy Bobbym McFerrinem. Wspólny utwór Urbaniaka i Dudziak „Papaya" stał się światowym hitem.

Od 1977 r. w amerykańskich klubach i na salach koncertowych znany jest pianista Adam Makowicz (ur. 1940). Lata 90. to z kolei okres wielkich sukcesów trębacza Tomasza Stańki (ur. 1942). Podpisanie umowy z monachijską wytwórnią ECM Records otworzyło nowy, niesłychanie twórczy rozdział w jego życiu. Płyty „Litania" oraz „From The Green Hill" uznano za najważniejsze albumy tej dekady. Jego passa trwa nadal, o czym świadczy wydana w 2009 r. płyta „Dark Eyes".

Światowe estrady szturmuje kolejne już pokolenie polskich jazzmanów: pianista Leszek Możdżer czy grupa Marcin Wasilewski Trio. Natomiast w kraju Jazz Jamboree ma groźnych konkurentów, jak choćby Warsaw Summer Jazz Days czy Jazzowa Jesień w Bielsku-Białej.

POLISH JAZZ was a cry of opposition at the beginning but as time passed it grew to become a Polish specialty. Polish jazzmen played clubs and stages all around the world, but it was in the genre's very homeland, the USA, that they made a brilliant career. Today, there are around 50 jazz events in Poland annually.

Jazz appeared in Poland after the political thaw of the mid 1950's. During communism it was played secretly in private apartments only to reach the streets of Sopot in 1956, where the first jazz concert in Poland was arranged. It attracted such huge crowds that it had to be repeated one year later. In 1958, the festival was moved to Warsaw, were it was given the name 'Jazz Jamboree'.

Every autumn since this Warsaw event has attracted fans from all the countries where jazz had been barely tolerated by the authorities. In the Polish capital city, they could enjoy it at its best. The festival stage hosted stars such as Duke Ellington, Miles Davis, Thelonious Monk, Dave Brubeck, Benny Goodman, Keith Jarret, Chick Corea and Herbie Hancock. Local artists were also presented. One of the critics called them 'the local, proper jazz heroes made in Poland'.

Shortly after Polish musicians began touring around the world. In 1962, pianist Andrzej Trzaskowski (1933–1998) played with The Wreckers at the Newport and Washington festivals and gave concerts with Stan Getz. The most surprising success was achieved by pianist Krzysztof Komeda (1931–1969). His international career was launched with the release of the film picture soundtrack to *Knife in the Water* directed by Roman Polański. The pianist was interested in film and in giving concerts and he wrote music for Jerzy Skolimowski (*Hands Up!*) and Polański (*Rosemary's Baby*).

The 70's brought major success for the then USA-based saxophonist and violinist Michał Urbaniak. Released in 1974 in the USA, his album *Fusion* met a very enthusiastic reception and established the position of the artist who had introduced Polish folk rhythms to jazz music. Michał Urbaniak had been wholeheartedly supported by his wife, Urszula Dudziak, a vocalist with a very wide vocal range, who later launched her own solo career in the 80's, collaborating with Vocal Summit and Bobby McFerrin. The composition Urbaniak recorded with Dudziak, *Papaya*, has become an international hit.

Since 1977, American club and concert hall audiences have been familiar with pianist Adam Makowicz (born 1940). The 90's was a decade of brilliant success for trumpeter Tomasz Stańko (born 1942). By signing a contract with the Munich based label ECM Records, he started a new, exceptionally creative chapter of his life. Albums such as *Litania* and *From the Green Hill* were acclaimed the best albums of the decade. His run of good luck has continued and is best proved by his 2009 record *Dark Eyes*.

Today, international concert halls are venues for the next generation of Polish jazz musicians, such as pianist Leszek Możdżer and the Marcin Wasilewski Trio. The Jazz Jamboree Festival continues with plenty of competition from other events, the Warsaw Summer Jazz Days and the Jazz Autumn in Bielsko-Biała.

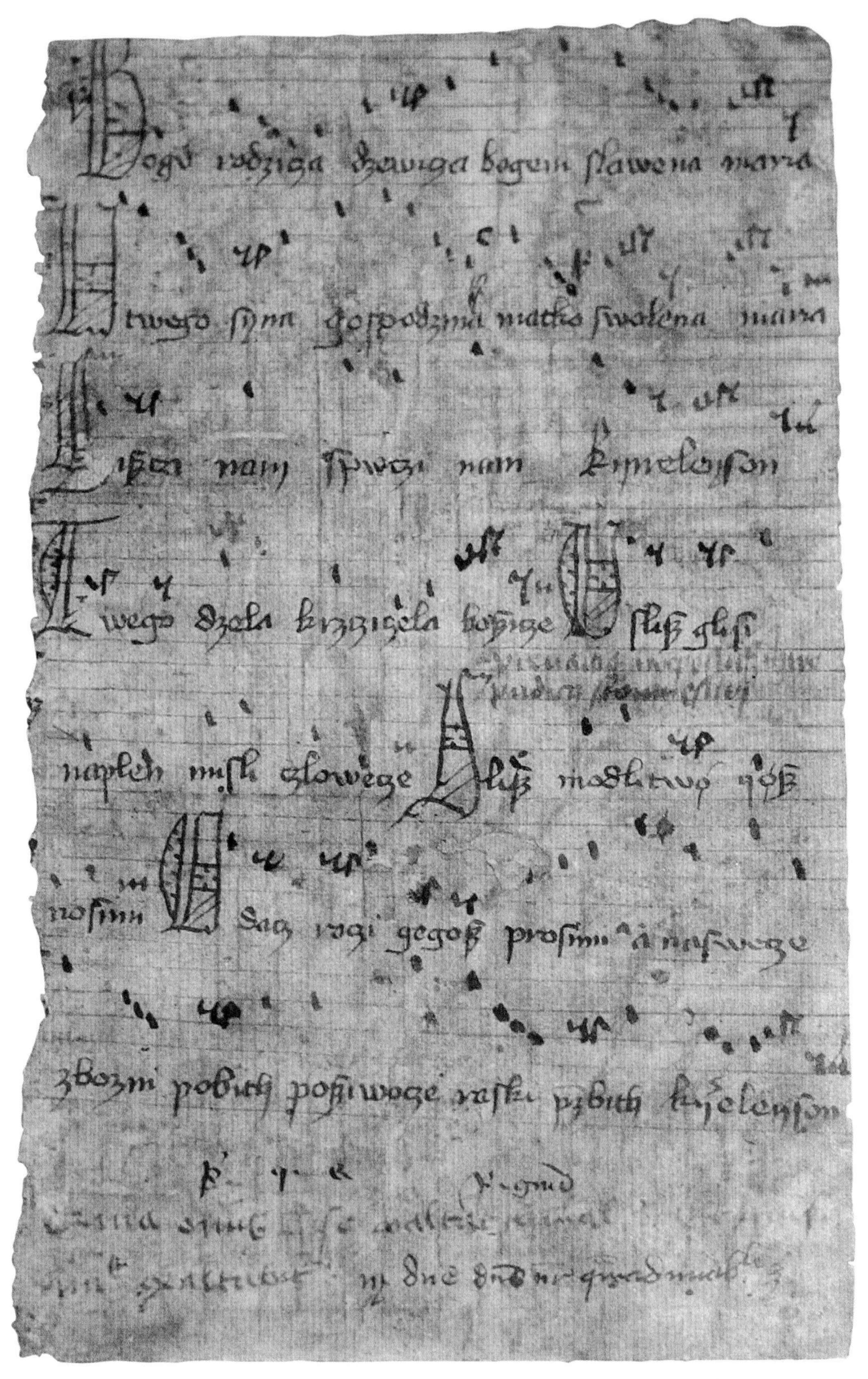

■ Najstarsze zachowane wydanie „Bogurodzicy" z 1407 r. ze zbiorów Biblioteki Jagiellońskiej
■ The oldest manuscript Bogurodzica (1407) from the collection of the Jagiellonian Library

Język polski

Posługuje się nim około 48 milionów osób na całym świecie.

JĘZYK jest najwspanialszym „wynalazkiem" ludzkości. Pozwala na porozumiewanie się, a równocześnie stanowi o tożsamości kulturowej i narodowej. Na świecie używa się blisko siedmiu tysięcy języków. Największą rodzinę stanowią języki indoeuropejskie, do których należą języki słowiańskie. Polski wchodzi w skład języków zachodniosłowiańskich. Z 48 mln ludzi mówiących po polsku, 38 mln to mieszkańcy Polski. Pozostali to Polacy mieszkający w krajach sąsiednich (na Ukrainie, Białorusi, Litwie, Słowacji oraz w Rosji i Czechach) oraz emigranci i ich potomkowie rozsiani po całym świecie – najwięcej w Stanach Zjednoczonych, Niemczech, Brazylii i Kanadzie.

Dialekty zachodniosłowiańskie zaczęły się wyodrębniać podczas wędrówki ludów w VII w. W X w. funkcjonowały już grupy: łużycka, czesko-słowacka i lechicka. Na obecnych ziemiach polskich dominować zaczął dialekt wielkopolski, z wpływami małopolskiego i mazurskiego. Pierwszy zachowany dokument, w którym pojawiły się polskie słowa, to tak zwana „Bulla gnieźnieńska" – rozporządzenie papieskie z 1136 r. Choć napisane po łacinie, wymienia około 400 nazw własnych zapisanych po polsku. Pełne zdanie w języku polskim zapisano w 1270 r. w kronice nazywanej „Księgą henrykowską". Zdanie to brzmi: „day ut ia pobrusa a ti poziwai" (tzn. daj, niech ja pomielę, a ty odpoczywaj). Najstarszy tekst ciągły w języku polskim to XIV-wieczne „Kazania świętokrzyskie", zaś pierwsza książka to „Psałterz Floriański" – tłumaczenie biblijnych psalmów pochodzące z XIV w. Najbardziej znanym zabytkiem języka polskiego jest z pewnością „Bogurodzica" – XIII-wieczna pieśń religijna. Największy rozwój zarówno języka, jak i literatury polskiej przypada zaś na czasy odrodzenia. Twórczość Mikołaja Reja (autora słów: „Polacy nie gęsi i swój język mają") oraz Jana Kochanowskiego jest powszechnie znana i rozumiana po dziś dzień.

Znaczenie języka rosło wraz ze znaczeniem państwa. W 1699 r. polski stał się językiem urzędowym Wielkiego Księstwa Litewskiego. Powszechnie posługiwali się nim też mieszkańcy Gdańska oraz niemieckie rody szlacheckie na Pomorzu i Inflantach Polskich. Od połowy XVI w. polszczyzna była nawet językiem dworskim w Rosji. W XVII w. po polsku mówiono także na dworach mołdawskich i na Wołoszczyźnie. Ale kiedy w XVIII i XIX w. zaborcy próbowali wymazać Polskę z mapy Europy, zakazali używania go w szkołach, na uczelniach i w urzędach. Język stał się naszym orężem – m.in. dzięki niemu zdołaliśmy zachować tożsamość narodową.

Dzisiaj język polski jest językiem urzędowym na terytorium Rzeczypospolitej Polskiej. Choć słowniki publikują setki tysięcy haseł, przeciętny Polak zna około pięciu tysięcy słów, a na co dzień używa dwa tysiące. Istnieją też regionalne gwary i dialekty. We współczesnej polszczyźnie zanikają wpływy łaciny, francuskiego i jidysz, a rosną – języka angielskiego.

Coraz więcej obcokrajowców uczy się języka polskiego jako obcego. Szacuje się, że jest ich na świecie około 10 tys., z czego jedna trzecia studiuje w Polsce. Od 2004 r. przeprowadzane są egzaminy z języka polskiego. Przygotowuje je Państwowa Komisja Poświadczania Znajomości Języka Polskiego jako Obcego.

The Polish language

Polish is spoken by some 48 million people worldwide.

LANGUAGE is the greatest 'discovery' of humanity. It permits communication and constitutes cultural and national identities. Almost 7,000 languages are spoken around the world of which Indo-European languages are the largest family. This includes the Slavic languages and Polish is part of the western-Slavonic languages. From the 48 million people speaking Polish, 38 million are the inhabitants of Poland. The remaining 10 million are Poles living in neighbouring countries, emigrants and their descendants spread all across the world – the greatest number in the USA, Germany, Brazil and Canada.

Western-Slavonic dialects started to separate during the migration of peoples in the 7th century. The Lusatian, Czecho-Slovak and Lechite groups came into existence in the 10th century. The Wielkopolski dialect, influenced by Małopolska and Masuria dialects, began to dominate the present lands of Poland. The oldest surviving written work where Polish words appear is the so called 'Bull of Gniezno' – a Papal document from 1136. Although it is written in Latin, it contains approximately 400 Polish names in Polish. The first full sentence in Polish is from 1270 found in a chronicle 'the Book of Henryków'. The sentence is: "day ut ia pobrusa a ti poziwai" ("I'll do the milling, and you can rest"). The oldest text written in Polish is the 14th century 'Holy Cross Sermons' and the first book is the 'Florian Psalm Book' – a translation of biblical psalms from the 15th century. 'Bogurodzica' – a religious chant dating back to the 13th century is undoubtedly the best known historical item in the Polish language. The greatest development of the language and its literature was observed during the Renaissance. The works of Mikołaj Rej (who said: "Poles are not geese and have their own language") and Jan Kochanowski are well known and understood today.

In 1699, Polish became the official language of the Grand Duchy of Lithuania. It was also commonly used by the inhabitants of Gdańsk and German noble families in Pomerania and Polish Livonia. From the mid-16th century Polish was even spoken in the courts of Russia. In the 17th century, Polish was also spoken in Moldavian courts and Wallachia. When succeeding invaders tried to erase Poland from the maps of Europe in the 18th and 19th centuries it was banned in schools, higher schools and offices. The language became a weapon in our battle for independence and was one of the reasons why Poles have kept their national identity.

Today, Polish is the official language in the territory of the Republic of Poland. Regional dialects also exist within the language. The influence of the Latin, French and Yiddish languages are diminishing in contemporary Polish whereas those of English are increasing.

A growing number of foreigners are learning Polish, an estimated 10,000 in the world and at least one-third of them are studying in Poland. Exams in the Polish language have been held since 2004. They are prepared by the State Commission for Certifying the Knowledge of Polish as a Foreign Language.

■ Statek na pochylni Kanału Elbląskiego
■ A ship on the Elbląg Canal ramp

Kanał Elbląski

Unikalny w skali światowej zabytek hydrotechniki.

SĄ TYLKO DWA MIEJSCA NA ŚWIECIE, gdzie statki, wykorzystując system pochylni, pływają wbrew logice – po trawie i pod górę: kanał Morris w USA i Kanał Elbląski w Polsce. Ale tylko u nas ma to miejsce przy zastosowaniu zabytkowej, XIX-wiecznej maszynerii.

Zanim kanał powstał, transport do morza odbywał się Drwęcą, Wisłą i Nogatem. Spław drewna ścinanego w odległości 20 km od Elbląga zajmował sześć, a nieraz nawet osiem miesięcy! Dziś podróż statkiem wycieczkowym z Ostródy do Elbląga (82 km) trwa 11 godzin.

Kanał Elbląski (często nazywany też Ostródzko-Elbląskim) to połączenie ludzkiego geniuszu z twórczą mocą natury. Obszar dzisiejszego Pojezierza Iławskiego 14 tys. lat temu po raz ostatni nawiedził lądolód. Rzeźbiąc jego powierzchnię, tworzył liczne zagłębienia, które następnie wypełniła woda. Tak powstało wiele jezior, a wśród nich ułożone jedno za drugim, z południa na północ: Drwęckie, Ilińskie, Ruda Woda, Sambród, Piniewskie i Druzno. W ten sposób sama natura podsunęła człowiekowi pomysł zbudowania drogi wodnej wiodącej z okolic Ostródy w stronę Elbląga i Zalewu Wiślanego. Trzeba było jedynie uzupełnić to dzieło, łącząc jeziora odcinkami kanału, budując nasypy, przekopy, uszczelnienia, jazy, upusty, pochylnie, śluzy i wrota przeciwpowodziowe.

Dzisiaj dzięki pięciu pochylniom (Buczyniec, Kąty, Oleśnica, Jelenie, Całuny) i dwóm śluzom (Miłomłyn i Zielona) statek pokonuje różnicę wysokości 104 m. Największym wyzwaniem jest, liczący 9,6 km, odcinek między Jeziorem Piniewskim a Druzno, gdzie jednostki pływające są wciągane (bądź opuszczane) o 99,5 m, jadąc 2,3 km po torach na lądzie. I tylko pochylnia Całuny, która powstała około 1920 r. w miejscu pięciu śluz, z przyczyn technicznych (ostry zakręt kanału na tym odcinku) ma zamontowaną turbinę. Do napędzania maszynerii pozostałych pochylni niepotrzebna jest energia elektryczna ani paliwo, ale wyłącznie siła wody opadającej na ogromne koło. Zasada działania – podobna jak w młynie, ale celem nie jest wytworzenie mąki, lecz wciągnięcie kilkudziesięciotonowego kolosa na wysokość 13 do 24 m (w zależności od pochylni). Pływają tędy nie tylko statki, ale także jachty. Każdego roku w sezonie (od 1 maja do 30 września) przez kanał przepływa około 40 tys. turystów z całego świata. Do 1912 r. kanałem spławiano drewno, a parowcami transportowano płody rolne i artykuły przemysłowe. Era przewozów turystycznych zaczęła się na przełomie XIX i XX w. Dziś po kanale pływa flota Żeglugi Ostródzko-Elbląskiej, największa jednostka zabiera 65 osób.

W 2010 r. kanał obchodził 150. urodziny. Jego urządzenia hydrotechniczne, które wymyślił i zaprojektował pruski inżynier Georg Jacob Steenke, wciąż funkcjonują bez zarzutu, jakby upływ czasu ich nie dotyczył. Nic tu nie dodano, a wymieniane części wykonano według oryginalnych wzorów. Można się o tym przekonać w muzeum kanału w Buczyńcu, gdzie do zwiedzania udostępniono maszynownię z wielkim 8-metrowym kołem wodnym. Tutaj, wśród wiekowej maszynerii najłatwiej poczuć, że Kanał Elbląski, jak każdy staroć, ma też duszę.

The Elbląg Canal

A unique monument to hydraulic engineering in the world.

THERE ARE ONLY TWO PLACES IN THE WORLD where ships against any logical wisdom can sail over grass and up a hill using a system of inclined ramps. These are the Morris Canal in the USA and the Elbląg Canal in Poland. But it is only in Poland that the original 19th century machinery is still in use.

Before the canal was constructed transportation to the Baltic was on the Drwęca, Vistula and Nogat rivers. Wooden rafts, cut 20 km from Elbląg, took up to 8 months! Today a cruise from Ostróda to Elbląg takes 11 hours.

The Elbląg Canal (often called the Ostródzko-Elbląski Canal) is a combination of human genius and the creative power of nature. Fourteen thousand years ago the area now known as the Iławskie Lake District was covered by a sheet of ice. The ice sculpted the surface of the land forming numerous depressions which were later filled with melting water. This is the origin of a number of the lakes in the region: Drwęckie, Ilińskie, Ruda Woda, Sambród, Pniewskie and Druzno. Nature gave Man the idea of constructing a waterway leading from the surrounding area of Ostróda, up to Elbląg and the Vistula Lagoon. Engineers only had to complete Nature's job by joining the lakes.

Today, using the 5 inclined ramps (Buczyniec, Kąty, Oleśnica, Jelenie, Całuny) and 2 locks (Miłomyn and Zielona), a boat is raised the 104 m of difference in the level of the waters of the lakes. The biggest challenge is the stretch between Piniewskie Lake and Druzno, where vessels are pulled (or lowered) 99,5 m on rails 2,3 km long. Only the inclined plane in Całuny, which was built in 1920 to replace 5 locks, uses a turbine for technical reasons – the bend in the canal is too sharp. No electricity or fuel is needed to run the machinery in the rest of the Canal. The power of the water falling on a huge wheel is enough. The operating principle is very similar to that of a watermill but the aim is not to produce flour but to pull a boat weighing several tons up 13 to 24 meters (depending on the incline). Boats and yachts are moved up and down the Canal in this way every year. During the season (from 1st May to 30th September), roughly 40 000 visitors from around the world sail on the Canal. Until 1912 the Canal was used by wooden rafts and for the transportation of crops and other goods by steamboats. The era of tourist transport began at the turn of 19th and 20th century. Today the Żegluga Ostródzko-Elbląska fleet sails the Canal with its largest vessel transporting 65 passengers.

In 2010 the Canal celebrated its 150 birthday. Its machinery, invented, by the Prussian engineer, Georg Jacob Steenke, still works perfectly. Nothing has been added to the original construction and the parts that have been replaced were all made according to their original plans. The Museum of the Canal in Buczyniec, with the engine room and a great, 8 m water wheel is open to the public. Here, standing among the machinery, it is easy to feel that the Elbląg Canal has a soul like every 'old thing' in the world.

K

Ryszard **Kapuściński**

Legenda polskiego i światowego reportażu.

PISARZ, KTÓRY ZATARŁ GRANICĘ między dziennikarstwem a literaturą. Obserwował 27 rewolucji w różnych częściach globu. Jego książki przetłumaczono na ponad 20 języków. Choć nie należał do grona korespondentów wojennych, często ocierał się o śmierć. Chciał zrozumieć świat, miał w sobie ogromną ciekawość człowieka, a jego teksty są zapisami spotkań ze zwykłymi ludźmi.

Ryszard Kapuściński (1932–2007) studiował polonistykę oraz historię na Uniwersytecie Warszawskim. W 1955 r. w „Sztandarze Młodych" opublikował głośny reportaż „To też jest prawda o Nowej Hucie". W pierwszą zagraniczną podróż udał się w 1956 r. do Indii. Znalazł się w obcym kulturowo kraju, bez znajomości języka angielskiego – uczył się go dopiero na miejscu, ze słownika i lektur. Wtedy uzmysłowił sobie, że podstawą zrozumienia świata są książki oraz rozmowy z ludźmi.

Koniec lat 50. XX w. był czasem reporterskich wędrówek Kapuścińskiego po Polsce. Ich plonem stał się zbiór reportaży „Busz po polsku" (1962). Już ta pierwsza książka zwróciła uwagę krytyków swymi walorami literackimi.

W 1958 r. wyruszył do ogarniętej burzliwymi przemianami politycznymi Afryki. Szybko tam wrócił, by opisać wojnę domową w Kongu, a w 1962 r. został korespondentem PAP na tym kontynencie, dzięki czemu powstały „Czarne gwiazdy" (1963) i „Gdyby cała Afryka" (1969). Najcenniejszy z tego okresu jest jednak „Kirgiz schodzi z konia" (1968) – zbiór reportaży z azjatyckich i zakaukaskich republik Związku Sowieckiego.

Przełom lat 60. i 70. spędził w Ameryce Południowej. Swe doświadczenia opisał w „Chrystusie z karabinem na ramieniu" (1975) i „Wojnie futbolowej" (1978). W tym czasie ukształtował się dojrzały styl Kapuścińskiego – lapidarny, dążący do syntezy, ale niezwykle emocjonalny. Najważniejszy jednak okazał się wydany w 1978 r. „Cesarz", odczytywany jako uniwersalna historia o władzy opresyjnej i skorumpowanej, który zapoczątkował światową karierę Kapuścińskiego. Książka doczekała się 29 wydań na całym świecie. Pozycję pisarza ugruntował „Szachinszach" (1982) – opowieść o obaleniu szacha Rezy Pahlaviego w Iranie. Po upadku Związku Sowieckiego Kapuściński wyruszył w ostatnią reporterską podróż przez europejskie i azjatyckie republiki byłego mocarstwa. Tak powstało głośne „Imperium" (1993).

Honorowany międzynarodowymi nagrodami, zapraszany na wykłady i warsztaty, stał się światowej rangi intelektualistą, opisującym mechanizmy globalnych przemian i kondycję ludzkości w drugiej połowie XX w. Swoje refleksje zapisywał od 1990 r. w kolejnych tomach „Lapidarium". Doświadczenia afrykańskie zebrał w „Hebanie" (1998), a „Podróże z Herodotem" (2004) były rodzajem zawodowej autobiografii. Z kolei „Autoportret reportera" to zestaw fragmentów wywiadów z lat 90., które tworzą rodzaj biblii reportera – pisarz opowiada w nich o swojej młodości, ale przede wszystkim o doświadczeniach i przeżyciach zawodowych.

Dorobek Ryszarda Kapuścińskiego zamyka tomik poetycki „Prawa natury" (2007 r.). Wiersze te dowodzą, że być może pochopnie porzucił w młodości poezję. Był jednak zbyt ciekawy świata, by pozostać jedynie poetą.

Ryszard Kapuściński

The renowned Polish journalist.

■ „Kiedy zasiadam do pisania, nigdy nie wiem, co napiszę, przede mną jest tylko biała kartka. Bo gdybym wiedział, nigdy bym się pisaniem nie interesował, nudziłoby mnie to" – twierdził Ryszard Kapuściński

■ "When I sit down to work, I never know what to write, there is only the blank page. If I knew, I would never find any interest in writing, it would bore me," Ryszard Kapuściński used to say

A WRITER WHO ELIMINATED THE BORDERS between journalism and literature and reported on 27 revolutions in different parts of the world. Although he did not belong to any official group of war correspondents he faced death many times. Kapuściński wanted to understand the world, he was curious about Man and his texts are filled with transcripts of his meetings with ordinary people. His books have been translated into more than 20 languages.

Ryszard Kapuściński (1932–2007) studied Polish language at the University of Warsaw. In 1955, he published his controversial reportage 'This is also the truth about Nowa Huta' in 'Sztandar Młodych'. He first travelled abroad in 1956, to India and there found himself in a culturally unfamiliar country. He had no knowledge of English and had to learn it there from a dictionary and books. This was when he realized that to be able to understand the world books and talking with people were the most important.

The last years of the 1950's finds Kapuściński traveling in Poland which he transcribed as 'The Polish Bush' (1962). The literary standards of this first book attracted the attention of critics.

In 1958, he set out for Africa which was at the time consumed by stormy political changes. Several years later he returned to describe the civil war in the Congo and in 1962 he became the Polish News Agency (PAP) correspondent in Africa and 'Black Stars' (1963) and 'If All Africa' (1969) were written. The most important work of that period is the 'Kirghiz descends from his horse' (1968) – a collection of documentary essays from the Asiatic and Caucasian republics of the Soviet Union.

He spent the turn of the 1960's and 1970's in South America and described his experiences in 'Christ With a Rifle on His Shoulder' (1975) and 'The Soccer War' (1978). During this period, Kapuściński's mature style was formed – concise, with a poignant synthesis of events. The 'Emperor' published in 1978 proved to be his most important book. It is read as the universal story of oppression and corrupt power. This book, which has had 29 editions worldwide, was the beginning Kapuściński's international career. The writer's position was confirmed by 'Shah of Shahs' (1982) – an account of the end of the rule of Shah Reza Pahlavi of Iran. After the fall of the Soviet Union, Kapuściński set out on his last reportage, a journey through the European and Asiatic republics of the former empire with the resultant classic 'Empire' published in 1993.

Honoured with international awards, invited to give lectures and workshops, Ryszard Kapuściński became an international intellectualist who described the mechanisms of global transformation and the human condition in the second half on the 20th century. From 1990, he began writing his reflections in 'Lapidarium'. His collection of African experiences are found in 'Heban' (1998) and 'Podróże z Herodotem / Travels with Herodotus' (2004) a professional autobiography. 'Autoportret reportera / A Reporter's self-portrait' is a compilation of fragments of interviews from the 1990's, which form the reporter's 'Bible' – his youth, his professional encounters.

The literary output of Ryszard Kapuściński is completed by a volume of poems 'Prawa natury / Laws of Nature' (2007). These poems prove that perhaps he renounced poetry too soon in his youth. But of course, he was too curious about the world to remain just a poet.

Mistrzowie **kina**

Nazwiska: Polański, Skolimowski, Holland, Kieślowski, Wajda są wymieniane jednym tchem obok największych twórców współczesnego kina.

SĄ ARTYSTAMI NIEPOKORNYMI. W kraju przysparzało im to wielu kłopotów, ale okazało się niezwykle przydatne, gdy zaczęli reżyserować za granicą.

Roman Polański (ur. 1933) wyruszył w świat, gdy jego fabularny debiut z 1961 r. „Nóż w wodzie" zdobył nominację do Oscara, w kraju zaś spotkał się z ostrą krytyką władz. Szybko zaistniał w Europie dzięki filmom „Wstręt" (1965, z Catherine Denevue) i „Matnia" (1966), a w Ameryce – „Dziecko Rosemary" (1968) czy „Chinatown" z kreacją Jacka Nicholsona (1974). Tematem jego filmów często bywa zło, Polański lubi pokazywać bohaterów w izolacji, by lepiej dostrzec mroczną stronę ich duszy. Takie były dzieła: „Lokator" (1976), „Śmierć i dziewczyna" (1994), wyróżniony Oscarem „Pianista" (2002) i „Autor widmo", nagrodzony za reżyserię na festiwalu w Berlinie w 2010 r.

Jerzy Skolimowski wyjechał z Polski w 1967 r., gdy cenzura wstrzymała emisję jego filmu „Ręce do góry". Reżyser w swoich produkcjach („Rysopis", „Walkower", „Bariera") pokazywał bohaterów niepokornych. Pozostał im wierny również w najlepszych filmach zagranicznych: „Start" (1967), „Na samym dnie" (1970), „Wrzask" (1978) czy „Fucha" (1982). Po przełomie w 1989 r. zekranizował w Polsce „Ferdydurke" Witolda Gombrowicza (1991, angielski tytuł „30 Door Key") i na 17 lat wycofał się z kina. W 2008 r. triumfalnie powrócił filmem „Cztery noce z Anną", a w 2010 otrzymał nagrodę na festiwalu w Wenecji za „Essential Killing".

Wprowadzenie stanu wojennego w grudniu 1981 r. zatrzymało za granicą Agnieszkę Holland (ur. 1948), czołową przedstawicielkę polskiego

Masters of the cinema

Polański, Skolimowski, Holland, Kieślowski and Wajda are mentioned along with the greatest film-makers of all time.

kina moralnego niepokoju („Aktorzy prowincjonalni", „Kobieta samotna"). Reżyserka często pokazywała ludzi ponoszących w życiu klęski lub odnoszących problematyczne zwycięstwa. Taki był obraz „Zabić księdza" – o zamordowaniu ks. Jerzego Popiełuszki (1988), „Europa, Europa" (1990) – nominowany do Oscara za scenariusz, czy „Całkowite zaćmienie" (1995).

Krzysztof Kieślowski (1941–1996) był już wybitnym dokumentalistą, gdy w 1979 r. jego „Amator" zdobył nagrody na festiwalach w Moskwie i Chicago. Ale prawdziwe uznanie przyszło, gdy wraz ze scenarzystą Krzysztofem Piesiewiczem stworzyli serial „Dekalog" (1988), jego dwie części – „Krótki film o zabijaniu" oraz „Krótki film o miłości" – miały także wersje kinowe. We Francji powstało „Podwójne życie Weroniki" (1991) i trylogia „Trzy kolory: Niebieski, Biały, Czerwony". Kieślowski wywarł ogromny wpływ na kino europejskie. Jego filmy to wnikliwe portrety ludzi, w których życiu znaczenie ma intuicja, przeczucie, przypadek.

Twórcą na wskroś polskim pozostał Andrzej Wajda (ur. 1926), analizujący historię ojczyzny, począwszy od nagrodzonego w Cannes w 1957 r. „Kanału" poruszającego problematykę powstania warszawskiego, poprzez wyróżniony dwa lata później na festiwalu w Wenecji „Popiół i diament", aż po „Katyń" z 2007 r. Nawet filmom mocno osadzonym w narodowej tradycji, jak „Wesele" (1973), potrafił nadać wartości uniwersalne. W „Ziemi obiecanej" (1975) pokazał narodziny kapitalizmu, „Człowiek z marmuru" (1977) i „Człowiek z żelaza" (1981, Złota Palma w Cannes) to nakreślone z pasją dramatyczne dzieje PRL. Nagrodzony w 2000 r. Oscarem za całokształt twórczości Andrzej Wajda nakręcił w 2009 r. „Tatarak" i na festiwalu w Berlinie otrzymał nagrodę za innowacyjność.

■ Roman Polański w Berlinie podczas prezentacji musicalu „Taniec wampirów" w 2006 r.
■ Roman Polański in Berlin at the Dance of the Vampires musical in 2006

THESE WERE THE SELF CONFIDENT Polish cineastes of their epoch. This may have caused them a lot of problems in Poland but proved advantageous when they started making films abroad.

Roman Polański (born 1933) set off abroad when his 1961 full feature debut *Knife in the Water* was nominated for the Academy Awards but met harsh criticism from the Polish authorities. He immediately gained European prominence with films *Repulsion* (1965, starring Catherine Deneuve) and *Cul-de-sac* (1966) and achieved a noteworthy place in US cinematography with *Rosemary's Baby* (1968) and *Chinatown* starring Jack Nicholson (1974). The recurrent themes of his films was Evil and the isolation of his characters which made their dark side more evident. His masterpieces were: *The Tenant* (1976), *Death and the Maiden* (1994), *The Pianist* (2002) (Academy Award) and *Ghostwriter* with the award for direction at the Berlin Festival in 2010.

Jerzy Skolimowski left Poland in 1967 when the censors refused the screening of his film *Hands Up*. In his works *Identification Marks: None, Walkover, Barrier*, the director presented uncompromising situations and characters. He remained faithful to these aesthetics while working on his greatest films made abroad: *Le Départ* (1967) *Deep End* (1970) *The Shout* (1978) and *Moonlighting* (1982). After the fall of communism, he filmed *30 Door Key* (1991) based on Witold Gombrowicz's novel *Ferdydurke* and then retired from the cinema for 17 years. In 2008, he made a triumphant return with *Four Nights with Anna* and in 2010 received an award at the Venice Film Festival for *Essential Killing*.

The introduction of martial law in December 1981 forced Agnieszka Holland (born 1948), the leading representative of the so-called Polish cinema of moral anxiety *Provincial Actors, A Lonely Woman*, to remain abroad. The film-maker often presented people suffering failure or achieving ambiguous success as in her films: *To Kill a Priest* (1988) the murder of Jerzy Popiełuszko, the screenplay Academy Award nominee *Europa Europa* (1990) and *Total Eclipse* (1995).

Krzysztof Kieślowski (1941–1996) was an acclaimed documentarist when his *Camera Buff* won festival awards in Moscow and Chicago. Recognition came when he collaborated with Krzysztof Piesiewicz on the TV series *The Decalogue* (1988) with its two episodes – *A Short Film About Killing* and *A Short Film About Love* also released on the big screen. In France he produced *The Double Life of Véronique* (1991) and the trilogy *Three Colours: Blue, White, Red*. Kieślowski still is a huge influence on European cinema. His films are deep portrayals of people whose lives were driven by intuition, sense and blind chance.

A film-maker who has remained very true to his Polish roots is Andrzej Wajda (born 1926), the analyst of his homeland's history who started his career with the 1957 Cannes award winner Warsaw Uprising themes, *Kanal* and continued with the 1959 Venice honourable mention for *Ashes and Diamonds*, and recently with *Katyń* in 2007. Even the films deeply rooted in traditions such as *The Wedding* (1973) were given a successful universal meaning. In *The Promised Land* (1975) he presented the birth of capitalism, in *Man of Marble* (1977) and *Man of Iron* (1981, Palm d'Or Cannes) told the story of the communist Polish People's Republic. Awarded an honorary Oscar in 2000, Wajda made yet another film *Sweet Rush* in 2009, and received an award for innovation at the Berlin Festival.

K Piękne **kobiety**

Królują na wybiegach u największych kreatorów mody, wygrywają konkursy piękności, są najlepszymi kandydatkami na żony.

„JAKIE PIĘKNE KOBIETY!" – to zdanie wielokrotnie wyrywa się z ust odwiedzających Polskę przedstawicieli płci brzydkiej. I trudno się temu dziwić. Na ulicach polskich miast przeważają kobiety długowłose, zgrabne i wysokie. Nadwiślańskie panie w większości są blondynkami o jasnej karnacji. Taki zestaw cech jest rarytasem, i to w skali globalnej, a wiadomo przecież, że to, co rzadkie, zawsze jest doceniane. Dodatkowo Polki mają opinię kobiet niekorzystających z usług specjalistów chirurgii plastycznej, więc ich uroda, jako naturalna, jest tym bardziej ceniona. Poza tym uchodzą za silne, pracowite i zaradne, a równocześnie romantyczne i uczuciowe. Dlatego chętnie wybierane są na żony przez Europejczyków z wielu krajów. Według badań socjologicznych, cytowanych przez „Daily Telegraph", to właśnie kobiety znad Wisły najbardziej podobają się Brytyjczykom. Poszukują więc kandydatek na żony na polskich portalach randkowych oraz wśród Polek mieszkających w Wielkiej Brytanii.

Polska płeć piękna cieszy się powodzeniem na całym świecie. W 1989 r. Aneta Kręglicka została uznana za najpiękniejszą w konkursie Miss Świata. Tytuł Miss International w 2001 r. przyznano Małgorzacie Rożnieckiej. Kilka lat wcześniej pochodząca z Polski, choć wychowana w Szwecji, Izabella Scorupco trafiła do innego panteonu – znalazła się wśród dziewczyn filmowego agenta Jamesa Bonda. Zagrała odważną, inteligentną i piękną programistkę w filmie „Golden Eye". Wcześniej urodzona w Białymstoku Scorupco pracowała jako modelka. Jej koleżanki po fachu dziś podbijają wybiegi Mediolanu, Nowego Jorku i Paryża. Anja Rubik pracowała dla najbardziej prestiżowych domów mody, takich jak Dior, Dolce & Gabbana, Chanel – dziś zajmuje trzecią pozycję na świecie w rankingu Top 50 Models. Magdalena Wróbel prezentowała kreacje m.in. Chanel, Valentino, Balenciagi, Diora, Christiana Lacroix i Oscara de la Renty. Małgorzata

Beautiful women

■ Wybory Miss Polonia
■ Miss Polonia Competition

Present on the catwalks at the fashion shows of the most significant fashion designers, beauty contest winners, and the best candidates as wives.

Bela pojawiała się na okładkach włoskiego i francuskiego „Vogue'a", Magdalena Frąckowiak zajęła 17. miejsce w rankingu Top 50 Models; pracowała m.in. dla Ralpha Laurena. Z kolei Joanna Krupa znalazła się wśród najgorętszych kobiet świata na łamach magazynu „Maxim".

Co ciekawe, mimo tak ogromnych sukcesów same Polki nie uważają siebie za kobiety piękne. Według badań socjologicznych prowadzonych w kilkunastu krajach świata to właśnie Polki (*ex aequo* z uległymi i tradycyjnie wycofanymi Japonkami) mają najwięcej zastrzeżeń do własnej urody! Nie dostrzegają swojej atrakcyjności, narzekają na zbyt duże nosy, za małe biusty czy za krótkie nogi. Możliwe, że powodem tego jest odwieczna chęć dążenia do doskonałości albo nasze narodowe kompleksy objawiające się brakiem międzynarodowej przebojowości Polaków (obu płci). A przecież Andrzej Rosiewicz już dawno temu śpiewał w słynnym przeboju, że „najwięcej witaminy mają polskie dziewczyny...".

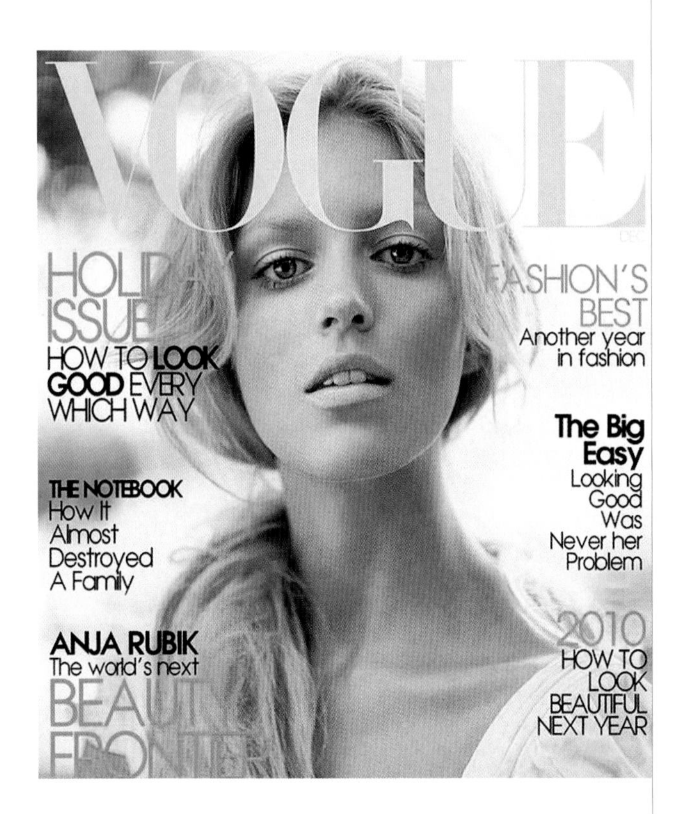

"WHAT BEAUTIFUL WOMEN!" – this can be heard often from representatives of the not so beautiful gender (male) visitors to Poland. And it's difficult not to be surprised. The streets of Polish towns and cities are filled with tall, slim, girls and women. The beauties of the Vistula are mostly blonde with fair skin. This combination, with additional attributes, is quite a rarity and it is well known that what is rare is highly appreciated. Polish women do not have to resort to plastic surgery and so their beauty is even more valued, as it is quite natural. They are considered, diligent and resourceful, at the same time romantic and sentimental. That is why they are eagerly sought after as wives by males from many European countries.

According to sociological research as quoted by the 'Daily Telegraph', British men find Polish women the most attractive. They are sought after as candidates for wives on Polish dating websites and among Polish women living in the UK. The Polish 'beautiful gender' enjoys popularity not just in Britain but throughout the entire world. In 1989, Aneta Kręglicka was voted the most beautiful woman in the world in the Miss World Competition. The 2001 Miss International title went to Małgorzata Rożniecka.

A few years earlier, Polish born, Izabella Scorupco rose to another prestigious level – she became one of the girlfriends of secret agent James Bond. She portrayed a brave, intelligent and beautiful computer programmer in 'Golden Eye'. Prior to this Izabella, born in Białystok, was a top model. Her professional colleagues are now conquering catwalks in Milan, New York and Paris. Anja Rubik has worked for the most prestigious fashion houses, such as, Dior, Dolce&Gabbana, Chanel – and today is 3rd in the ranking of Top 50 Models. Magdalena Wróbel has presented Chanel, Valentino, Balenciagi, Dior, Christian Lacroix and Oscar de la Renta costumes and designs. Małgorzata Bela has appeared on the covers of Italian and French Vogue, Magdalena Frąckowiak took 17th place in the ranking of Top 50 Models; she has worked for Ralph Lauren. And Joanna Krupa was among the 'hottest' women in the world chosen by 'Maxim' Magazine.

What can be considered strange, despite this great success, is that Polish women do not consider themselves beautiful. According to research carried out in several countries worldwide Polish women (as it seems with submissive and traditionally reserved Japanese women) have the most critical remarks about their beauty! They do not see their attractiveness, they complain about too big noses, too small breasts or too short legs. It is possible that the reason for this is the timeless desire to strive for perfection or our national complexes manifesting themselves on occasion as a lack of international competitiveness (in both genders). But let us not forget that Andrzej Rosiewicz sang that "Polish girls have the most vitamins". It actually sounds better in Polish.

■ Anja Rubik często gości na łamach magazynu Vogue
■ Anja Rubik often on the cover of Vogue

■ Hugo Kołłątaj – wielki reformator Akademii Krakowskiej, a także rektor Komisji Edukacji Narodowej

■ Hugo Kołłątaj, the great reformer of Kraków University and the Chancellor of the Commission of National Education

Komisja Edukacji Narodowej

Pierwsze ministerstwo oświaty na świecie.

PODCZAS SEJMU, jesienią 1773 r., poseł Feliks Oraczewski nawoływał króla Stanisława Augusta Poniatowskiego: „Trzeba nam ludzi zrobić Polakami, a Polaków obywatelami".

Do tego jednak potrzebne było nowoczesne szkolnictwo.

Pierwszą jaskółką reformy edukacji w Polsce było Collegium Nobilium w Warszawie. Założył je w 1740 r. ksiądz Stanisław Konarski z zakonu pijarów, światły pedagog i działacz polityczny. Collegium było pierwszą szkołą wychowania obywatelskiego. Podobną rolę odegrała Szkoła Rycerska założona w 1765 r. przez króla Stanisława Augusta Poniatowskiego. Jej kadetem był m.in. Tadeusz Kościuszko i późniejszy jakobin Jakub Jasiński. Jednakże utworzenie całego systemu nowoczesnego szkolnictwa wymagało, jak zwykle, pieniędzy. Na szczęście, 21 lipca 1773 r. papież Klemens XIV rozwiązał zakon jezuitów, który w Polsce miał 39 kolegiów kształcących i utrzymujących w konwiktach (internatach) młódź szlachecką. Nowocześnie myślący oświeceniowi patrioci dojrzeli w tym szansę zreformowania szkolnictwa.

14 października 1773 r. Sejm powołał Komisję Edukacji Narodowej, która miała ujednolicić system nauczania w Rzeczypospolitej. Uniwersał głosił: „odtąd tedy wszystkie generalne akademie, gimnazja, kolonie akademickie, szkoły publiczne, żadnych nie wyłączając (...) pod dozór i rozporządzenie Komisji tej oddajemy". W ten sposób ustanowiono pierwsze na świecie ministerstwo oświaty. Na wniosek króla Stanisława Augusta Poniatowskiego do KEN powołano czterech senatorów i czterech posłów. Instytucja, choć zróżnicowana politycznie, działała zgodnie, dotrzymując przyrzeczenia złożonego na pierwszym posiedzeniu („przyjaźń, jednomyślność, sekret").

Gorzej było ze sprawami finansowymi. Aby zahamować grabież dóbr pojezuickich, Sejm powołał Komisje Rozdawnicze, choć niestety i one nie sprostały zadaniu. Mimo to rozpoczęto reformę oświaty. Główny ciężar stworzenia programu edukacyjnego spoczął na Towarzystwie do Ksiąg Elementarnych, powołanym wiosną 1775 r. Przewodniczył mu Ignacy Potocki, ale rzeczywistym kreatorem stał się były jezuita, ks. Grzegorz Piramowicz. Tu układano programy, pisano i zamawiano podręczniki, recenzowano.

KEN zdążała też do utworzenia następnych akademii w Warszawie i Poznaniu. Brak środków przekreślił te zamiary, lecz mimo to powstała przejrzysta sieć szkolnictwa w Rzeczypospolitej – KEN podlegały dwie akademie: dla Korony (Krakowska) i dla Litwy (Wileńska), a tym z kolei siedmioletnie średnie szkoły wydziałowe lub sześcioletnie podwydziałowe. Sieć podstawową stanowiły szkoły parafialne.

Wprowadzone nowoczesne programy nauczania pomogły w kształceniu i wychowaniu światłych patriotów. Dzieło Komisji Edukacji Narodowej zakwitło już kilkanaście lat później: najwspanialszym owocem tej reformy była Konstytucja 3 maja – druga na świecie nowoczesna i demokratyczna ustawa zasadnicza.

The National Education Commission

The world's first Ministry of Education.

IN THE AUTUMN of 1773, the Sejm (the lower house of the Polish Parliament) deputy, Feliks Oraczewski, called upon the King Stanisław August Poniatowski. "We have to make our people Polish, citizens of Poland" he told the King. This, however, required a modern schooling system.

The first stage of reforming Polish education was the foundation of the Warsaw Collegium Nobilium in 1740 at the initiative of an enlightened educator and political activist, Piarist Stanisław Konarski. Collegium Nobilium was the first school of education for citizens and served a similar purpose as the School of Knights established in 1765 by King Stanisław August Poniatowski. Amongst its graduates were Tadeusz Kościuszko and the future Jacobin, Jakub Jasiński. However, forming an entire system of modern education required, as always, money. Fortunately, on July 21, 1773, Pope Clement XIV disbanded the Order of Jesuits and with it 39 Polish colleges for the education and accommodation of the children of the nobility. Modern enlightenment patriots saw it as a chance to reform the educational system.

On October 14, 1773, the *Sejm* formed the Commission of National Education to standardize the educational system in Poland. The proclamation stated that all academies, high schools, academic dependencies and public schools were to be put under the supervision of the Commission. With the support of the King, the Commission appointed 4 senators and 4 deputies. In spite of its political diversity, the institution functioned harmoniously, keeping to the pledge given at the first session ('friendship, unanimity, discretion').

The issue of finance was more complicated. In order to stop the plundering of post-Jesuit properties, the *Sejm* established the Distributive Commission, which unfortunately did not live up to what was expected of it. Nonetheless, schooling reforms commenced. The challenging task of designing the educational program was given to the Society for Elementary Books formed in 1775. It was headed by Ignacy Potocki, but its real creator was the former Jesuit, Grzegorz Piramowicz. The Society prepared the programs, as well as designed, ordered and evaluated textbooks.

The Ministry of Education was intended to establish more academies in Warsaw and Poznań, but the lack of financial means weakened its intentions. Nevertheless, a transparent educational network was set up. Two academies of the Polish Crown (Krakow) and Lithuania (Vilnius) were subject to the Ministry on which depended the 7-year departments and 6-year sub-departments of high schools. The basis of the network were parish schools.

Introducing modern educational programs helped the Commission educate enlightened patriots. It proved to be fruitful less then two decades later when it achieved its greatest success – the world's second modern and democratic recorded law of the May 3 Constitution.

Współcześni **kompozytorzy**

Witold Lutosławski, Henryk Mikołaj Górecki, Krzysztof Penderecki czy Wojciech Kilar – to nazwiska doskonale znane miłośnikom muzyki na całym świecie.

WITOLD LUTOSŁAWSKI (kompozytor i dyrygent) uchodzi za klasyka muzyki XX w. „Symfonia pieśni żałosnych" Henryka Mikołaja Góreckiego to jeden z najbardziej znanych XX-wiecznych utworów. O Krzysztofie Pendereckim mówi się, że wprowadził muzykę polską (dawną i współczesną) w główny nurt światowego życia muzycznego, za co w 2005 r. otrzymał najwyższe polskie odznaczenie: Order Orła Białego. Arcydzieła Wojciecha Kilara (m.in. „Krzesany") na trwałe weszły do kanonu muzyki światowej. Wszyscy oni swoje międzynarodowe kariery zaczynali na Warszawskiej Jesieni.

Z inicjatywą stworzenia Międzynarodowego Festiwalu Muzyki Współczesnej wystąpili kompozytorzy, Tadeusz Baird i Kazimierz Serocki, pomysł podchwycił Związek Kompozytorów Polskich, który do dziś organizuje Warszawską Jesień. Pierwsza impreza odbyła się w październiku 1956 r. Początkowo dominowały na niej dzieła twórców zagranicznych: Strawińskiego, Bartóka, Schönberga,

Contemporary composers

Witold Lutosławski, Henryk Mikołaj Górecki, Krzysztof Penderecki and Wojciech Kilar – these are names well known to musical aficionados around the world.

Berga czy Weberna. Ale promowano też młodych polskich kompozytorów.

Już w 1958 r. utworem „Epitafium" zadebiutował Henryk Mikołaj Górecki (1933–2010), dwa lata później powrócił ze „Scontri". Rok 1959 należał do Krzysztofa Pendereckiego (ur. 1933) – najpierw skomponował „Strofy", potem publiczność poznała jego „Tren ofiarom Hiroszimy" czy „Kanon". W 1962 r. ogromny sukces odniósł 30-letni wówczas Wojciech Kilar z utworem „Riff 62". Najstarszy w tym gronie Witold Lutosławski (1913–1994) przedstawił w 1961 r. „Gry weneckie", od których rozpoczął się nowy i najważniejszy okres w jego twórczości.

Rozkwit polskiej muzyki po okresie dominacji tzw. socrealizmu spowodował, że Warszawską Jesienią zainteresowali się międzynarodowi twórcy i krytycy. W latach 60. i 70. XX w. stała się ona ważnym miejscem spotkań w podzielonej politycznie Europie. Była jedyną imprezą państw socjalistycznych prezentującą muzykę bez obciążeń ideologicznych.

Kompozytorzy wylansowani przez Warszawską Jesień stawali się twórcami światowego formatu. W 1976 r. dla rozgłośni w Baden-Baden Henryk Mikołaj Górecki skomponował wspomnianą już III Symfonię „Symfonię pieśni żałosnych". Krzysztof Penderecki otrzymał zamówienie na „Pasję według św. Łukasza" (jej prawykonanie odbyło się w 1966 r. w Münster). Od tego dzieła rozpoczął twórczy dialog z tradycją, o czym świadczy choćby „Jutrznia", opera „Raj utracony", „Polskie Requiem", „Siedem bram Jerozolimy" i pozostałe symfonie. Wojciech Kilar do dnia dzisiejszego tworzy muzykę ascetyczną, opartą na prostych, powtarzalnych motywach, często odwołującą się do polskiego folkloru („Krzesany", „Orawa" czy „Missa pro pace").

Obecnie Warszawska Jesień promuje kolejne pokolenia twórców. Koncerty odbywają się w klubach, halach sportowych albo we wnętrzach dawnych fabryk. Festiwal jest otwarty na nowe techniki kompozytorskie i technologie, przyciąga młodą publiczność. I niezmiennie, od ponad 50 lat, pozostaje jednym z najważniejszych festiwali muzyki współczesnej w Europie.

WITOLD LUTOSŁAWSKI (composer and conductor) is considered one of the major European composers of 20th century music. Henryk Mikołaj Górecki's 'The Symphony of Sorrowful Songs' is among the best known musical pieces of the 20th century. It is said that Krzysztof Penderecki introduced Polish music (old and contemporary) to the main trends in global music, for which he received the highest state award in 2005 – the Order of the White Eagle. Masterpieces by Wojciech Kilar ('Krzesany') are established forever in the canons of world music. Each of these artists started their international career with the Warsaw Autumn Festival.

The initiative for the creation of an International Festival of Contemporary Music belongs to composers Tadeusz Baird and Kazimierz Serocki; the idea was picked up by the Polish Composers Association which today is the organizer of the Warsaw Autumn Festival. The first event took place in October 1956. It was initially dominated by the work of foreign artists: Stravinsky, Bartok, Schönberg, Berg and Webern. But Polish composers were also promoted.

In 1958 Henryk Mikołaj Górecki (1933–2010) debuted with his 'Epitaph', and he returned two years later with 'Scontri'. 1959 belonged to Krzysztof Penderecki (born 1933) – with 'Verses', and later his 'Lament for Hiroshima Victims' and 'Canon'. In 1962, the then 30-year old Wojciech Kilar achieved great success with 'Riff 62'. The oldest in this group, Witold Lutosławski (1913–1994) presented 'Venetian Games' in 1961, which marked a new and important period in his artistic work.

The flourishing of Polish music after the domination of soc-realism prompted interest in the Warsaw Autumn Festival from international artists and critics. It became a significant meeting place in the politically divided Europe of the 1960's and 1970's. It was the only event in communist countries presenting music with no ideological burdens.

Composers who had their work performed at the Warsaw Autumn Festival have become world-class artists. In 1976 Henryk Mikołaj Górecki composed the '3rd Symphony of Sorrowful Songs' for a broadcasting studio in Baden-Baden. Krzysztof Penderecki was commissioned to compose 'St. Luc's Passion' (first performance 1966 in Münster). This piece initiated his creative dialogue with tradition which is exemplified by the 'Jutrznia', oratorio 'Lost Paradise', 'Polish Requiem', 'Seven gates of Jerusalem' and other symphonies. Wojciech Kilar composes ascetic music today, based on simple, repetitive motifs, often referring to Polish folklore ('Krzesany', 'Orawa' and 'Missa pro pace').

Today the Warsaw Autumn Festival promotes the next generation of artists. Concerts are held in clubs, sport halls and in former factories. The Festival is open to all composing techniques and technologies and it attracts a young audience. And unchanged, for over 50 years, it remains one of the most significant festivals of contemporary music in Europe.

■ Krzysztof Penderecki podczas koncertu w Teatrze Wielkim w Łodzi

■ Krzysztof Penderecki during a concert in the Great Theatre in Łódź

K Konstytucja 3 maja

Pierwsza w Europie i druga na świecie (po Stanach Zjednoczonych) demokratyczna ustawa zasadnicza.

RZECZPOSPOLITA W XVIII W. była państwem osłabionym. Królowała „złota wolność szlachecka", czyli swobody i przywileje przysługujące szlachcie, wprowadzające anarchię i uniemożliwiające wdrażanie reform. Wpływało to na pozycję kraju na arenie międzynarodowej, ułatwiając Rosji, Prusom i Austrii mieszanie się w polskie sprawy. Uchwalenie Konstytucji 3 maja w 1791 r. obalało anachroniczne zasady ustrojowe i wzmacniało państwo. I choć jej żywot był krótki (już w 1795 państwo polskie przestało istnieć), stała się symbolem nowoczesnych przemian i dążeń niepodległościowych. Od 1919 r. dzień 3 maja jest świętem państwowym.

W 1788 r. rozpoczął się Sejm Czteroletni zwany Wielkim, podczas którego starł się obóz patriotów ze zwolennikami „złotej wolności szlacheckiej". Grunt pod nowoczesne reformy przygotowali przywódcy Stronnictwa Patriotycznego – Ignacy Potocki i Hugo Kołłątaj. Król Stanisław August Poniatowski również był zwolennikiem monarchii konstytucyjnej i wywarł wielki wpływ na kształt nowoczesnej Ustawy Rządowej.

Jej ostateczne uchwalenie było w gruncie rzeczy zamachem stanu. Wokół Zamku Królewskiego zgromadził się tłum warszawskich mieszczan wołający „Wiwat Konstytucja!". Na plac Zamkowy wmaszerował pułk Działyńskich, sprzyjający patriotom. Opozycja zamilkła. Na sali sejmowej znajdowała się zaledwie jedna trzecia posłów, reszta szlachty nie zdążyła bowiem wrócić ze świąt wielkanocnych. Sesja rozpoczęła się od odczytania depesz ambasadorów, tak dobranych, by przekonać posłów, iż Polsce grozi nowy rozbiór. Jedynym ratunkiem miało być natychmiastowe uchwalenie przygotowanej Ustawy Rządowej. Wybuchł wielogodzinny spór, zakończony przyjęciem ustawy przez aklamację, na wniosek króla. Wydarzenia tamtych dni uwiecznił na płótnie Jan Matejko – jego dzieło można dzisiaj oglądać na Zamku Królewskim w Warszawie, podobnie jak samą Salę Senatorską, w której ponad dwa wieki temu konstytucję uchwalono.

The Constitution of May 3 1791

■ „Konstytucja 3 maja 1791 roku" – obraz Jana Matejki malowany sto lat po tym doniosłym wydarzeniu
■ The Constitution of May 3 by Jan Matejko painted 100 years after the historic ratification

The first democratic constitution in Europe and second in the world (after the United States).

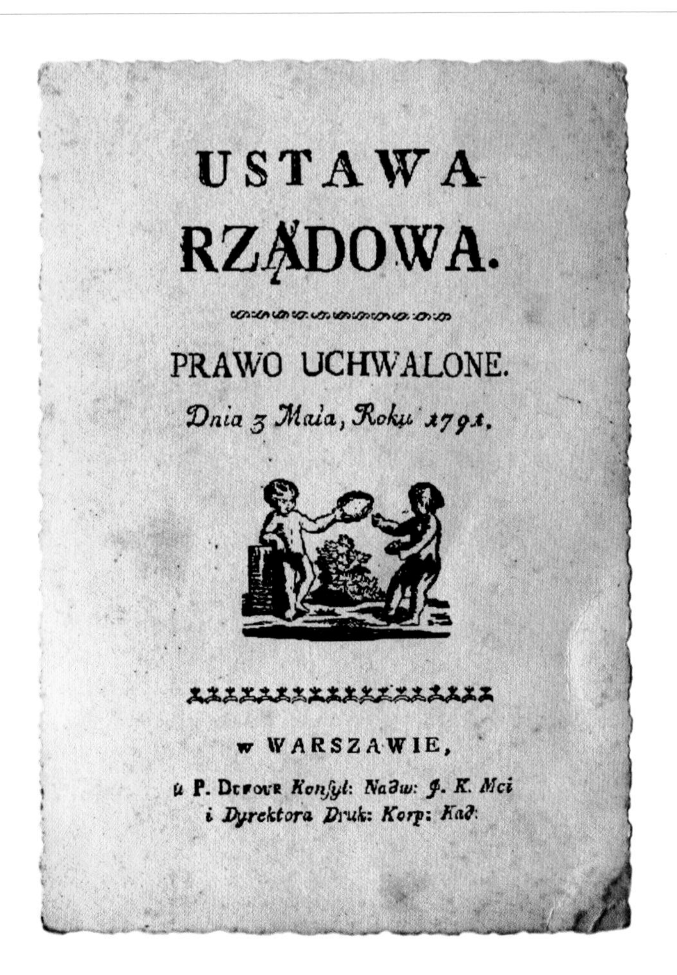

USTAWA
RZĄDOWA.

PRAWO UCHWALONE.
Dnia 3 Maia, Roku 1791.

w WARSZAWIE,
u P. Dufour *Konsyl: Nadw: J. K. Mci*
i Dyrektora Druk: Korp: Kad:

■ Podobizna strony tytułowej Konstytucji, wydanie z 1791 r.
■ Copy of the cover of the 1791 document

Konstytucja 3 maja była wielkim przełomem ustrojowym. Ustanowiono jeden skarb i wojsko dla Korony i Litwy, wchodzących w skład Rzeczypospolitej Obojga Narodów. Zniesiono wolną elekcję i wprowadzono dziedziczność tronu. W miejsce liberum veto (które dawało prawo każdemu z posłów biorących udział w obradach Sejmu do zerwania ich i unieważnienia podjętych uchwał; w XVII i XVIII w. Sejm zerwano 73 razy) pojawiło się głosowanie większościowe. Nastąpił podział władz na ustawodawczą (Sejm) oraz wykonawczą (król i Straż Praw, czyli prymas i ministrowie). Dołączono również ustawę o miastach gwarantującą mieszczanom nietykalność i prawo do nabywania dóbr ziemskich. Rzeczpospolita, dotąd chory organizm Europy, weszła na lepszą drogę. Choć na ratunek przed upadkiem państwa było już za późno.

THE POLISH COMMONWEALTH was a weakened state in the 18th century. The 'golden liberty' or the freedoms and privileges bestowed upon the nobility which had introduced a form of anarchy making it impossible to implement reforms were still in force. This had weakened Poland's position in the international arena, easing Russian, Prussian and Austrian interference in Polish affairs. The announcement of the Constitution of May 3, 1791 revoked the privileges, which had been supported by the state, and strengthened the country. And although its life was very short (the Polish state ceased to exist in 1795), Poland became the symbol of modern changes and aspirations for independence. From 1919, May 3 has been a state holiday.

In 1788, the Four-Year Sejm called the Great Sejm began its meetings. It was witness to a clash between a patriotic group and supporters of the 'golden liberty'. The ground for modern reforms was laid out by the leaders of the Patriotic Party, Ignacy Potocki and Hugo Kołłątaj. King Stanisław August Poniatowski was also in favour of a constitutional monarchy and had a great influence on the form of the modern law.

Its final settlement was in reality a coup d'etat. A crowd of Warsaw townspeople gathered around the Royal Castle shouting 'Vivat Constitution!' The Działyński Regiment, supporting the patriots marched onto the Royal Castle Square. The opposition was silent. Only one-third of the members of parliament were present in the parliamentary rooms, the remaining part of the gentry had not returned from the Easter break. The session started with the reading of telegrams from ambassadors, specially selected to convince the MPs that Poland was threatened by another Partition. The only way to save the country was the immediate passing of the prepared governmental act. A dispute of many hours broke out, ending with the passing of the bill through acclamation, on the King's motion. The events of those days were immortalized on canvas by Jan Matejko – his masterpiece can be seen in the Royal Castle in Warsaw, just as the Senator's Room where the bill was passed.

The Constitution of May 3 was a breakthrough in state organization. One treasury and military for the Crown and Lithuania, both constituents of the Commonwealth, were set up. The election of a King was abolished and inheritance of the throne was introduced. Instead of *liberum veto* (which gave each member of parliament participating in a Sejm meeting the possibility of vetoing a decision and invalidating all previous decisions; the Sejm was interrupted 73 times in the 17th and 18th centuries) voting took on a more 'democratic' form. Power was divided into the regulative body (Sejm) and executive bodies (the King and the Guardians of the Law or primate and ministers). Another law concerning cities was passed, guaranteeing townspeople immunity and the right to acquire property. The Commonwealth, until then the ailing constituent of Europe, entered on a better if somewhat short road to recovery. Unfortunately it came to late to save the country.

K

Mikołaj **Kopernik**

Jeden z najwybitniejszych astronomów wszech czasów. Wstrzymał Słońce, ruszył Ziemię...

JEGO REWOLUCYJNA PRACA zatytułowana „O obrotach" (gorliwy wydawca dodał: „sfer niebieskich") strąciła na zawsze Ziemię z piedestału centrum Wszechświata i kazała jej obracać się wraz z innymi planetami wokół Słońca, awansując jednocześnie astronomię z grupy nauk tajemnych do ścisłych. Portrety, popiersia i posągi astronoma można oglądać dziś w wielu miastach Polski. Przez długie lata jego podobizna zdobiła banknot o nominale 1000 zł.

Mikołaj Kopernik (1473–1543), urodzony w Toruniu, był człowiekiem renesansu. Studiował matematykę w Akademii Krakowskiej, prawo w Bolonii oraz astronomię na obu tych uczelniach. W Ferrarze został doktorem prawa kanonicznego, a po studiach medycznych w Padwie miał prawo do wykonywania zawodu lekarza. W 1510 r. osiadł na Warmii – we Fromborku, gdzie został kanonikiem. Pisał wiersze, tłumaczył poezję z greki na łacinę, brał udział w fortyfikowaniu Olsztyna, negocjował pokój z wielkim mistrzem zakonu, korespondował z królem polskim, sporządzał mapy Warmii, a na

Nicolaus Copernicus

One of the most prominent astronomers of all time. He stopped the Sun and moved the Earth.

wezwanie V Soboru Laterańskiego opracowywał reformę kalendarza. Zarządzał także gospodarką rolną i finansową kapituły warmińskiej. Przy tej okazji sformułował słynne prawo o wypieraniu z obiegu pieniądza lepszego przez gorszy, a także napisał rozprawę o biciu monety i niezbędnych reformach finansowych państwa.

Jednak jego największą pasją była astronomia. Zafascynowany nią od studiów w Krakowie, prowadził przez pół wieku obserwacje nieboskłonu i chłonął wszystko, co tylko na ten temat opracowano, nawet dzieła astronomów i matematyków arabskich, napisane 300 lat wcześniej.

Obdarzony krytycznym i otwartym umysłem Kopernik szybko zrozumiał, że obowiązująca w jego czasach kościelna teoria geocentryczna nie tłumaczy zachowania planet. Jednak z zaprezentowaniem modelu heliocentrycznego – ze Słońcem, wokół którego krążyło sześć znanych wówczas planet – zwlekał aż do ostatnich chwil życia. Być może bał się krytyki albo chciał zgromadzić jak najwięcej dowodów na poparcie swojej teorii. Do napisania i wydania dzieła „O obrotach" namówili go prawdopodobnie jego jedyny uczeń, asystent i sekretarz Jerzy Joachim Retyk, matematyk z Wittenbergi, oraz przyjaciel Tiedemann Giese, biskup chełmiński. Sam astronom wydrukowaną książkę dostał do ręki w dniu swojej śmierci. Pochowano go pod posadzką katedry we Fromborku, w pobliżu ołtarza, którym opiekował się jako kanonik. Grobu poszukiwano od początku XIX w. Na jego szczątki natknął się w 2005 r. zespół archeologów kierowany przez prof. Jerzego Gąssowskiego z Wyższej Szkoły Humanistycznej w Pułtusku. A Centralne Laboratorium Kryminalistyczne Komendy Głównej Policji w Warszawie przeprowadziło rekonstrukcję wyglądu twarzy Kopernika tuż przed śmiercią. Powtórny pogrzeb odbył się w katedrze we Fromborku 22 maja 2010 r.

Aby poznać miejsca, w których żył i pracował astronom, można wybrać się na pieszy Szlak Kopernikowski, który zaczyna się w Olsztynie, biegnie przez województwa: warmińsko-mazurskie, pomorskie i kujawsko-pomorskie, aż do Torunia, gdzie w rodzinnym domu astronoma mieści się muzeum.

HIS REVOLUTIONARY THEORY, 'On the Revolutions of the Celestial Spheres' knocked the Earth out of the center of the Universe forever and made it revolve, together with other planets, around the Sun, lifting astronomy from a dark and mysterious art to the ranks of science. Today, portraits, busts and monuments of the astronomer can be found in many Polish cities. For many years his image was to be found on the old Polish 1,000 zł banknote.

Nicolaus Copernicus, born in Toruń, was a man of the Renaissance. He studied mathematics at Krakow Academy, law in Bologna and astronomy at both universities. He was awarded a PhD in canon law from Ferrara, and obtained the right to work as a doctor after he completed his medical studies in Padua. In 1510, he settled in the town of Frombork in Warmia where he became a canon of the church. He wrote poetry, translated poetry from Greek to Latin, participated in fortifying Olsztyn, negotiated peace with the Great Master of the Teutonic Knights, exchanged letters with the Polish king, drew maps of Warmia, and reformed the calendar after the 5th Vatican Lateran Council. He also managed the agricultural and financial economy of the Warmian Chapter. To accomplish this he formlated the law of 'bad money ousted by the better', and wrote a pamphlet on minting and the necessary financial reforms of the state.

However, his greatest passion was astronomy. Fascinated with the subject from his student days in Krakow, he conducted observations of the sky for half a century, and read every elaboration on the topic, including the work of Arabic astronomers' and mathematicians' written some 300 years previously.

Gifted with a critical and open mind, Copernicus quickly realized that the functioning geocentric theory did not explain how planets moved. However, he hesitated presenting his heliocentric model, with 6 known planets revolving around the Sun, until the last days of his life. Perhaps he was afraid of criticism, or perhaps he wanted to accumulate as much evidence as possible to prove his theory. He is said to have been encouraged to write, 'On the Revolutions', by his only student, assistant and secretary, Jerzy Joachim Retyk, and a befriended mathematician from Wittenberg, Tiedemann Giese, who was also the Bishop of Chełmno. The astronomer was given the printed book on the day of his death. He was buried in the catacomb of Frombork Cathedral, near the altar he tended as a canon. A search for his grave had been started in the 19th century and in 2005 a team of archaeologists headed by Professor Jerzy Gąssowski from the Higher School of Humanities in Pułtusk discovered his remains. The Central Criminal Laboratory of Police Headquarters in Warsaw conducted a facial reconstruction of Copernicus's image from just before his death. Copernicus's second funeral took place in Frombork Cathedral on May 22nd, 2010.

To discover where the astronomer lived and worked, the Copernicus Route can be followed. It starts in Olsztyn and runs through the regions of Warmia-Masuria, Pomerania and Kuyavia-Pomerania as far as Toruń, where a museum in his family house is located.

■ Pomnik Mikołaja Kopernika stojący na rynku w Toruniu
■ The statue of Nicolaus Copernicus in Toruń Market Square

K

Tadeusz **Kościuszko**
i Kazimierz Pułaski

Bohaterowie dwóch narodów.

■ Tadeusz Kościuszko (po lewej) oraz Kazimierz Pułaski (po prawej)
■ Tadeusz Kościuszko (left) and Kazimierz Pułaski (right)

ICH IMIONA NOSZĄ ULICE i instytucje w Stanach Zjednoczonych. Setki pomników ku ich czci stoją w wielu polskich i amerykańskich miastach. Byli walecznymi żołnierzami, doskonałymi strategami, a przede wszystkim znakomitymi dowódcami i patriotami, którzy poświęcili życie, walcząc o wolność.

Każdy kadet studiujący w West Point wie, że twierdzę tę założył Polak Tadeusz Kościuszko (1746–1817). Do kolonii amerykańskich walczących z Anglikami o niepodległość przybył w 1775 r. Jako elew (uczeń) Szkoły Rycerskiej w Warszawie miał solidne wykształcenie wojskowo-inżynieryjne – Kongres wykorzystał więc jego wiedzę i talent. Generał Horatio Gates powierzył Kościuszce (już jako pułkownikowi) budowę obozu pod Saratogą, gdzie potem kierował ogniem armat, stając się „ojcem artylerii amerykańskiej". Gates zmusił w październiku 1777 r. armię angielską do kapitulacji. W raporcie do Kongresu napisał jednak, że Kościuszko był współautorem tego zwycięstwa. Bitwa pod Saratogą okazała się przełomowa w walce ko-

Tadeusz Kościuszko and Kazimierz Pułaski

Heroes of two nations.

lonii o niepodległość. Kościuszko w 1783 r. otrzymał stopień generała brygady, a później członkostwo w ekskluzywnym Towarzystwie Cyncynatów.

Amerykańskie doświadczenia przydały mu się w walce o wolność Polski, zagrożoną przez carską Rosję. Powołany na Najwyższego Naczelnika Siły Zbrojnej Narodowej, złożył 24 marca 1794 r. na krakowskim rynku przysięgę, że będzie walczył jedynie dla „odzyskania samowładności narodu". Do wojny z Rosjanami powołał oddziały chłopskich kosynierów. Bitwa z ich udziałem została utrwalona na „Panoramie Racławickiej" – płótnie liczącym 114 m szerokości i 15 m wysokości. Obraz można dziś podziwiać we Wrocławiu, w specjalnie wybudowanej rotundzie. Niestety, Polacy nie byli w stanie przeciwstawić się siłom Rosji i Prus; Rzeczpospolita została wymazana z mapy Europy. Kościuszko mimo ciężkiej rany przeżył, ale poproszony kilka lat później przez Napoleona, by pod egidą Francji wskrzeszać Polskę, odmówił, bo nie ufał cesarzowi. Po śmierci został pochowany w katedrze wawelskiej, a jego serce spoczęło na Zamku Królewskim w Warszawie.

Bohaterem obu narodów był też Kazimierz Pułaski (1745–1779). Walczył w konfederacji barskiej zawiązanej w 1768 r. W wojnie z Rosją zasłynął m.in. z wielkiego rajdu kawaleryjskiego na Litwę i obrony sanktuarium na Jasnej Górze. Po próbie porwania króla Stanisława Augusta Poniatowskiego, w której brał udział, wyemigrował do Francji, a następnie do Ameryki. Zasłynął w 1777 r., gdy nad rzeką Brandywine ocalił życie Waszyngtonowi. Wtedy uzyskał stopień generała i dowództwo nad jazdą, którą tworzył od podstaw, stając się „ojcem kawalerii amerykańskiej". Był „ostatnim rycerzem Europy", odważnym do granic szaleństwa, choć uznawanym za niesfornego. Zginął 11 października 1779 r. po brawurowej szarży pod Savannah.

Amerykański Kongres uznał go za bohatera – dzień jego śmierci ustanowił Dniem Pamięci Generała Pułaskiego. W pierwszą niedzielę października w Nowym Jorku odbywa się wielka parada – Pulaski Day Parade. A 2009 r. Kongres nadał mu honorowe obywatelstwo USA.

AMERICAN STREETS and institutions are named after them. Hundreds of Polish and American city monuments have been raised to honour them. They were brave soldiers, formidable strategists and, most of all, redoubtable leaders and patriots who risked their lives fighting for freedom.

Every West Point cadet knows that their fortress was constructed by Tadeusz Kościuszko (1746–1817) who in 1775 had joined the American colonies battling for independence against the English. As an élève (student) of the Warsaw Corps of Cadets, he had received a thorough military and engineering education and Congress made extensive use of his knowledge and skills. Lieutenant Kościuszko was ordered by General Horatio Gates to establish a camp at Saratoga where he later commanded the firing of the heavy guns thus becoming known as the 'Forefather of American Artillery'. In 1777, Gates forced the English army to capitulate. In a report sent to Congress, he wrote that Kościuszko, 'had taken great part in the victory'. The battle at Saratoga was crucial in America's struggle for independence. In 1783, Kościuszko was awarded the rank of Brigadier General and later was admitted into the select Society of the Cincinnati.

His American experience proved valuable in the struggle for Poland's independence. Appointed commander-in-chief, he took the oath on 2 March, 1794, in the Market Place in Krakow and he organised units of voluntary peasants to fight the Russians. One battle was commemorated by the *Racławice Panorama*, a painting 114 m long and 15 m high. Today, the painting can be seen in a specially constructed rotunda in Wrocław. However, in 1794, the Polish armies were not able to overcome the forces of Russia and Prussia with the result that the Polish state was removed from the map of Europe. Despite being seriously wounded during the war Kościuszko survived. Few years later he rejected Napoleon's proposal to restore the independence of Poland under the aegis of France, not trusting the Emperor. Kościuszko died in Switzerland and was buried in 1818 in Wawel Cathedral and his heart was placed in the Royal Castle in Warsaw in 1927.

Kazimierz Pułaski (1745–1779) was another hero of both nations. He fought with the 1768 Bar Confederation and in the war against Russia he made a name for himself: breaking through a Russian siege and leading the cavalry under his command to Lithuania and later participating in the successful defense of the Jasna Góra Monastery in 1771. After taking part in an attempt to abduct King Stanisław August Poniatowski, Pułaski emigrated to France and later to America. He rose to a certain notoriety once again in 1777, when he saved George Washington's life at the battle of Brandywine River. For this he was awarded the rank of General and the command of the cavalry which he later thoroughly reformed, becoming the 'Forefather of the American Cavalry'. He was the last 'Knight of Europe', extraordinarily brave but considered 'unruly'. He died of his wounds suffered during a daring charge at the battle of Savannah on 11 October, 1779.

American Congress acclaimed him a hero and the 11 October is General Pułaski Memorial Day. The Pulaski Day Parade is held in New York every first Sunday of October. In 2009, Congress awarded him honorary United States citizenship.

■ Krakowski rynek i kościół Mariacki oglądane spod arkad Sukiennic
■ Kraków Market Square and the Saint Mary's Basilica viewed from underneath the arches of the Sukiennice (Cloth Hall)

Kraków i kościół Mariacki

Kraków and St. Mary's Church

Dawniej – stolica Polski, dzisiaj – jej największa atrakcja turystyczna.

The city which was once the capital of Poland is now the country's greatest tourist attraction.

KRAKÓW to miasto ze wszech miar niezwykłe. Jest nie tylko pomnikiem historii, zabytkiem klasy zerowej i największą atrakcją turystyczną Polski. Tutaj znajdują się największe skarby narodowe, najstarszy polski uniwersytet i najlepiej zachowana dzielnica żydowska w Europie. W 2000 r. przyznano mu status Europejskiego Miasta Kultury. Bije w nim artystyczne i towarzyskie serce Rzeczypospolitej. Mówi się nawet, że kto chce poznać duszę Polski, powinien przyjechać do Krakowa.

Stare Miasto wraz z Wawelem i Kazimierzem zostało wpisane na stworzoną w 1978 r. pierwszą Listę Światowego Dziedzictwa Kulturalnego i Przyrodniczego UNESCO. Objęła ona ochroną ponad 3 tys. zabytkowych budowli, wśród których najważniejszy jest kościół Mariacki. Słynie on z hejnału granego co godzinę z wieży (a od 1927 r. transmitowanego w południe przez radio) oraz z niezwykłego ołtarza – dzieła Wita Stwosza. To jeden z największych ołtarzy średniowiecznej Europy, arcydzieło sztuki rzeźbiarskiej. W lipowym, polichromowanym drewnie artysta stworzył ponad 200 figur, niektóre mają nawet 2,7 m wysokości (w scenie zaśnięcia Najświętszej Marii Panny).

Pierwsza drewniana świątynia przy krakowskim rynku stanęła przed lokacją miasta. Na jej miejscu wzniesiono kościół w stylu romańskim, zastąpiony na przełomie XIII i XIV w. przez gotycką halę. Budowę obecnego rozpoczęto około 1340 r., wykorzystując mury wcześniejszych budowli, i zakończono w połowie XV w. Od 1962 r. kościół Wniebowzięcia Najświętszej Marii Panny nosi tytularną nazwę bazyliki mniejszej.

Ale to tylko jedna z wielu świątyń Krakowa. Dawniej było ich tu tak dużo, że miasto nazywano „Drugim Rzymem". Do najcenniejszych należą m.in. romański kościół św. Andrzeja, kościół Augustianów z pięknymi gotyckimi krużgankami, kościół Jezuitów z dwunastoma figurami apostołów Giovanniego Trevano, klasztor Kamedułów na Bielanach czy arcydzieło baroku – kościół św. Anny powstały latach 1689–1703.

Najstarszym zabytkiem architektury świeckiej, powstałym wraz z lokacją miasta, są Sukiennice – dom kupiecki stojący pośrodku Rynku Głównego – największego średniowiecznego rynku na Starym Kontynencie. Krakowskimi wizytówkami są też: Barbakan wraz z Bramą Floriańską oraz gotyckie Collegium Maius – serce Uniwersytetu Jagiellońskiego. I oczywiście Krakowski Kazimierz (dawniej samodzielne miasto, dzisiaj dzielnica Krakowa). Tylko tutaj można przystanąć na skrzyżowaniu ulic Meiselsa i Bożego Ciała oraz Berka Joselewicza i św. Sebastiana, wstąpić zarówno do kościoła katolickiego, jak i jednej z siedmiu synagog. Bo Krakowski Kazimierz to wspomnienie czasów, kiedy chrześcijanie i wyznawcy judaizmu byli sąsiadami. W jego niezwykłej scenerii Steven Spielberg kręcił „Listę Schindlera".

Na turystycznej mapie Polski Kraków bez wątpienia zajmuje pierwsze miejsce. Oprócz zabytków turystów wabi niezwykła atmosfera miasta. Przyjeżdżają, by wybrać się na spacer po Plantach, do Piwnicy pod Baranami czy na przejażdżkę dorożką po brukowanych ulicach Starego Miasta lub by wypić kawę na rynku bądź wstąpić do jednej z kultowych knajp.

KRAKÓW is exceptional in many different ways. It is a 'class zero' historical monument and the greatest tourist attraction in Poland. This is where the national treasures are kept, where the oldest Polish university can be found and the best preserved Jewish district in Europe can be visited. The city which is the artistic and social heart of Poland received the prestigious title of European Capital of Culture in 2000, so to meet the soul of Poland one has to visit Kraków.

The Old Town, with the Wawel and the Kazimierz district, found its place on the first UNESCO World Cultural and Natural Heritage List in 1978. The list protects more than 3 thousand historic buildings, of which the most important is St. Mary's Church, (well-known a bugle call played every hour from its tower and transmitted at noon by radio), with inside, the altar by Veit Stoss. This masterpiece of sculptural art is one of the greatest altars of Medieval Europe – the artist carved more than 200 figures in polychromed lime wood, some of them 2,7m high (Assumption of the Virgin).

A Romanesque church in the market Square was replaced by a Gothic hall in the 14th century. The construction of the present church was started around 1340 using the walls of the previous buildings and was finished by the mid 1500's. In 1962 the Church of the Assumption of the Virgin Mary was given the nominal title of a minor basilica.

Yet it is only one of many churches in Kraków. In fact there used to be so many here in the past that the city was called the 'Second Rome'. The most important ones are: St. Andrew's Church, the Augustinian Church with beautiful Gothic cloisters, the Jesuit church with the figures of the twelve apostles by Giovanni Trevano, the Camaldolese Church in Bielany and St. Anne's Church, the Baroque masterpiece which was built between 1689 and 1703.

The oldest secular architectural relic from the time of the incorporation is the Sukiennice, the Cloth Hall in the centre of the Main Market Square, the largest Medieval market square on the Old Continent. Other places of Kraków interest in are the Barbican with St. Florian's Gate, the Gothic-style Collegium Maius – the heart of Jagiellonian University, and, of course, Kazimierz – once a separate town, today a district of Kraków. Here you can stop at the crossing of Meisels's and Corpus Christi streets or Berek Joselewicz and St. Sebastian streets and enter a Catholic church as well as one of the seven synagogues. This is because Kazimierz is a reminder of days when Christians and Judaists were neighbours.

Without a doubt, Kraków is very popular of visitors to Poland. It is not only the history that draws these visitors but also the unique atmosphere of the city. People come here to walk through Planty Park, visit the Cellar Under the Rams, take a coach ride – or simply to have a coffee on the Market Square followed by dinner in one of many exceptional restaurants in the city.

- W wielu tradycyjnych, polskich restauracjach żurek podaje się w chlebie
- In many restaurants, according to tradition, żurek is served in bread

Kuchnia polska

Bigos i pierogi to potrawy najczęściej kojarzone z polską kuchnią.

TRUDNO W KILKU SŁOWACH OPISAĆ specyfikę polskiej kuchni. Zwłaszcza że jest bardzo zróżnicowana, nieco inna w każdym regionie. Od wieków mieszały się w niej tradycje wielkich kuchni europejskich, przybywające do nas wraz z monarchami czy chwilowymi modami, a także lokalne zwyczaje żywieniowe oparte na produktach sezonowych. Dzisiaj Polska kojarzy się na świecie z kilkoma potrawami, jak choćby bigos czy pierogi. Ale na nich nie kończy się nasz wkład w kulinarne dziedzictwo światowe.

Bigos powstaje w wyniku duszenia kiszonej kapusty z kiełbasą, wędzonym boczkiem, kawałkami wieprzowiny, grzybami, cebulą, suszonymi śliwkami, kminkiem, liściem laurowym, zielem angielskim, pieprzem, a czasem także pomidorami. Ta jednogarnkowa potrawa, bardzo sycąca i rozgrzewająca, dopiero po trzech dniach duszenia osiąga pełnię smaku.

Pierogi, porównywane do włoskich ravioli, rosyjskich pielmieni czy chińskich won ton, są przygotowywane z ciasta (wyrabianego z wody, mąki i soli), które trzeba cienko rozwałkować, a wykrojone z niego kółka wypełnić farszem, zlepić i ugotować. Nadzienie może być słone (duszone mięso, grzyby, kapusta) – pierogi okrasza się wówczas skwarkami, masłem lub smażoną cebulą; może też być słodkie (wszelkie owoce – niezrównane są pierogi z jagodami) – podaje się je wtedy ze słodką śmietaną.

Polską specjalnością są też zupy. Do najbardziej niezwykłych zalicza się barszcz czerwony, czyli wywar z buraków, nieodłączny składnik tradycyjnej polskiej wigilii. Polacy przygotowują także doskonałe żurki (zupy na zakwasie zbożowym, podawane z gotowanym jajem, skwarkami i kiełbasą, czasem z ziemniakami), kapuśniaki (na bazie kiszonej kapusty) albo flaki, czyli zupę z oczyszczonych żołądków wołowych lub cielęcych, w Warszawie podawaną z mięsnymi pulpetami i wódką. W polskim menu są też rosoły, zupy pomidorowe, szczawiowe, grzybowe, jarzynowe, ogórkowe, a także kremy oraz zupy owocowe i mleczne.

Nie sposób wyobrazić sobie polskiej kuchni bez grzybów (marynowanych, suszonych, duszonych), kiszonek (głównie kapusty białej i ogórków) czy dziczyzny. W sezonie na specjalne okazje serwuje się gulasze z dzika czy sarny, a także piecze dzikie ptactwo (bażanty, kuropatwy, przepiórki). Z mleka wytwarza się lokalne sery oraz – mało znane w świecie – maślanki i kefiry, a w domach przygotowuje się zsiadłe mleko, podawane najczęściej z młodymi ziemniakami i koperkiem. Wielkanocne, bożonarodzeniowe i karnawałowe stoły uginają się pod ciężarem mazurków, bab piaskowych, serników, szarlotek, makowców czy faworków.

Polska znana jest i ceniona również z wyrobów wędliniarskich. Szynki, kiełbasy, balerony, boczki czy polędwice, wędzone w tradycyjnych, opalanych drewnem wędzarniach (na zimno i gorąco) mają niepowtarzalny smak, kruchość i aromat.

Na koniec należy wspomnieć o rybach. Prawdę powiedziawszy, to śledź powinien być w godle naszego kraju, a nie orzeł. Polacy osiągnęli bowiem perfekcję w przygotowywaniu tej ryby: wędzeniu, smażeniu, marynowaniu, podawaniu na surowo, z licznymi dodatkami.

Polish cuisine

Bigos and pierogi are the dishes most often associated with Polish cuisine.

IT IS HARD TO DESCRIBE the specific character of Polish cuisine in a few words mainly because it is very diverse and a little different in every region. For centuries Polish cuisine was influenced by the great European cuisines that came to Poland with foreign monarchs or as passing trends. Local nutritional customs based on seasonal products also contributed to the development of Polish cuisine. Today Poland is associated with several dishes such as pierogi and bigos but these are not the only dishes the country can boast of.

Bigos is made when sauerkraut is simmered with smoked bacon, pieces of pork, mushrooms, onions, dried plums, caraway-seed, laurel leaf, allspice, pepper and sometimes with tomatoes. It is a very filling and warming one-pot meal which tastes best after three days of simmering.

Pierogi, often compared to Italian raviolis, Russian *pelmenis* and Chinese won tons, are made of dough (a mixture of water, salt and flour) which is rolled out evenly and cut into circles. These circles are then filled with stuffing and boiled. The filling can be salty (cooked meat, mushrooms, sauerkraut) – pierogi are then served with crackling, butter or fried onion, or sweet (all kinds of fruit – pierogi with berries, *jagody*, are unrivalled) – in this case pierogi can be served with sweet cream.

Soups are a Polish speciality. Among the tastiest is beetroot soup – the clear broth from beetroots which is also an indispensable part of Polish Christmas celebrations. Polish people make wonderful sour soup too (this is soup based on sourdough served with a hard-boiled egg, crackling and sausage, sometimes with potatoes). Other well-known soups are *kapuśniak* made from sauerkraut, and beef or calf tripe soup. Tripe soup is traditionally served in Warsaw with meatballs and vodka. The Polish soup menu contains broths, cream soups, soups made from tomatoes, cucumbers, sorrel, mushrooms, vegetables and fruit.

It is hard to imagine Polish cuisine without mushrooms (marinated, dried and simmered), pickles (mostly white cabbage and cucumbers) and game. During the season goulash from wild boar or roe deer and baked fowl (pheasants, partridge, quail) is served on special occasions. Local cheeses and rather unknown elsewhere in the world buttermilk and *kefir* are made from milk. Polish people often have sour milk with new potatoes and dill when eating at home. Tables during Easter, Christmas and Carnival are piled with cakes: mazurek, cheesecake, apple pies, poppyseed cake and sweet fritters.

Poland is also known for its cold meat products. Hams, sausages, bacons, 'daisy hams' and tenderloins smoked in traditional wooden smokehouses.

Last but not least: Fish. Polish people are real masters when it comes to herring preparation. Herring in Poland is smoked, fried, marinated, served pickled with pickled vegetables. Perhaps Poland's coat of arms should have a herring on it and not an eagle on its flag!

■ Ignacy Łukasiewicz, ojciec przemysłu naftowego, przy pracy
■ Ignacy Łukasiewicz, the father of the petroleum industry

Ignacy Łukasiewicz

Twórca lampy naftowej i założyciel pierwszej na świecie kopalni ropy.

CHEMIK, FARMACEUTA, twórca przemysłu naftowego i filantrop pochodzenia ormiańskiego, nazywany był „polskim Prometeuszem". Ignacy Łukasiewicz (1822–1882) z ropą naftową zetknął się przez przypadek. Po ukończeniu w Krakowie i Wiedniu studiów farmaceutycznych pracował jako asystent aptekarza we Lwowie. Podobno pewien karczmarz spod Borysławia przyniósł mu dwie butelki tzw. oleju skalnego samoistnie wypływającego ze skał na Podkarpaciu. Zastanawiał się, czy nie dałoby się wykorzystać tajemniczego płynu do... pędzenia samogonu.

Inna historia wspomina Piotra Mikolascha, właściciela apteki Pod Złotą Gwiazdą, w której pracował Łukasiewicz. Farmaceuta zainteresowany był ponoć wykorzystaniem ropy naftowej do produkcji leków. Pewne jest natomiast to, że w 1852 r. Łukasiewicz rozpoczął pracę naukową nad właściwościami oleju skalnego na zapleczu apteki Mikolascha. Ten ostatni jednak, nie widząc szybkich rezultatów, zniechęcił się i zrezygnował z finansowania badań. Zafascynowany śmierdzącą, oleistą cieczą Łukasiewicz (wraz z drugim asystentem z apteki) kontynuował więc badania na własną rękę i na przełomie lat 1852/53, dzięki tzw. destylacji frakcyjnej, otrzymał z gęstego oleju skalnego m.in. lekką i łatwopalną naftę.

Szukając praktycznego zastosowania nowego produktu, Łukasiewicz próbował użyć go w lampach oliwnych. Ale okazał się on zbyt palny i lampy wybuchały. Skupił się więc na projektowaniu nowego rodzaju oświetlenia. Pierwsza lampa naftowa, którą skonstruował, oświetliła witrynę jego macierzystej lwowskiej apteki. W 1853 r. lwowski szpital na Łyczakowie zwrócił się do niego z prośbą o udostępnienie lampy do oświetlenia nocą operacji chirurgicznej (dzięki niej uratowano życie pacjenta). Data tego pierwszego zastosowania w praktyce oświetlenia naftowego – 31 lipca 1853 r. – uznawana jest za oficjalną datę narodzin przemysłu naftowego. Rok później Łukasiewicz przeniósł się do apteki w Gorlicach. Tam zapalił pierwszą naftową latarnię uliczną – dzisiaj w tym miejscu (na skrzyżowaniu ulic Węgierskiej i Kościuszki) stoi pomnik. Wkrótce uruchomił pierwszą kopalnię ropy naftowej (w 1854 r. w Bóbrce) i jej rafinerię (w Klęczanach koło Nowego Sącza), a niedługo potem otworzył kolejne zakłady. Stawiający wtedy pierwsze kroki w biznesie naftowym w USA Rockefeller przysyłał do niego swoich pracowników na praktyki. Dorobiwszy się sporego majątku, Łukasiewicz zachęcał innych przedsiębiorców do inwestowania w podkarpacką ropę. Założył kasy zapomogowo-pożyczkowe, ubezpieczalnie społeczne i organizacje do walki z alkoholizmem. Wspierał finansowo powstanie styczniowe, a po jego klęsce pomagał uchodźcom. Za działalność charytatywną papież Pius IX odznaczył go Orderem św. Grzegorza.

W Bóbrce koło Krosna, na terenie czynnej kopalni, znajduje się Muzeum Przemysłu Naftowego i Gazownictwa im. Ignacego Łukasiewicza. W Gorlicach zaś, w Muzeum Regionalnym PTTK, istnieje dział poświęcony historii przemysłu naftowego, z kolekcją lamp naftowych z XIX w.

Ignacy Łukasiewicz

The creator of the kerosene lamp and the first oil well and refinery in the world.

CHEMIST, PHARMACIST, creator of the petroleum industry and philanthropist of Armenian origin, known as the 'Polish Prometheus'. Ignacy Łukasiewicz (1822–1882) first heard of petroleum by accident. After graduating from pharmaceutical studies in Krakow and Vienna, the young man worked as an apprentice in Lwow. An innkeeper from the suburbs of the town of Boryslav brought him two bottles of so-called rock oil flowing spontaneously from the rocks of the Carpathian region. He wondered whether the mysterious liquid could be used as... moonshine.

A different story mentions Piotr Mikolasch, the owner of the, 'Pod złotą gwiazdą' pharmacy where Łukasiewicz worked. He was interested in using petroleum to produce medicine. What is certain is that in 1852, Łukasiewicz began his scientific work on the properties of rock oil in the back of Mikolasch's pharmacy. However, not encountering any immediate success, the owner was discouraged and stopped financing the research. Fascinated with the stinky oil, Łukasiewicz (with the help of another apprentice) continued his research in 1852 and 1853 on his own, and carried out fractional distillation. From the thick rock oil he produced a light and combustible kerosene.

Seeking a practical use for his latest product, Łukasiewicz attempted to put it into oil lamps. However, it turned out too combustible and caused the lamps to explode. He then focused on designing a new kind of lightning and the first kerosene lamp he constructed illuminated the display of the Lwow pharmacy he worked in. In 1853, the Lwow hospital at Łyczaków asked him to provide a lamp for lightning night surgery (a patient's life was saved thanks to this). The day, July 31, 1853, is considered the official date of the birth of kerosene lighting. A year later, Łukasiewicz moved to a pharmacy in Gorlice. There, he lit the first kerosene street lamp, where today a monument at the crossing of Węgierska and Kościuszki streets stands. Shortly after, he launched the first oil mine (1854 in Bóbrka) and its refinery (in Klęczany, near Nowy Sącz), followed by more factories. Rockefeller, who was taking his first steps in the kerosene business in the US, sent him his workers for apprenticeships. With his now growing fortune, Łukasiewicz encouraged other entrepreneurs to invest in the Carpathian oil. He founded credit funds, social insurance programs and anti-alcoholism organizations. He financially supported the unsuccessful Polish January Uprising and the refugees leaving the country. For his charitable activity Pope Pius 9th bestowed on Łukasiewicz the Order of St. Gregory.

In Bóbrka, near Krosno, the still functioning mine has an Ignacy Łukasiewicz Petroleum and Gas Industry Museum, and in Gorlice, the Regional PTTK Museum features a part of its premises devoted to the history of the petroleum industry with a collection of kerosene lamps from the 19th century.

M Arcydzieła światowego **malarstwa**

W polskich kolekcjach znajdują się dzieła największych mistrzów.

■ Galeria Lanckorońskich z obrazami Rembrandta na Zamku Królewskim w Warszawie
■ The Lanckoroński Gallery in the Royal Castle in Warsaw exhibits paintings by Rembrandt

SĄ WŚRÓD NICH OBRAZY LEONARDA DA VINCI, Rembrandta, El Greca, Memlinga czy Moneta. Największy jest tryptyk Hansa Memlinga „Sąd Ostateczny" z Muzeum Narodowego w Gdańsku, najliczniej reprezentowany jest Rembrandt (dwa dzieła w Warszawie i jedno w Krakowie), ale najcenniejszy i najbardziej znany w polskich zbiorach jest obraz „Dama z gronostajem" z prywatnej kolekcji Muzeum Czartoryskich w Krakowie.

Wizerunek tej tajemniczej damy od dawna budził zainteresowanie. Patrzy z obrazu Leonarda da Vinci, trzymając na rękach zwierzątko o jasnym futerku: łasiczkę, gronostaja lub odmianę fretki. Obecnie badacze są zgodni, że owa piękna kobieta to Cecylia Gallerani (*gale* to po grecku gronostaj). Żyła na przełomie XV i XVI w., była kochanką mediolańskiego księcia Lodovica Sforzy, kawalera Orderu Gronostaja.

„Dama z gronostajem" została namalowana około 1485 r. W 1800 r. obraz kupił we Włoszech książę Adam Jerzy Czartoryski i podarował matce, księżnej Izabeli. Prawie 80 lat później trafił on do Muzeum Czartoryskich. W czasie II wojny światowej zrabował ją hitlerowski gubernator ziem polskich, ale w 1946 r. został odzyskany i powrócił do krakowskiego muzeum.

Dwa dzieła Rembrandta – „Dziewczyna w ramie obrazu" i „Uczony przy pulpicie"– nabył w 1777 r. król Stanisław August Poniatowski do Galerii Królewskiej w pałacu w Łazienkach. Obrazy kilkakrotnie zmieniały właściciela, ale ostatnim była rodzina Lanckorońskich. W 1994 r. ostatnia przedstawicielka rodu, prof. Karolina Lanckorońska, przekazała kolekcję narodowi polskiemu. Obrazy Rembrandta znalazły się na Zamku Królewskim w Warszawie, a ponieważ po II wojnie światowej część badaczy zaczęła wątpić w autorstwo dzieł znanych wyłącznie z fotografii, poproszono o ekspertyzę specjalistów z Rembrandt Research Project. Kierujący pracami prof. Ernst van de Wetering ostatecznie potwierdził w 2006 r., że obrazy wyszły spod ręki Rembrandta.

Owiane tajemnicą są losy dzieła El Greca „Ekstaza św. Franciszka". Mocno zniszczony obraz znaleziono w 1964 r. na plebanii przy kościele w Kosowie Lackim na Mazowszu. Po wstępnej ekspertyzie przypisano go szkole El Greca, jednak podczas prac konserwatorskich odkryto oryginalną sygna-

Masterpieces of World Art

■ „Dama z gronostajem" pędzla Leonarda da Vinci z prywatnej kolekcji Muzeum Czartoryskich w Krakowie
■ Lady with an Ermine by Leonardo da Vinci from the private collection of the Czartoryski Museum in Kraków

Polish collections contain the works of masters.

turę mistrza. El Greco namalował obraz w latach 1575–1580, a od 2004 r. znajduje się on w zbiorach Muzeum Diecezjalnego w Siedlcach.

Nie ma natomiast wątpliwości, że monumentalny tryptyk „Sąd Ostateczny" Hansa Memlinga, który powstał między 1467 a 1471 r., podarowali gdańskiemu kościołowi Wniebowzięcia NMP miejscowi kaprzy. Za czasów Napoleona obraz trafił do Paryża, a podczas II wojny światowej stał się łupem Armii Czerwonej. W 1956 r. powrócił do Gdańska, ale tym razem do Muzeum Narodowego.

Dramatyczne dzieje „Plaży w Pourville" Claude'a Moneta znalazły niedawno szczęśliwy finał. Obraz był ozdobą kolekcji Muzeum Narodowego w Poznaniu. W 2000 r. złodziej wyciął płótno z ram, w puste miejsce wstawiając kopię. Śledztwo trwało dziewięć lat, ale zakończyło się sukcesem. W październiku 2010 r. „Plaża w Pourville" wróciła do muzeum.

POLISH COLLECTIONS CONTAIN PAINTINGS by Leonardo da Vinci, Rembrandt, El Greco, Memling and Monet. The largest is the Hans Memling triptych 'Last Judgment' in the National Museum in Gdańsk. The works of Rembrandt are the most numerous (two in Warsaw, one in Kraków), but the most valuable and most famous painting in the Polish collection is the 'Lady with an Ermine' from the private collection in the Czartoryski Museum in Kraków. The image of this mysterious lady has stirred interest for a long time. She glances from the painting by Leonardo da Vinci, holding a small animal with light fur: a weasel, ermine or a kind of ferret. Nowadays, researchers agree that this beautiful woman is Cecylia Gallerani (*gale* means ermine in Greek). She lived at the turn of 15th and 16th century and she was the mistress of the Milan Duke, Lodovico Sforza, Chevalier of the Ermine Order.

The 'Lady with an Ermine' was painted in 1485. In 1800 the painting was purchased in Italy by Duke Adam Jerzy Czartoryski who gave it to his mother, Duchess Izabela. Almost 80 years later, it was to be found in the Czartoryski Museum. During World War II it was stolen by the Nazi governor of Poland but was returned to the Kraków Museum in 1946.

Two pieces by Rembrandt – 'The Girl in a Picture Frame' and 'Scholar Seated at a Desk' – were purchased in 1777 by Stanisław August Poniatowski for the Royal Gallery in the palace in the Royal Baths Park. The paintings changed hands numerous times and their final owner was the Lanckoroński family. In 1994, the last living member of the family, Prof. Karolina Lanckorońska donated the collection to the Polish nation. Two Rembrandts were placed in the Royal Castle in Warsaw. After WWII, some researchers began doubting the authenticity of paintings known only from a photograph and experts from the Rembrandt Research Project were asked to certify their originality. In 2006, the head of the team of researchers, Prof. Ernst van de Wetering confirmed that the paintings had been done by Rembrandt.

The history of El Greco's 'Ecstasy of St Francis' is wrapped in mystery. A badly damaged painting was found in 1946 in the church presbytery in Kosowo Lackie in Mazovia. After an initial expertise, it was attributed to the El Greco School, however, during conservation work, the original signature of the master was found. El Greco had painted it in the years 1575–1580. From 2004 the painting has been in the collection of the Diocese Museum in Siedlce. There is no doubt that the monumental triptych 'Last Judgement' by Hans Memling, painted between 1467 and 1471 was donated to the Ascension of the Virgin Mary Church in Gdańsk by the Capuchin Order. In Napoleonic times, the painting was taken to Paris and during WWII it was stolen by the Red Army. In 1956 it returned to Gdańsk, but this time – to the National Museum.

The dramatic history of the 'Beach in Pourville' by Claude Monet had its happy ending recently. The painting was part of the collection of the National Museum in Poznań. In 2000, it was cut out from its frame and a copy placed in the frame. The search for the painting took nine years and ended with success. In October 2010, 'Beach in Pourville' was returned to the Museum.

M

Malbork

Zamek krzyżacki w Malborku to największa ceglana forteca Europy.

GÓRUJĄCA NAD NOGATEM twierdza rycerzy Zakonu Szpitala Najświętszej Marii Panny Domu Niemieckiego w Jerozolimie jest zarówno najpotężniejszym gotyckim klasztorem, jak i jedną z najwspanialszych zachowanych do dziś średniowiecznych budowli obronnych w Europie. „To największa sterta cegieł na północ od Alp" – żartują przewodnicy oprowadzający po malborskim zamku krzyżackim. Warownię wzniesiono z 16 mln wielkich gotyckich cegieł (każda ważyła 10 kg) i 2 mln dachówek.

Pierwszą ceglaną konstrukcję zbudowano w ciągu zaledwie trzech lat – w 1281 r. pełniła już funkcję siedziby konwentu. 14 września 1309 r. wielki mistrz Siegfried von Feuchtwangen przeniósł siedzibę zakonu krzyżackiego ze słonecznej Wenecji na mokradła Pomezanii. Na tronie Marienburga (jak nazywano wówczas zamek) zasiadł wielki komtur. Przez prawie dwa stulecia twierdza była rozbudowywana i umacniana. Wzniesiono części zwane dziś Zamkiem Wysokim, Średnim i Niskim, kaplicę, kapitularz, pomieszczenia dla braci zakonnych i refektarz, a także spichlerze, warsztaty oraz zbrojownie. Wysokie, zimne, gotyckie pomieszczenia wyposażono w podpatrzony w rzymskich łaźniach system centralnego ogrzewania podłogowego, dlatego zimą we wnętrzach temperatura wynosiła 20 st. C. Powstał też gotycki Pałac Wielkich Mistrzów – siedziba godna władców potężnego państwa zakonnego. Całość otaczały cztery pierścienie murów z wieżami obronnymi, basztami, strzelnicami i mostami zwodzonymi. By dotrzeć do Zamku Wysokiego, trzeba było pokonać 14 bram, cztery mosty zwodzone i trzy kratownice. Nic dziwnego, że w regularnym oblężeniu zamek nigdy nie został zdobyty.

Ogrom tego przedsięwzięcia budowlanego dowodził wielkich sukcesów, jakie Krzyżacy odnosili w podboju Prus i przymusowej chrystianizacji mieszkańców, odkąd na północne rubieże Mazowsza do walki z poganami sprowadził ich książę mazowiecki Konrad. Co ciekawe, rycerze wywodzący się ze szlacheckich rodów niemieckich, którzy stanowili trzon zakonu, wstępując w jego szeregi, byli automatycznie obejmowani amnestią. Pod białymi płaszczami z charakterystycznym czarnym krzyżem znalazło więc schronienie wielu dobrze urodzonych bandytów.

Malbork

The Teutonic Knights Castle in Malbork is the largest brick built fortress in Europe.

THE FORTRESS OF THE ORDER OF BROTHERS of the German House of Saint Mary in Jerusalem towering over the Nogat River is both the largest Gothic monastery and one of the best maintained medieval defensive buildings in Europe. 'This is the largest pile of bricks north of the Alps' – joke the guides when showing groups around Malbork castle. The stronghold was built using 16 million large Gothic bricks (each weighing 10 kg) and 2 million roof tiles.

The first brick building was constructed in only three years and by 1281 it was already the seat of the convent. On 14 September 1309, the Great Master Siegfried von Feuchtwangen moved the headquarters of the Teutonic Order from sunny Venice to wet Pomerania. The Great Komtur took over the Marienburg throne (as the Castle was then called) and the fortress was developed, enlarged and fortified over almost two centuries. The parts of the building nowadays called the High, Medium and Low Castle were erected along with the chapel, chapter-house, cells for the monks, granaries, workshops and armoury. The high, Gothic rooms were equipped with a system of under floor central heating first seen in Roman baths, so during the winters the temperature inside was 20 C. The Gothic Great Masters Palace – an edifice worthy of the ruler of a major monastic state – was also built. The site was surrounded by four rings of walls with defensive towers, bastions, a shooting-range and drawbridges. In order to reach the High Castle, one had to penetrate 14 gates, cross four bridges and three trusses. It is no wonder the castle was never conquered by a regular siege. The scale of the construction was proof of the success of the Teutonic Knights. They had been brought to the northern borders of Mazovia by the Mazovian duke Konrad to fight the pagans and they conquered Prussia and forced the Christianization of its inhabitants. What is interesting is the fact that the knights, originating from German gentry, who formed the core of the Order, were granted amnesty as soon as they entered the Order. Many well-born bandits found refuge under the white cloaks with their characteristic black crosses of the Order.

The twilight of the fortress began at the battle of Grunwald in 1410 with the defeat of the Teutonic Knights. The Order soon fell into grave financial difficulties – and stopped paying their mercenary soldiers. The castle was taken over as payment for debts by the Czechs from whom it was bought in 1457 by Kazimierz Jagiellończyk. He paid the equivalent of 665 kg of gold and from that time the Teutonic fortress became one more seat of Polish kings.

The Malbork fortress was destroyed at the end of WWII – the High and Middle Castle, the main tower and church was shelled by the Soviet Army. After the war the site was reconstructed and put on the UNESCO list of national heritage in 1997. For 50 years now, it has housed the Castle Museum with a collection of over 40,000 items including a unique collection of amber artefacts, ancient weapons and arms and a rich numismatist display.

Zmierzch warowni zapoczątkowała przegrana przez Krzyżaków w 1410 r. bitwa pod Grunwaldem. Wkrótce zakon popadł w tarapaty finansowe – przestał płacić swoim wojskom najemnym. Zamek przejęli za długi Czesi, od których w 1457 r. wykupił go Kazimierz Jagiellończyk. Zapłacił równowartość 665 kg złota i od tej pory dawna krzyżacka twierdza stała się jedną z rezydencji królów Polski.

Malborska warownia została zniszczona pod koniec II wojny światowej – w czasie radzieckiej ofensywy ucierpiały Zamek Wysoki i Średni, wieża główna i kościół. W odbudowanym obiekcie, w 1997 r. wpisanym na Listę Światowego Dziedzictwa UNESCO, od 50 lat mieści się Muzeum Zamkowe z kolekcją liczącą ponad 40 tys. muzealiów, m.in.: unikatowy zbiór artystycznych wyrobów z bursztynu, dawną broń i uzbrojenie oraz bogatą kolekcję numizmatów.

■ Najpotężniejsza krzyżacka twierdza przegląda się w wodach królowej polskich rzek, a dokładnie – w Nogacie, jednym z ramion Wisły, którym uchodzi ona do Bałtyku
■ The large fortified Teutonic stronghold reflected in the waters of the Nogat River – one of the branches of the Vistula River flowing towards the Baltic Sea

M

■ Autoportret Jana Matejki (1892) ze zbiorów Muzeum Narodowego w Warszawie
■ Jan Matejko. Self-portrait (1892) from the collection of the National Museum in Warsaw

Jan Matejko

Najwybitniejszy reprezentant historyzmu w malarstwie polskim.

TWÓRCA NARODOWEJ SZKOŁY malarstwa historycznego. Z jego obrazów i rysunków wiele pokoleń uczyło się historii. „Poczet królów i książąt polskich" utrwalił w powszechnej świadomości wizerunki władców – od Mieszka I po ostatniego Stanisława Augusta Poniatowskiego. Monumentalną „Bitwę pod Grunwaldem" (426 x 987 cm) Polacy przywołują zawsze, ilekroć wspominają to wydarzenie. Dzieła Matejki służyły „ku pokrzepieniu serc" Polaków w zniewolonej ojczyźnie.

Wprawdzie był kronikarzem i piewcą ojczystej historii, ale cieszył się międzynarodową sławą. Prezentował obrazy w Paryżu, Wiedniu, Berlinie, Pradze czy Budapeszcie, otrzymał wiele dowodów uznania dla swego talentu: złoty medal na dorocznym Salonie Paryskim (1865) i taki sam na Wystawie Powszechnej (1867), a w 1878 r. – Wielki Medal Honorowy. W 1870 został odznaczony Krzyżem Kawalerskim Legii Honorowej; przyznano mu też członkostwo Akademii Sztuki w Berlinie i Wiener Kunstlergenossenschaft.

Jan Matejko (1838–1893) urodził się w Krakowie. W jego domu panowała patriotyczna atmosfera. Dwaj bracia brali udział w zrywach niepodległościowych, on zaś służył ojczyźnie swoją twórczością. Podejmując w 1852 r. naukę w krakowskiej Szkole Sztuk Pięknych, miał już sprecyzowane zainteresowania historyczne. Studia dały mu solidne podstawy rysunku, ale i przekonanie, że sztuka jest rodzajem misji narodowej. Wiedzę z zakresu malarstwa historycznego doskonalił zaś w Akademii Sztuk Pięknych w Monachium.

Jeszcze przed ukończeniem trzydziestego roku życia zyskał międzynarodowe uznanie dzięki prezentowanym w Paryżu obrazom: „Kazanie Skargi" (1865) i „Reytan na sejmie warszawskim 1773 roku" (1867). Wraz z nieco wcześniejszym portretem królewskiego błazna Stańczyka (1862) dzieła te określają podejście Jana Matejki do historii. Swoją twórczością zmuszał rodaków do refleksji nad przyczynami upadku Rzeczypospolitej, wskazywał błędy i niewykorzystane szanse w dziejach narodu.

Po upadku powstania styczniowego stworzył serię malarskich wizji dawnej świetności Polski, jej politycznych i militarnych sukcesów: „Unia Lubelska" (1869), „Batory pod Pskowem" (1872), „Bitwa pod Grunwaldem" (1878), „Hołd pruski" (1882), „Sobieski pod Wiedniem" (1883). Na tle ówczesnego europejskiego malarstwa historycznego twórczość Jana Matejki wyróżnia się umiejętnością symbolicznego i syntetycznego ukazywania wydarzeń. Potrafił indywidualizować postaci, oddawać bogactwo ich psychicznych reakcji, póz oraz gestów. Jego zbiorowe sceny mają niemal filmowy charakter.

Jan Matejko pozostawił ponad trzysta dzieł olejnych oraz kilkaset rysunków i szkiców. Był człowiekiem ogromnie zasłużonym dla Krakowa i jego zabytków. Władze miasta wykupiły jego dom rodzinny przy ulicy Floriańskiej 41 i urządziły w nim muzeum biograficzne, od 1898 r. prezentowane publiczności. W 2009 r. zakończono gruntowną renowację i modernizację Domu Jana Matejki, w którym można podziwiać m.in. prace malarza. Kolekcje z dziełami artysty znajdują się też w warszawskim oddziale Muzeum Narodowego i na Zamku Królewskim w Warszawie.

Jan Matejko

The leading representative of Polish historical painting.

THE PAINTINGS AND DRAWINGS by the leading representative of the historical painting movement in Poland have been a source of knowledge for generations of students of history. The *Gallery of Polish Kings* has saved the images of Polish rulers, from Mieszko I to the last king, Stanisław August Poniatowski, from total loss. Poles tend to mention the epic painting, *Battle of Grunwald* (4m26 x 9m87) whenever they talk of this historical event and the paintings of Jan Matejko have served to strengthen the hearts of this at times enslaved nation.

Matejko was a chronicler and eulogist of Polish history and enjoyed international fame. Presenting paintings in Paris, Vienna, Berlin, Prague and Budapest, his talent received much recognition. He won gold medals at the annual Paris Salon (1865) and the Universal Exposition (1867) and in 1878 the Grand Honorary Gold Medal. In 1870, he was awarded the Legion of Honour and was invited to study at the Academy of Arts in Berlin and the Wiener Kunstlergenossenschaft.

Jan Matejko (1838–1893) was born to a patriotic Krakow family. Two of his brothers participated in independence uprisings and he himself contributed to the benefit of his homeland as an artist. His historical interest was already in evidence when he started his studies at the Krakow Academy of Fine Arts. Here he was given a solid didactic background in the development of his drawing skills and it was during this period that he became convinced that art could be a national mission. His education in the history of painting was continued at the Academy of Fine Arts in Munich.

He was not yet in his thirties when he gained international fame during the Paris exhibitions of *Skarga's Sermon* (1865) and *Rejtan – the Fall of Poland 1773* (1867). Those paintings, along with an older portrait of the court jester *Stańczyk* (1862), illustrate Matejko's approach towards history. In his work he encouraged his fellow countrymen to analyze the reasons why Poland had fallen into decline and pointed at the faults and missed opportunities of the Polish nation.

After the collapse of the January Uprising, he created a series of paintings depicting Poland's former glory (1869 *The Union of Lublin*, 1872 *Batory at Pskov*, 1878 *The Battle of Grunwald*, 1882 *The Prussian Homage*, 1883 *Sobieski at Vienna*). Matejko's paintings stand out with their symbolical and synthesizing presentation of events. Matejko individualized his personage and extracted the richness of their emotions, posture and gestures. His images of crowded gatherings are suggestive of scenes from future motion pictures.

Jan Matejko created over 300 paintings and several hundred drafts and drawings. He was a person of great merit for the city of Krakow. The local authorities purchased his family house at Floriańska Street and rearranged it into a biographical museum opened in 1898. In 2009, extensive renovation of the House of Jan Matejko came to an end, allowing visitors to admire the painter's work. His paintings are also a part of the collections of the National Museum and the Royal Castle in Warsaw.

M

Mazowsze i Śląsk

Zespoły folklorystyczne – ambasadorowie polskiej kultury.

POLSKA TO KRAJ KOLOROWY, roztańczony i rozśpiewany. Każdy region zachował swoje obyczaje, stroje, muzykę, tańce i przyśpiewki. Ale gdyby nie ciężka praca garstki zapaleńców, wiele z tych ludowych tradycji zginęłoby bezpowrotnie. Na szczęście przetrwały i w artystycznej oprawie prezentowane są na całym świecie przez zespoły ludowe – Mazowsze i Śląsk. Dla milionów widzów ich koncerty są pierwszym kontaktem z polską kulturą, zaś dla rozsianej po świecie Polonii – łącznikiem z ojczyzną.

Wszystko zaczęło się od kompozytora Tadeusza Sygietyńskiego i jego żony Miry Zimińskiej-Sygietyńskiej, którzy po II wojnie światowej wyruszyli na wędrówkę po polskich wsiach. Ona szukała starych strojów, on – utalentowanej młodzieży. Państwowy Zespół Ludowy Pieśni i Tańca „Mazowsze" został powołany dekretem Ministerstwa Kultury i Sztuki w 1948 r., z siedzibą w podwarszawskim Karolinie. Tak naprawdę stworzyli go jednak małżonkowie Sygietyńscy. Po raz pierwszy Mazowsze zaśpiewało i zatańczyło na koncercie w Warszawie w 1950 r., a już kilka miesięcy później wyruszyło w pierwszą podróż zagraniczną do Związku Radzieckiego. W 1954 r. zezwolono na wyjazd na Zachód i Mazowsze od razu podbiło Paryż.

Dla komunistycznych władz zespół folklorystyczny stał się idealnym ambasadorem ludowego państwa. Widzowie w Europie czy Ameryce szybko ulegali urokowi koncertów. „Jeśli takie jest oblicze Polski, to niech żyje Polska!" – napisał recenzent „Gazette de Lausanne", ale słowa te powtarzano pod każdą szerokością geograficzną. Po śmierci Tadeusza Sygietyńskiego w 1955 r. wszystkie obowiązki przejęła Mira Zimińska-Sygietyńska, nieustannie rozszerzając repertuar zespołu, który początkowo prezentował pieśni i tańce z centralnej Polski, a następnie aż z 40 regionów etnograficznych.

W 1953 r. Stanisław Hadyna powołał Zespół Pieśni i Tańca „Śląsk" z siedzibą w Koszęcinie. Zakochany w śląskim folklorze kompozytor, muzykolog i dyrygent oddał swoje serce wychowankom, z którymi stworzył „Słoneczną Republikę", jak mawiał o zespole.

Mazovia and Silesia

Folk groups – ambassadors of Polish culture.

POLAND IS A COLOURFUL COUNTRY, a place where the people are fond of dancing and singing. Each region has maintained its own customs, costumes, music, dances and songs. But if it was not for the enthusiasm and hard work of a handful of people, many of the folk traditions would have been lost forever. Fortunately, they have survived and are being presented around the globe in an artistic form by folk groups 'Mazovia' and 'Silesia'. For millions of spectators the concerts are their first contact with Polish culture and for Polish emigrants scattered around the world, they are a link with their homeland.

Everything started with the composer Tadeusz Sygietyński and his wife Mira Zimińska-Sygietyńska, who after World War II set out on a trip through Polish villages. She was looking for old costumes, he was looking for talented young people.

The State Folk Dance and Song Group 'Mazovia' with its headquarters in Karolin near Warsaw was established by decree from the Ministry of Culture and Arts in 1948. In reality however, it was really created by the Segietyńscy marriage. Mazovia sang and danced for the first time in Warsaw in 1950 and several months later the group took off for their first foreign tour – to the Soviet Union. In 1954 the group obtained permission to go abroad, and conquered Paris.

For the communist rulers of Poland, a folk group was the ideal ambassador of a people's socialist state. Spectators in Europe and America quickly fell under the charm of the concerts. 'If this is the face of Poland, long live Poland' a reviewer wrote in the 'Gazette de Lausanne', and these words were repeated in every latitude of the globe. After the death of Tadeusz Sygietyński in 1955, all the responsibilities of the dance group were taken over by Mira Zimińska-Sygietyńska, who continuously expanded the repertoire of the group which had initially performed dances and songs from central Poland to as many as 40 ethnographic regions of Poland.

In 1953 Stanisław Hadyna established the Dance and Song Group 'Silesia' with its headquarters in Koszęcin. The composer, musicologist and conductor enamoured of Silesian folklore gave his heart to his students with whom he created the 'Sunny Republic' as he called his group.

Both groups continue to this day and have welcomed many generations of young dancers. The constantly expanded repertoire includes patriotic and religious songs; the groups carry out educational projects and, of course, still travel around the world. Mazovia is 60 years old today and 'Silesia' has so far given concerts in 44 countries on 5 continents, with over 7,000 performances for over 25 million spectators.

Polish folklore is forever young. This can be seen in the careers of young folk groups, such as the 'Kapela ze Wsi Warszawa' founded in 1997. It has been conquering Western Europe for 10 years and in 2004 it won the prestigious award from BBC Radio 3 – the Award for World Music in the 'Newcomer' category. Times are changing however, and the group increasingly performs on foreign stages under the name The Warsaw Village Band.

Oba zespoły istnieją do dnia dzisiejszego. Przewinęło się przez nie kilka pokoleń młodych tancerzy. Stale rozszerzany jest repertuar, także o pieśni patriotyczne i religijne; prowadzą projekty edukacyjne i, oczywiście, nadal podróżują po świecie. Mazowsze ma już ponad 60 lat. Śląsk do dnia dzisiejszego koncertował w 44 krajach na pięciu kontynentach, dał przeszło 7 tys. przedstawień dla ponad 25 mln widzów.

Folklor polski jest nieustannie modny. Dowodem na to są kariery młodych folkowych grup, jak powstała w 1997 r. Kapela ze Wsi Warszawa, która od 10 lat podbija Europę Zachodnią, a w 2004 r. zdobyła prestiżową nagrodę Radia BBC 3 – Awards for World Music w kategorii „Newcomer". Czasy jednak się zmieniają i na zagranicznych estradach zespół coraz częściej występuje jako Warsaw Village Band.

■ Państwowy Zespół Ludowy Pieśni i Tańca „Mazowsze" im. Tadeusza Sygietyńskiego
■ State Folk Group of Song and Dance 'Mazowsze'. Founded by Tadeusz Sygietyński

M

Mazury

Kraina Tysiąca Jezior.

WIELKIE JEZIORA MAZURSKIE znalazły się w gronie 28 finalistów ogólnoświatowego plebiscytu na siedem nowych cudów natury, zorganizowanego przez szwajcarską fundację New7Wonders. Do chwili wydania książki konkurs nie został wprawdzie rozstrzygnięty (ogłoszenie wyników nastąpi w 2011 r.), ale Mazury przez długie miesiące utrzymywały się na wysokiej, drugiej pozycji w kategorii krajobrazów i form polodowcowych.

Jezior w Europie nie brakuje. Unikalność Krainy Wielkich Jezior Mazurskich wynika z faktu, że jest ona obficie obdarzona zarówno skarbami natury, jak i kultury, a do tego zagospodarowana turystycznie. Każdemu, kto tutaj przyjedzie, Mazury zapadają w pamięci w odmienny sposób. Jedni wspominają srebrzyste tafle jezior, inni trzepoczące na wietrze białe żagle. Wędkarze czują w ręku podniecające drganie wędki, grzybiarze – ciężar koszy pełnych leśnych płodów. Wędrowcy zachowują w pamięci widok zielonych wzgórz, kajakarze – nurty rzek wijących się pośród puszczańskich ostępów.

Są tacy, którzy zachwycają się widokiem kolonii kormoranów, czarnych bocianów czy białych łabędzi. W innych podziw budzą kwitnące łąki,

Masuria

■ Jezioro Kirsajty, jeden z setek akwenów w Krainie Wielkich Jezior Mazurskich
■ The Kirsajty Lake is one many in the Land of a Thousand Lakes

przepastne bory czy niedostępne bagna i trzęsawiska. Wszyscy poddają się urokowi ceglanych wież kościołów, czerwonych murów zamków krzyżackich, dźwięków szant rozchodzących się po jeziorach czy zacisznych leśniczówek, jak najsłynniejsza – Pranie nad Jeziorem Nidzkim, a rozsławiona przez poetę Konstantego Ildefonsa Gałczyńskiego. Nic dziwnego, że każdego lata tłumy turystów i wczasowiczów zmierzają na północ Polski, zaludniając każdy skrawek ziemi i wody.

Pojezierze Mazurskie zwane Krainą Tysiąca Jezior tak naprawdę liczy ich blisko trzy tysiące. Są wśród nich: największe – Śniardwy (113,8 km²) nazywane „mazurskim morzem", najgłębsze – Hańcza – 108,5 m (średnia głębokość 38,7 m, również największa w Polsce) i najdłuższe – Jeziorak (27,45 km). Narie uchodzi za jezioro z najbardziej urozmaiconą linią brzegową – jej długość wynosi 53 km, przy powierzchni zaledwie 12,6 km². Nie można też zapomnieć o niewielkich „oczkach" wodnych, tak ściśle otulonych lasami i zaroślami, że trudno do nich dotrzeć. Jeziora te na kształt sznura korali układają się w szlak wodny. Połączone kanałami, rzekami i przesmykami, dzięki którym można żeglować nawet dwa tygodnie, ani razu nie kotwicząc w tej samej toni.

Pionierem żeglowania po mazurskich wodach był mistrz krzyżacki Winrich von Kniprode, który w 1379 r. przepłynął drewnianą łodzią z północy na południe regionu. Miejscami łódź trzeba było transportować pomiędzy jeziorami, dlatego komtur wpadł na pomysł połączenia akwenów kanałami. Nigdy go nie zrealizował, ale jego wizjonerski plan urzeczywistnił się ponad 470 lat później. W II połowie XIX w. szlakiem Wielkich Jezior Mazurskich regularnie kursowały statki białej floty. Dziś pływają nim tysiące żaglówek, jachtów i kajaków. Szlak żeglowny ma 126 km długości, a z bocznymi odgałęzieniami prawie 200.

Mazurskie krajobrazy chronione są na różne sposoby. W samym sercu pojezierza znajduje się Mazurski Park Krajobrazowy, wiele obszarów objętych jest programem Natura 2000, jest też ponad sto rezerwatów (wśród nich jezioro Łuknajno – rezerwat biosfery UNESCO) i tysiące pomników przyrody.

The Land of a Thousand Lakes.

THE GREAT MASURIAN LAKES were among the 28 finalists in the worldwide competition for 7 new natural wonders which was organized by the Swiss foundation 'New7Wonders'. The winners of the competition had not been decided before this book was published (the results will be announced sometime in 2011), but Masuria held a high position for many months in the category: landscapes and ice moraines.

We know that there are many lakes in Europe. However, the uniqueness of the Land of a Thousand Lakes comes from the richness of its natural and cultural treasures, and it is an area which welcomes visitors. Everyone coming here takes back their own memories of Masuria. Some recollect the silvery expanses of the lakes; others recall the flutter of white sails in the wind. Fishermen feel the exciting trembling of their fishing rod in their hands; mushroom pickers grasp heavy baskets full of mushrooms. The explorer remembers the spectacle of distant, green hills and canoeists recall rivers meandering through silent backwoods.

Some cannot believe their eyes at the sight of a cormorant colony, or wading black storks and majestic white swans. Others appreciate meadows blossoming under the sun, and nearby, those impenetrable coniferous forests, inaccessible swamps and sleepy hollows. Everybody is charmed by brick built church towers, the red walls of the Teutonic Order castles and the shanties 'floating' over the lakes. There are quiet forest lodges, the Laundry - the best known situated by Nidzkie Lake, made famous by poet Konstanty Ildefons Galczynski. So it's not surprising that every summer many tourists and vacationers head north to a part of Poland where every strip of land, and water, seems busy with people.

There are about three thousand lakes in the Masurian Lake District. Here you will find the largest lake in Poland - Sniardwy, 'the Masurian sea' (113,8 km²) – the deepest – Hańcza – 108,5 m (average depth – 38,7 m, the deepest in Poland) and the longest – Jeziorak – 27,45 km. Lake Narie has the most varied shoreline – 53 km long, with a surface area a mere 12,6 km². Don't forget those smaller backwaters, hard to reach because they lie deep in the forests protected by the undergrowth. These smaller 'lakes' create streams, similar to a coral necklace and they are linked by channels, rivers and straits in such a way that you could sail for two weeks without anchoring in the same spot twice.

The pioneer of crossing the Masurian lakes by boat was the Grand Master of the Teutonic Knights, Winrich von Kniprode, who in 1379 travelled the region from north to south in a wooden boat. Sometimes the boat had to be transported between the lakes and this inspired the Grand Master to build channels to link the lakes. He never did it himself but his visionary plan was fulfilled over 470 years later. By the second half of the 19th century the White Fleet ships were regularly plying the Great Masurian Lakes watercourse. Today thousands of sailboats, yachts and canoes pass along this waterway-which is 126 km long (almost 200 km with its side branches).

The Masurian landscape is protected in many ways and one of them is The Masurian Landscape Park and areas under its program, Nature 2000, which are in the heart of the Lake District. There are also more than one hundred nature reserves to visit (among them, the UNESCO biosphere reserve – Lake Lukajno) and thousands of natural monuments to marvel at in this exceptionally wonderful part of Poland.

M Międzyrzecki Rejon Umocniony

Bezcenny zabytek sztuki fortyfikacyjnej XX wieku jest też największą w Europie Środkowej zimową kolonią nietoperzy.

„**WSCHODNIA LINIA MAGINOTA**" – jak mówiono o Międzyrzeckim Rejonie Umocnionym (MRU) – miała obronić Berlin przed ewentualnym atakiem Polaków. Na 100-kilometrowym odcinku od Skwierzyny, przez okolice Międzyrzecza, aż do Odry powstało ponad sto obiektów bojowych: bunkrów, umocnień, gniazd artylerii. Całość połączono jednym z największych na świecie systemów podziemnych fortyfikacji z magazynami amunicji i żywności, elektrowniami, studniami i podziemną linią kolejową. Na powierzchni dostępu do linii bunkrów broniły regularnie rozmieszczone betonowe słupy zwane „zębami smoka", które miały uniemożliwiać zbliżenie się do umocnień czołgom i działom samobieżnym.

Niemcy rozpoczęli budowę linii umocnień w 1925 r. ze strachu – Polska po zwycięskiej wojnie z ZSRR miała opinię silnego przeciwnika, który w razie wojny na froncie zachodnim bez wahania ruszy na Berlin. Nie mogąc, zgodnie z postanowieniami konferencji wersalskiej, stworzyć nowoczesnej armii, postawili na budowę fortyfikacji. Linię nazwano Festungsfront Oder-Warthe Bogen, czyli Front Ufortyfikowany Łuku Odra-Warta (używaną dziś nazwę Międzyrzecki Rejon Umocniony nadali obiektowi dużo później Rosjanie).

Budowa ruszyła w okolicach Słońska. Alianci wykryli jednak prace i nakazali ich przerwanie. Niemcy kontynuowali je pod przykrywką inwestycji hydrotechnicznych – dostosowane do szybkiego zalewania poldery, kanały i śluzy były w rzeczywistości zaporami przeciwpancernymi. Aby zachować inwestycję w tajemnicy, wprowadzono zakaz lotów nad regionem MRU oraz poruszania się ludzi bez specjalnych przepustek. W 1935 r. teren budowy odwiedził Hitler i nakazał kontynuowanie prac.

Fortyfikacje planowano ukończyć do 1951 r., przewidując wzniesienie łącznie około 300 obiektów. Jednak w 1938 hitlerowcy nagle wstrzymali rozbudowę MRU. Decyzję podjęto wskutek zmiany doktryny wojennej III Rzeszy: zamiast walki pozycyjnej nowa strategia zakładała błyskawiczne uderzenia wojsk pancernych. Szańce wydawały się więc bezużyteczne.

Zastosowanie dla rozległych podziemi znaleziono pod koniec II wojny światowej – w porzuconych obiektach MRU powstały fabryki wojskowe, w których więźniowie produkowali części do niemieckich samolotów i samochodów wojskowych. W wydzielonej części korytarzy przechowywano również dzieła sztuki zrabowane z pięciu polskich muzeów.

Linia, która miała być nie do zdobycia, padła na przełomie stycznia i lutego 1945 r., po zaledwie trzech dniach ostrzału. Po wojnie bunkry zostały rozbrojone i częściowo wysadzone, a w latach 50. XX w. sporo metalowych elementów trafiło na złom.

Dziś fortyfikacje cieszą się ogromną popularnością wśród turystów (zwiedza je 30 tys. osób rocznie) i nietoperzy (utworzono nawet dwa rezerwaty przyrody: Nietoperek i Nietoperek II). Gigantyczne podziemia, w których panuje stała temperatura (10 st. C), są idealnym zimowym domem dla 12 gatunków latających ssaków. Populacja licząca 32 tys. sztuk jest największą w Europie Środkowej zimową kolonią tych ssaków.

The Międzyrzecz Fortified Region

This important example of the art of fortification from the 20th century is shelter to the largest winter colony of bats.

THE MAGINOT LINE of the East, as the Międzyrzecz Fortified Region (MRU) was humorously called, was to protect Berlin from a potential Polish attack. Over a distance of 100-kilometer, from Skwierzyna through the Międzyrzecz area to the River Odra, 100 military installations were built: bunkers, fortifications and fixed artillery positions. They were all connected by one of the world's largest underground fortification systems with storehouses for food and ammunition, power stations, wells and an underground railway. On the surface access to the bunkers was controlled by uniformly placed concrete pill boxes called, 'dragon fangs', to stop tanks and self-propelled guns reaching the fortifications.

The Germans began constructing the fortified line in 1925 to protect their frontiers from a Polish invasion which was considered a strong possibility after Polish victory over the Soviet Union. It was thought that Poland was preparing to strike on Berlin so the fortifications were built in case of war on the western front. As Germany was not permitted a standing army by the Treaty of Versailles, the German government decided to build fortifications instead, 'Festungsfront Oder-Warthe Bogen' - Fortification on the Oder and Warta rivers, (today, 'Międzyrzecz Fortified Region' the name given by the Russians).

Construction started in the vicinity of Słońsk but the Allies discovered the site and ordered the Germans to stop it. The Germans continued under the cover of hydro-technical infrastructures, polders, canals and flood gates - which in fact were anti-tank positions - to protect the region from floods. In order to keep the operation secret, all aviation was banned in the MRU sector, and the region could not be visited without permission. In 1935, Hitler at the site enthusiastically commanded the work to continue.

The construction was to be finished in 1951, with 300 defense positions built in total. However, in 1938, Nazi Germany suddenly stopped the extension of the MRU. The decision was made as a consequence of the change in the IIIrd Reich's warfare doctrine; instead of static warfare the new strategy relied on rapid armoured unit strikes which left fortifications and ramparts obsolete.

A specific use of the vast underground area was made towards the end of World War II. The abandoned MRU buildings were developed as military arms factories, where prisoners of war produced parts for German airplanes and armoured vehicles. A separate section of the corridors housed works of art robbed from 5 Polish museums. The supposedly unconquerable line was broken between January and February of 1945, after barely 3 weeks of artillery shelling. After the war the bunkers were disarmed and partly blown up and much of the metal components of the site were scrapped in the 50's.

Today, the fortifications enjoy huge popularity among tourists (30,000 a year) and bats (two reserves; Nietoperek and Nietoperek II). The gigantic underground area, with a stable temperature of 10 C, is the perfect winter abode for 12 species of these flying mammals. Their local population of 32,000 is the biggest winter colony of bats in Central Europe.

■ Fortyfikacje Międzyrzeckiego Rejonu Umocnionego ciągną się na długości 100 km
■ The Międzyrzecz Fortification Region stretches over 100 km

Mundur i sztandar wojskowy

Tradycyjne stroje i honory wojskowe silnie wiążą się z historią. W przypadku Rzeczypospolitej – z historią walki o niepodległość.

NAJBARDZIEJ CHARAKTERYSTYCZNYM ELEMENTEM polskiego munduru jest czapka rogatywka, zwana konfederatką. Stała się popularna w II połowie XVIII w. podczas walk konfederatów barskich z Rosjanami. Decyzję o jednolitym ubiorze wojskowym podjął Sejm Wielki w latach 1789–1791. Wtedy to do munduru Kawalerii Narodowej wprowadzono rogatywkę, która od tej pory była kojarzona z patriotyczną polskością.

Jednolity mundur przeniósł do Legionów we Włoszech gen. Henryk Dąbrowski. Wprowadził wysoką usztywnioną konfederatkę z daszkiem. Pojawiała się ona w armii Księstwa Warszawskiego, u szwoleżerów w gwardii, na głowach ułanów Królestwa Polskiego po 1815 r. czy podczas powstania listopadowego w 1830 r. Gdy Rzeczpospolita odzyskała niepodległość, zwolennicy okrągłej czapki maciejówki (rozpowszechnionej wśród Strzelców i noszonej przez marszałka Józefa Piłsudskiego) starli się z obrońcami rogatywki. W 1919 r. wygrała ta ostatnia, „aby obcy na całym świecie po niej poznali Polaka". Barwa munduru była zbliżona do angielskiej khaki – szarobrunatnozielona. Kroje kurtek przypominały fasony francuskie i angielskie.

W 1935 r. ujednolicono mundury i rogatywkę, wprowadzając te same kurtki i płaszcze dla wszystkich żołnierzy – od szeregowca po generała. Utrzy-

Military uniforms and flags

Traditional uniforms and military salutes are strongly connected with history. In Poland it is the history of the struggle for independence.

mano stopnie wojskowe na patkach: belki dla podoficerów, gwiazdki dla oficerów oraz wężyki dla generałów i marszałka. Piechota i jazda nosiły mundury koloru khaki, marynarka wojenna – granatowo-białe, lotnictwo – stalowoszare, siły pancerne – czarne kurty i berety.

Podczas II wojny światowej cechą wyróżniającą były naszywki Poland. Ludowe Wojsko Polskie posługiwało się mundurami typu sowieckiego. Po 1950 r. rogatywka – jako jeden z najbardziej widocznych elementów tradycji niepodległościowych – została zastąpiona przez czapkę okrągłą. Jednak już po odwilży październikowej w 1956 r. partia komunistyczna zezwoliła na powrót rogatywki, choć tylko w stroju polowym i we wzorze moro. Dopiero po 1990 r. powrócił typ umundurowania wyjściowego i galowego z lat 1936–1939, wraz z rogatywką.

Wojskowy salut dwoma palcami – specyficzny dla polskiej armii – prawdopodobnie wziął się z czasów wojen napoleońskich, z przysięgi dwoma palcami lub na cześć uhonorowania żołnierza, który stracił dwa palce. W Anglii, podczas II wojny światowej, polskie salutowanie było źle odbierane przez oficerów brytyjskich, jako przejaw braku szacunku, gdyż tak salutowali skauci.

Polski sztandar wojskowy na przestrzeni dziejów zmienił swój kształt, treść i symbolikę. W ustawie z 1993 r. napisano, że „jest symbolem sławy wojennej i tradycji oraz wierności, honoru i męstwa, których Ojczyzna wymaga od swych żołnierzy". Wykonany jest na planie kwadratu i Krzyża Kawalerskiego, w barwach narodowych, ozdobiony orłem otoczonym wawrzynami i zwieńczony orłem osadzonym na drzewcu chorągwi z szarfą. Sztandar przyznaje się jednostkom liniowym oraz szkołom wojskowym. O powadze tego symbolu świadczy fakt, że jest on nadawany uroczyście przez Prezydenta RP.

■ Uroczystości przed Grobem Nieznanego Żołnierza w Warszawie
■ A ceremony in front of the Tomb of the Unknown Soldier in Warsaw

THE MOST CHARACTERISTIC ELEMENT of the Polish uniform is the peaked cap known as *rogatywka* or *konfederatka*. It became popular in the second half of the 18th century when the Bar Confederates fought against the Russians. The decision of introducing a military uniform was made by the *Sejm* (lower house of the Polish Parliament) between the years of 1789 and 1791. It was then that the uniform of the National Cavalry was complemented by a peaked cap, which has since been explicitly associated with patriotism in Poland.

The first attempt to create a military uniform was made by General Henryk Dąbrowski when leading the Polish Legions in Italy. He introduced a tall hard peaked cap, which was subsequently worn by the army of the Duchy of Warsaw, the *Chevau-Légers*, the Polish Kingdom lancers from 1815, and the units participating in the September Uprising of 1830. When Poland regained independence, the proponents of wearing a round cap called *maciejówka* (popular among riflemen and worn by Marshall Józef Piłsudzki) opposed those in favour of *rogatywka*. In 1919, the latter option was chosen in order for 'all the people around the world to recognize a Polish soldier.' The uniform was of a khaki colour – a blend of grey, brown and green. The cut of the jacket was similar to that of the French and English.

In 1935, a uniform model of jackets and coats was introduced for all Polish soldiers, from privates to generals. Military insignia remained on the uniforms; non-commissioned officers wore bars, officers wore stars, Generals and the Marshal wore epaulettes. Cavalry and infantry wore khaki uniforms, the Navy, blue-white, the Air Force, steel-grey, tank divisions, black jackets and berets.

During World War II, distinctive items worn by the Polish Army were 'Poland' badges. The communist People's Army of Poland used Soviet uniforms. After 1950, the *rogatywka* cap – as one of the most distinctive elements from the struggle for independence period – was replaced with a round cap. However, shortly after the October Thaw of 1956, the communist party agreed to reintroduce the *rogatywka*, with a limited use for the battledress in camouflage. In 1990, the original formal uniform from the years 1936–1939 was reintroduced, along with the *rogatywka*.

The military two-finger salute – specific to the Polish army – is believed to derive from Napoleonic times when two extended fingers served to swear an oath or to honour soldiers who had lost their fingers. During World War II, the Polish salute was badly received in England where British officers found it disrespectful and associated it with the scout salute.

Over the years, the Polish flag has changed its shape, message and symbolic aspect. The regulation from 1993 defines it as a symbol of military distinction, tradition, faith, honour and valour which the homeland requires from its soldiers. It is set within a quadrangle with a cavalry cross, white-red in colour, ornamented with an eagle surrounded by laurels and finished with another eagle on the flagpole. The standard is presented to frontline troops and military schools. Its significance is evident as it is presented to the troops by the Polish President in person.

Polska w NATO

Członkostwo w Sojuszu Północnoatlantyckim przywróciło Polakom poczucie bezpieczeństwa.

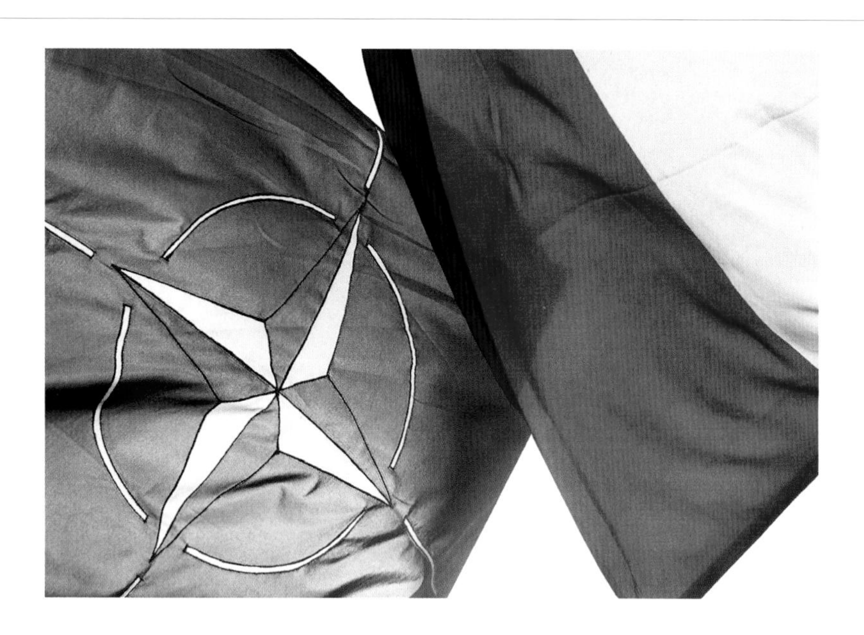

W PRZESZŁOŚCI POLACY CZĘSTO CZULI SIĘ OPUSZCZENI, a nawet zdradzeni przez sojuszników i przyjaciół. Poczynając od rozbiorów, przez brak pomocy – mimo podpisanych traktatów – ze strony Francji i Anglii we wrześniu 1939 r., po konsekwencje konferencji w Jałcie, która podzieliła świat na strefy wpływów, pozostawiając Polskę w ramionach Związku Radzieckiego. Dlatego zgodę państw należących do NATO na rozpoczęcie negocjacji akcesyjnych uznano w Polsce za akt sprawiedliwości dziejowej. 17 lipca 1997 r., na placu Zamkowym w Warszawie, amerykański prezydent Bill Clinton powiedział: „Obecnie Polska przystępuje do NATO. Już nigdy więcej o Waszym losie nie będą decydowali inni. Zmieniliście bieg historii. Teraz razem przywróciliśmy Polskę Europie i przeznaczenie, na jakie zasługujecie".

Dwa lata później, 12 marca 1999 r., w niewielkim miasteczku Independence, w stanie Missouri, polski minister spraw zagranicznych Bronisław Geremek złożył na ręce amerykańskiej sekretarz stanu Madeleine Albright akt przystąpienia Polski do traktatu północnoatlantyckiego. Zakończył się trwający sześć lat proces integracji z sojuszem obronnym, który przez minione pół wieku uznawany był przez władze w Warszawie za głównego wroga Polski.

Przemiany lat 1989–1990 – rozpad bloku państw socjalistycznych, likwidacja militarnego sojuszu w ramach Układu Warszawskiego, upadek Związku Radzieckiego – stworzyły zupełnie nową sytuację w Europie. Decyzja o zwróceniu się na Zachód i rozpoczęciu starań o integrację Polski z Europą i Sojuszem Północnoatlantyckim była, mimo podziałów polskiej sceny politycznej, praktycznie jednogłośna. Działania te rozpoczął prezydent Lech Wałęsa, legendarny lider opozycji, a zakończył prezydent Aleksander Kwaśniewski, były członek partii komunistycznej u schyłku jej istnienia. Ten, trudny do wyobrażenia dzisiaj, konsensus polskiej klasy politycznej pozwolił na zbudowanie podstaw bezpieczeństwa i rozwoju gospodarczego Polski.

Członkostwo w NATO, poza kontekstem politycznym, ma oczywiście także swój praktyczny wymiar. Już kilka miesięcy po przystąpieniu do sojuszu polscy żołnierze wyjechali w ramach misji KFOR do Kosowa, by bronić Albańczyków przed atakami wojsk byłej Jugosławii, a w 2002 r. na misję do Macedonii. Od 2003 kolejne kontyngenty polskich wojsk, w strukturach ISAF, walczą w Afganistanie. I choć co jakiś czas paraliżują nas informacje o kolejnych ofiarach, musimy pamiętać, że najistotniejszym punktem traktatu waszyngtońskiego jest artykuł 5, zgodnie z którym

Poland in NATO

■ Od 1999 r. flaga NATO często łopoce obok biało--czerwonej flagi narodowej
■ The NATO flag has been flown beside the white-red flag of Poland since 1999

członkowie paktu gwarantują sobie solidarność i wsparcie – atak na któregokolwiek z nich jest zamachem na cały sojusz.

Innym wymiernym skutkiem członkostwa w NATO jest modernizacja polskiej armii. Na rozbudowę infrastruktury, wymianę sprzętu i szkolenia Polska wydaje nie tylko własne pieniądze, ale także środki sojuszu. Zmieniły się cele wojska, a także jego struktura i efektywność. Jest to tym ważniejsze, że jak uczy historia, świat liczy się tylko z silnymi partnerami, którzy potrafią dowieść swej, również militarnej, niezależności.

Membership in the North Atlantic Treaty Organization has restored Polish feeling of security.

IN THE PAST POLES HAVE OFTEN FELT DESERTED and even betrayed by their allies and friends – beginning with the Partitions then through no material assistance – regardless of signed treaties – from France and Great Britain in September 1939, to the consequences of the Yalta Conference which divided the world into zones of influence, leaving Poland under Soviet Union domination. The agreements within NATO countries to initiate accession negotiations were therefore considered an act of historical justice for Poland. On 17 July 1997, on the Royal Castle Square in Warsaw, American President Bill Clinton said: 'Poland is now entering NATO. Never again will others decide your fate. You have changed the course of history. Now we have returned Poland to Europe and the destiny you deserve'.

Two years later, on 12 March 1999, in the small town of Independence, in Missouri, Polish Minster of Foreign Affairs, Bronisław Geremek presented the act of Poland's accession to the North Atlantic Treaty Organization to the American Secretary of State, Madeleine Albright. The six-year-long process of integrating Poland into this defensive alliance – which for the previous half century had been considered by Warsaw as the principal enemy of Poland – had ended.

The transformations of 1989–1990 – the collapse of the socialist bloc, the abrogation of the military alliances within the Treaty of Warsaw, the fall of the Soviet Union – created a totally new political environment in Europe. The decision to turn to the West and to integrate Poland with the EU and NATO, despite some divisions within Polish politics, was practically unanimous. The plan had been initiated by President Lech Wałęsa and was concluded by President Aleksander Kwaśniewski, a former member of the communist party during the last days of its existence. This now difficult to imagine consensus within the Polish political class made it possible to build the secure foundations for Poland's economic development.

NATO membership, apart from the political context, has its practical dimension. A few months after the accession, Polish soldiers left with a KFOR mission to Kosovo to protect Albanians from attacks by former Yugoslavian army units, and again in 2002 on a mission to Macedonia. Since 2003, subsequent contingents of the Polish army have been present in the ISAF structure in Afghanistan. And although we are shocked by news about Polish casualties in Iraq and Afghanistan we have to remember that the most important point in the Washington treaty is article 5, according to which members of the organization guarantee to support each other – an attack on one member is an attack on the entire organization.

Another tangible result of NATO membership is the modernisation of the Polish army. Poland spends its and NATO's funds on modernizing the army with new equipment and training to improve its effectiveness and infrastructure. This is very important for history has shown that nations of the world only consider strong partners as allies, those who can prove their military independence.

■ Polscy żołnierze odlatujący na misję wojskową w ramach paktu północnoatlantyckiego
■ Polish soldiers embarking on military service for the North Atlantic Treaty Organisation

N

Niebieski laser

Polski wynalazek, który zrewolucjonizował wiele dziedzin życia.

■ Profesor Sylwester Porowski, twórca niebieskiego lasera, w Instytucie Wysokich Ciśnień w Warszawie
■ Professor Sylwester Porowski who developed the blue laser at the Institute of High Pressure Physics in Warsaw

RZADKO ZDARZA SIĘ, by coś, z czym nie potrafią sobie poradzić Japończycy, Amerykanie ani hojnie dofinansowani uczeni z Europy Zachodniej, powiodło się grupie zapaleńców z niewielkiego instytutu nad Wisłą. Stało się tak jednak w przypadku niebieskiego lasera półprzewodnikowego.

Laser to nic innego jak mocne źródło światła – takiego, które ma precyzyjnie określony kolor (naukowcy mówią o długości fali) i którego wiązka równo maszeruje niczym kolumna karnego wojska (fizycy mówią, że jest spójne i zgodne w fazie). Tylko takie światło nadaje się np. do odczytywania płyt DVD, budowy detektorów zanieczyszczeń, użycia w telekomunikacji czy zastosowania w diagnostyce medycznej.

Od kilku dekad na rynku dostępne były niewielkie lasery świecące na czerwono i zielono, jednak fizycy marzyli o urządzeniach wielkości łebka od szpilki, które będą świecić na niebiesko. Wiedzieli, że światło w tym kolorze pozwoli nie tylko na zapisanie na płytach większej ilości danych (ze względu na krótszą długość fali), ale też np. na budowę systemów komunikacji podwodnej.

Do wyścigu o zbudowanie takich miniaturowych laserów z półprzewodników stanęli giganci światowej elektroniki z Doliny Krzemowej, Japonii i Europy. Szybko jednak skapitulowali, widząc, że jedynym materiałem, z którego można wyprodukować taki laser, będzie nie szeroko używany w elektronice krzem, lecz kapryśny azotek galu (GaN). Żeby taki materiał zaczął świecić, trzeba ułożyć kilkaset jego warstw (każdą nieco inaczej przygo-

The Blue Laser

A Polish invention that has transformed many aspects of our lives.

towaną), jedna na drugiej, niczym składniki na kanapce. Tymczasem w latach 90. XX w. niewiele osób wiedziało, w jaki sposób nakładać na siebie warstwy azotku galu, by leżały równo, bez zmarszczek i przerw. Na placu boju pozostały tylko dwa zespoły badawcze – Shuji Nakamury, upartego inżyniera z Japonii, i Sylwestra Porowskiego, wizjonera z Instytutu Wysokich Ciśnień Polskiej Akademii Nauk. Laser tego pierwszego zaświecił w 1995 r., polski sześć lat później. Szybko jednak okazało się, że materiał użyty przez Japończyka (dolne warstwy „kanapki" były z gorszego, lecz łatwiejszego w obróbce szafiru) jest dużo słabszy niż laser Polaków. Naukowcy znad Wisły jako jedyni na świecie opanowali technologię hodowli dużych kryształów azotku galu.

Dziś nasi naukowcy pracują nad podniesieniem mocy tworzonych laserów, a ich masową produkcją zajmuje się stworzona przez nich firma high-tech TopGaN. Dzięki polsko-japońskiemu wyścigowi, w Polsce powstał jeden z najnowocześniejszych instytutów badawczych, a na światowym rynku pojawiły się tanie i łatwo dostępne lasery. Skwapliwie skorzystali z tego inżynierowie, którzy użyli ich np. do stworzenia odtwarzaczy Blue-ray oraz konsoli gier telewizyjnych. W przyszłości, dzięki tej technologii, powstaną telewizory nowego typu i projektory laserowe oraz elementy elektroniczne niezbędne m.in. w nowoczesnych samochodach hybrydowych.

IT IS NOT COMMON for a group of enthusiasts from a small country to succeed in something the Japanese, Americans and other well funded scientists have failed to achieve. This is in fact what happened in the case of the blue, semiconductor laser.

A laser is nothing more than a strong beam of light with a precisely determined colour (technically speaking, the wavelength). The laser beam is very narrow (physicists say it is highly coherent in terms of space and time). This is the only light that can be used in telecommunications, medical examinations, contamination detectors and even to read DVDs.

Small, red and green lasers have been available on the market for decades, but physicists have dreamt about devices the size of a pinhead that would emit blue light. They knew that only blue light would let them not only write more data on a disc (because of the shorter wavelength) but also, for example, facilitate the development of underwater communication systems.

The giants of the electronics industry from Silicon Valley, Japan and Europe were very interested in creating this miniature semiconductor laser. They all gave up quickly, however, when it was found that the only material that could be used to produce this kind of laser was the exotic gallium nitride (GaN) and not silicon – the standard material used in electronics. In order to make gallium nitride emit light, several hundred layers (each layer has to be a little different) have to be placed on top of each other. Just like the ingredients of a sandwich. In the 90's of the 20th century few people knew how to place together layers of gallium nitride evenly without folds and spaces in between. Only two teams were left trying to overcome this problem: the stubborn Shuji Nakamura's from Japan and the visionary Sylwester Porowski's from the Institute of High Pressure Physics of the Polish Academy of Sciences. Nakamura's laser first shone in 1995, Porowski's 6 years later. As it turned out the material used by the Japanese (the lower layers of the sandwich were made of sapphire which was easier to process than gallium nitride but inferior for the construction of a blue laser) was weaker than that used by the Polish team. Scientists from Poland had finally mastered the technology of obtaining large gallium nitride crystals, the first ones in the world.

Today our scientists are working on amplifying the power of blue lasers. The TopGaN high-tech company created by Porowski's team is involved in the mass production of the blue laser. One of the most state-of-the-art research institutes has been established in Poland and inexpensive and easily available lasers have entered the market as a result of the Polish-Japanese race. Engineers were quick to employ the new technology to develop Blue ray recorders and video game consoles. In the future new generations of TV sets, laser projectors and electronic components crucial for hybrid vehicles will be constructed as a result of this technology.

- Niebieski laser wykorzystywany jest do produkcji płyt Blue-ray. Mają znacznie większą pojemnością od płyt DVD, nawet do 400 GB
- The Blue laser is used in the production od Blue-ray discs. The Blue-ray disc has a much higher capacity (to 400 GB) than a DVD

■ Tony Halik – dziennikarz, filmowiec i podróżnik nazywany Białym Indianinem

■ Tony Halik – journalist, filmmaker and traveler known as the 'White Indian'

Odkrywcy i podróżnicy

Polscy podróżnicy odkrywali ostatnie białe plamy na mapie świata.

POLACY TO NARÓD OBIEŻYŚWIATÓW. Nasi podróżnicy od zawsze jeździli po świecie, zgłębiając jego tajemnice, badając dzikie plemiona i eksplorując miejsca, w których nie stanęła ludzka stopa. Polska nie wzięła jednak udziału w pierwszej, kolonialnej eksploracji świata. Nie poszliśmy drogą Anglii, Francji czy Hiszpanii. Penetrowaliśmy świat nieco subtelniej – bez armii czy chwytania niewolników.

Jednym z najlepiej na świecie znanych podróżników znad Wisły jest Joseph Conrad (1857–1924). Urodził się w Berdyczowie jako Józef Konrad Korzeniowski. Mając 17 lat wyjechał do Francji, gdzie zaciągnął się na statek. Przez 20 lat pływał po świecie. Zawijał do portów w Ameryce, Azji, Australii, jako kapitan statku parowego pływał po afrykańskiej rzece Kongo. Wreszcie osiadł w Anglii i pod pseudonimem Joseph Conrad pisał powieści, opowiadania i dramaty. Dzisiaj uznawany jest za jednego z najwybitniejszych stylistów w angielskiej literaturze, choć w języku mówionym do końca życia nie wyzbył się silnego polskiego akcentu.

Miłość do morza (wespół z nieszczęśliwą miłością do kobiety) pchnęła do wieloletniej wyprawy dookoła świata innego naszego rodaka – Pawła Edmunda Strzeleckiego (1797–1873). Studiował geografię i geologię. Otrzymawszy w spadku majątek od swego pracodawcy – księcia Franciszka Sapiehy – 31-letni Strzelecki wyruszył w świat. Odkrył złoża rudy miedzi w Kanadzie i kilku innych minerałów w Brazylii, Urugwaju i Chile. Badał i kartował góry oraz wulkany, prowadził obserwacje meteorologiczne w Ameryce Południowej, Polinezji, Nowej Zelandii, Tasmanii i na Hawajach. W Australii badał Wielkie Góry Wododziałowe, których najwyższy szczyt nazwał Górą Kościuszki.

Młodszego o dwa pokolenia Bronisława Malinowskiego (1884–1942) interesowali głównie ludzie. Przez dwa lata mieszkał z Melanezyjczykami na Wyspach Trobriandzkich, a po powrocie opublikował słynną książkę „Życie seksualne dzikich". Jego podejście do pracy zrewolucjonizowało antropologię – następcy Malinowskiego, zamiast analizować teksty w gabinetach akademickich, wyruszyli w teren, by oglądać świat oczami tubylców. Malinowski otrzymał doktorat honoris causa na uniwersytecie Harvarda i profesurę na Yale.

Specjalnością polskich podróżników nie były wyłącznie tropiki. Henryk Arctowski (1871–1958) całe życie związał z badaniami regionów polarnych. Jego prace naukowe dotyczące geologii i geofizyki obszarów podbiegunowych zapewniły mu sławę na całym świecie.

Dzisiaj trudno o wielkie odkrycia, ale polskich podróżników wciąż spotyka się na wszystkich kontynentach. Tony Halik (1921–1998) przez ponad pół wieku przemierzał świat, z czego ostatnie 24 lata (wraz z Elżbietą Dzikowską) poświęcił na przybliżanie go Polakom w popularnych programach podróżniczych, m.in. „Pieprz i wanilia". Polscy kajakarze podczas ekspedycji „Canoandes-79" odkryli najgłębszy kanion świata – Colca w Peru. Marek Kamiński jako pierwszy człowiek dotarł na oba bieguny w jednym roku (1995).

Explorers and travellers

Polish explorers and travellers have filled in the last white spots on the map of the world.

POLES ARE A NATION OF GLOBETROTTERS. Polish travellers have roamed the world for many, many years, exploring its mysteries, searching for lost tribes and discovering places where humans had never trodden before. Poland did not participate in the first, colonial exploration of the world. It did not follow in the steps of Great Britain, France and Spain. Poland discovered the world in a more subtle manner – with no army or the taking of slaves.

One of the best known travellers from Poland was Joseph Conrad (1857–1924). He was born Józef Konrad Korzeniowski in Berdyczów. At the age of 17, he moved to France where he joined the navy. He spent 20 years sailing around the world calling at ports in America, Asia, Australia and as the captain of a steamboat explored the Congo River in African. He finally settled in England and under the name of Joseph Conrad, wrote novels, short stories and theatre pieces. Today he is considered one of the most outstanding modernist prose style writers in British literature of that time, even though he spoke with a strong Polish accent.

A love of the sea pushed another Pole on a many years long expedition around the world. Paweł Edmund Strzelecki (1797–1873) studied geography and geology. Having inherited some money the 31-year-old Strzelecki set off into the world. He discovered iron ore in Canada and other minerals in Brazil, Uruguay and Chile. He researched and mapped mountains and volcanoes, he carried out meteorological observations in South America, Polynesia, New Zealand, Tasmania and Hawaii. He explored the Great Dividing Range in Australia with its highest peak, Kościuszko Mountain.

The younger Bronisław Malinowski (1884–1942) was interested mainly in people. He lived on the Trobriand Islands with the Melanesian people for two years and after returning he published his 'The Sexual Life of Savages in North-Western Melanesia'. His approach towards his work revolutionized anthropology – his successors, instead of analyzing texts in their academic offices, set out into the wilderness to see the world through the eyes of the natives. Malinowski received the honoris causa from Harvard University and a degree from Yale.

Henryk Arctowski (1871–1958) devoted his life to researching the Polar Regions. His scientific work in geology and the geophysics of the Polar Regions have made him a well known figure in his domain.

It is perhaps more difficult to make a grand 'new' discovery today, but Polish travellers can be still encountered on all continents. Tony Halik (1921–1998) roamed the world for over half of century (at first mostly the South and Latin Americas). The last 24 years of his life with Elżbieta Dzikowska brought the world closer to Polish audiences in popular travel programmes, Pieprz i Wanilia. During the 'Canoandes-79' expedition Polish canoeists discovered the deepest canyon in the world – Colca in Peru. Marek Kamiński was the first man ever to reach both Poles in just one year (1995).

■ „Jan III Sobieski pod Wiedniem” – Jerzy Siemiginowski-Eleuter (Szymonowicz)

■ Jan III Sobieski at the Battle of Vienna by Jerzy Siemiginowski-Eleuter (Szymonowicz)

Odsiecz wiedeńska

Ocaliła Europę przed inwazją islamu i złamała potęgę imperium tureckiego.

W XVII W. TURCJA, najsilniejsze imperium ówczesnego świata, podbijała kolejne kraje i parła w głąb Europy. W 1683 r. jej armia wyruszyła na Wiedeń i przez ponad dwa miesiące oblegała miasto, które było bliskie poddania się. Wezwane na pomoc wojska polskie zdołały ocalić Wiedeń i chrześcijaństwo.

Polska już w XVI w. uznana została za *antemurale christianitatis* – przedmurze broniące chrześcijaństwa przed islamskim supermocarstwem tureckim i ordami tatarskimi. W XVII w. Rzeczpospolita toczyła śmiertelny bój z Turcją. Szczęśliwie pojawił się wybitny wódz, nawet przez Turków z szacunkiem nazywany Lwem Lechistanu. Był nim hetman Jan III Sobieski, który po odniesieniu wspaniałych zwycięstw na Podolu i Rusi, został przez szlachtę wybrany na króla Polski. W 1683 r. cesarz Leopold I Habsburg poprosił Sobieskiego o pomoc dla oblężonego przez Turków Wiednia.

Król zdołał zebrać 27 tys. wojsk koronnych, w tym fenomenalną kawalerię – husarię (to jej szarża walnie przyczyniła się do zwycięstwa) – i pomaszerował na południe. Łącznie wojska sprzymierzonych (Polski, Austrii i Niemiec) liczyły blisko 70 tys. żołnierzy, w tym 31 tys. jazdy. Wielki wezyr Kara Mustafa dowodził blisko 100 tys. ludzi.

Całej armii przewodził król Jan III Sobieski, który zgodnie z polską doktryną wojenną chciał zniszczyć armię turecką, a nie jedynie doprowadzić do oswobodzenia miasta. Po burzliwej naradzie (przyjęto koncepcję Sobieskiego frontalnego ataku na Turków) i mszy w kościele na Josefsbergu (zwanym obecnie Kahlenbergiem) wojska sprzymierzonych uformowały front długości 11 km!

Walka rozpoczęła się 12 września 1683 r., około południa. Sobieski przebył Las Wiedeński i utworzył potężne ugrupowanie jazdy. O godzinie 17 osłabione prawe skrzydło Ibrahima Paszy zaczęło się rozpadać pod natarciem wojsk ks. Karola Lotaryńskiego. Dojrzał to ze wzgórza Sobieski i osobiście poprowadził 20 tys. kawalerii polskiej i cesarsko-bawarskiej do największej w dziejach Europy szarży z udziałem husarii. Ten potężny taran zmiótł szyki tureckie i przedarł się aż do namiotów wezyra, zmuszając go do ucieczki.

Około 10 tys. Turków legło na polu bitwy. Sprzymierzeni stracili blisko 1500 żołnierzy. Niemieccy generałowie dziękowali polskiemu królowi nie tylko za ocalenie miasta, ale i chrześcijańskiej Europy. Armia Kary Mustafy nie została jednak zniszczona. Dopiero miesiąc później, pod Parkanami, po dramatycznych dwóch bitwach, Sobieski zdołał rozbić wojska wielkiego wezyra, który za tę porażkę zapłacił głową – z rozkazu sułtana został uduszony zielonym sznurem.

Polacy nie wykorzystali politycznie ani militarnie tego wielkiego zwycięstwa. Choć Jan III przyjął pod murami Wiednia hołd Leopolda I, to właśnie cesarz wkroczył tryumfalnie do miasta i do dzisiaj uznawany jest za oswobodziciela i zwycięzcę. Niemniej operacja wiedeńska została uznana przez lorda d'Abernona za 18. z najważniejszych bitew w dziejach świata.

The Battle of Vienna

This victorious battle saved Europe from Islam and halted the expansion of the mighty Turkish Empire

IN THE 17TH CENTURY TURKEY, the mightiest empire in the world, conquering all in its path, was pressing into the heart of Europe. In 1683, the Turkish army laid siege to Vienna and after two months the city was ready to capitulate. A call for help brought a Polish army and in a surprise attack drove the Turks from the walls of Vienna and saved Christianity in Europe.

As far back as the 16th century, Poland was known as *antemurale christianitis*, the Bulwark of Christianity, protecting Christians from the Muslim Ottoman Empire and from the Tatar hoards. Poland had been fighting the Muslim advance for centuries. Fortunately at an important moment in history they had a great leader, held in respect even by the Turks – Hetman Jan III Sobieski, remarkably successful in the battles of Podolia and Rus' and elected by the nobility as King of Poland. In 1683, Emperor Leopold I asked Sobieski to come to the aid of the citizens of Vienna under siege by the Turks.

The king put together an army of 27,000 soldiers, including his cavalry of Polish hussars, and marched south. The allied armies (Poland, Austria and Germany) were 70,000 strong, which included 31,000 cavalry. The Grand Vizier commanded nearly 100,000 Turks. The Allied army was commanded by King Jan III Sobieski who in keeping with the Polish military strategy was determined not just to liberate the besieged city but to destroy the entire enemy army as well. Following a heated debate (at which Sobieski's plan for a frontal attack was accepted) and a Mass said in Josefberg (today Kahlenberg), the Allied armies formed a front line 11 km in length!

The battle began around midday of September 12, 1683. In a flanking movement Sobieski traversed the Vienna Forest with a powerful cavalry division. At 5 in the afternoon, the weakened right wing of Ibrahim Pasha started to collapse under the pressure of Karol Lotaryński's soldiers. From a hill overlooking the battlefield Sobieski became aware of this development and the opportunity it created and at its head led 20,000 Polish hussars and Bavarian cavalry in the greatest military charge ever to take place in Europe. This overwhelming force smashed the Turkish formations and broke through to the campsite of the Grand Vizier, forcing him to flee. Nearly 10,000 Turks were killed in the battle. The Allied forces lost approximately 1,500 soldiers. The German generals thanked the Polish king not only for liberating the city, but mostly for securing Christianity as the main religion in all of Europe. The Turkish army, however, was not destroyed completely. It was only after a month had passed and two dramatic battles that Sobieski finally crushed the enemy forces at Párkány. This left the Sultan no other choice than to punish the Vizier. He had him strangled in public with a silk cord.

Poland failed to profit politically or militarily from this great victory. Although Jan III Sobieski accepted the homage of Leopold I in Vienna, it was the Emperor who entered the city in triumph. Lord d'Abernon has recognized the Vienna campaign as the 18th greatest military battle in world history.

O Olimpijczycy

Najwybitniejsi polscy sportowcy wszech czasów.

■ Otylia Jędrzejczak podczas igrzysk olimpijskich w Atenach w 2004 r. zdobyła jeden złoty medal (200 m stylem motylkowym) i dwa srebrne
■ Otylia Jędrzejczak won one gold (200 m butterfly) and two silver medals at the 2004 Olympic Games in Athens

REPREZENTACJA POLSKA bierze udział w nowożytnych igrzyskach olimpijskich, letnich i zimowych, od 1924 r. Zdobyła już 275 medali, a wielu naszych olimpijczyków weszło do historii światowego sportu.

Największą polską gwiazdą jest Irena Szewińska, lekkoatletka, sprinterka, która wywalczyła siedem medali – trzy złote, dwa srebrne i dwa brązowe. Zaszokowała sportowy świat, zdobywając w 1964 r. w Tokio trzy medale: dwa srebrne w biegu na 200 m i w skoku w dal oraz złoty w sztafecie 4 x 100 m. W czasie kolejnych igrzysk w Meksyku, Monachium i Montrealu za każdym razem stawała na podium, a na jej koncie pojawiły się złote krążki w biegach na 200 (1968) i 400 m (1976).

W liczbie medali dosłownie i w przenośni deptał jej po piętach Robert Korzeniowski, kto wie, czy nie największy chodziarz w historii tej dyscypliny. Ma „tylko" cztery medale olimpijskie, ale za to wszystkie złote. Do legendy przejdą igrzyska w Sydney w 2000 r., kiedy to spacerowym krokiem zdobył dwa złote krążki na morderczych dystansach 20 i 50 km. Jego dorobek byłby większy, gdyby nie kontrowersyjna decyzja sędziów podczas igrzysk w Barcelonie w 1992 r., kiedy został zdyskwalifikowany tuż przed wejściem na stadion za rzekome podbieganie.

Złotymi, srebrnymi i brązowymi zgłoskami zapisał się w historii igrzysk olimpijskich Witold Woyda, zmarły niedawno wielki polski szermierz, mistrz floretu. Pierwszy medal (drużynowe srebro) zdobył w 1964 r. na igrzyskach w Tokio. Cztery lata później dorzucił do tego drużynowy brąz, by apogeum olimpijskich sukcesów osiągnąć w Monachium, gdzie wywalczył dwa złote medale (indywidualnie i z drużyną). Innym wielkim polskim szermierzem (szablistą) był Jerzy Pawłowski. Ma na swoim koncie aż pięć medali olimpijskich, w tym jeden złoty zdobyty w konkursie indywidualnym w Meksyku w 1968 r. oraz trzy srebrne.

Wielu polskich olimpijczyków podczas igrzysk wywalczyło więcej niż jeden medal i zazwyczaj były one złote. Są wśród nich: Renata Mauer (strzelczyni), Otylia Jędrzejczak (pływaczka), Egon Franke (szermierz), Józef Schmidt (trójskoczek),

Olympians

■ Irena Szewińska wywalczyła w swojej karierze siedem medali olimpijskich
■ During her Olympic career Irena Szewińska won seven gold medals

The greatest Polish athletes of all time.

Waldemar Baszanowski (ciężarowiec), Jerzy Kulej (bokser, który nigdy nie został znokautowany!), Józef Zapędzki (strzelec), Waldemar Legień (wielki judoka), Arkadiusz Skrzypaszek (pięcioboista), Andrzej Wroński (zapaśnik) oraz duet Robert Sycz i Tomasz Kucharski (wioślarze). Nie sposób wymienić tu wszystkich medalistów – zwłaszcza z dyscyplin drużynowych, jak piłka nożna i siatkówka.

Największe olimpijskie sukcesy Polacy odnosili podczas letnich igrzysk. Zdecydowanie gorzej szło nam zimą. Oprócz fenomenalnego skoku Wojciecha Fortuny w Sapporo w 1972 r. (złoto na skoczni K90), długo nie można by wskazać innego wyczynu godnego zapamiętania. Dopiero genialny skoczek Adam Małysz (trzy srebrne medale i jeden brązowy), a także wschodząca gwiazda wielkiej biegaczki Justyny Kowalczyk (dwa brązowe medale, srebrny i złoty) dały Polakom powody do dumy.

THE POLISH NATIONAL TEAM has participated in our present day winter and summer Olympic Games since 1924. Poland has won 275 medals, paving the way for many Polish Olympians to go down in the history of international sport.

The brightest star of Polish sport is Irena Szewińska, a track-and-field athlete and a sprinter, who won 7 medals – 3 gold, 2 silver and 2 bronze. She stunned the world of sport by winning 3 medals in Tokyo in 1964; two silver in the 200-meter sprint and long jump, and a gold in the relay 4×100m. At the subsequent Olympic Games in Mexico, Munich and Montreal she stood on the podium and received a gold medal for the 200 meters in 1968 and the 400 meters in 1976.

As far as the number of medals won, Szewińska is literally and figuratively followed by Robert Korzeniowski, quite possibly the greatest race-walker ever. He has won 'only'4 Olympic medals, but they were all gold. The Sydney Olympic Games in 2000 will be remembered for Korzeniowski's 2 gold medals in the 20 and 50 kilometers distances. His achievements could have been greater, if not for the referee's controversial decision at Barcelona '92 of disqualifying him for supposed running just before he entered the stadium.

The name of the late great Polish fencer and foil champion, Witold Woyda, will also go down in history after his achievements. His first medal (a silver medal in the team contest) was won at the Tokyo Olympic Games in 1964. Four years later, he won the bronze only to reach his peak in Munich, where he won 2 gold medals (individual and team contests). Jerzy Pawłowski was yet another great Polish fencer (saber). He won 5 Olympic medals, including one gold in the individual contest in Mexico in 1968, and three silver.

Many Polish Olympians have won more than one medal and they were often gold. Renata Mauer (sport shooting), Otylia Jędrzejczak (possibly the best Polish swimmer ever), Egon Franke (fencing), Józef Schmidt (triple jump), Waldemar Baszanowski (weightlifting), Jerzy Kulej (a never knocked out boxer), Józef Zapędzki (sport shooting), Waldemar Legień (judo), Arkadiusz Skrzypaszek (modern pentathlon athlete), Andrzej Wroński (wrestler) and the duo of Robert Sycz and Tomasz Kucharski (rowers). Enumerating all the remaining medalists of the team disciplines such as football and volleyball would be never ending.

Polish Olympic athletes celebrated their greatest successes during the summer Olympics. In the winter they performed with less success. Apart from Wojciech Fortuna's phenomenal ski jump in Sapporo in 1972 (gold medal in the K90 ramp jump), no similarly memorable achievements have been realised for many years. The brilliant Adam Małysz (ski jumping 3 gold medals and 1 bronze), as well as the up and coming cross country skier, Justyna Kowalczyl (2 bronze medals, 2 silver, 1 gold) are athletes that Polish sports fans can be proud of again today.

■ Festiwal każdego roku ściąga kilkadziesiąt gwiazd muzyki i dziesiątki tysięcy ich fanów
■ Every year the festival attracts many famous musicians and thousands of fans

Open'er Festival

Open'er Festival

Według brytyjskiego „New Musical Express" to jedna z 12 najważniejszych imprez muzycznych w Europie.

According to the New Musical Express this is one of the 12 biggest musical events in Europe.

85 TYSIĘCY WIDZÓW bawiło się w lipcu 2010 r. w Gdyni na wielkiej imprezie muzycznej, która rok wcześniej została uznana za najlepszy festiwal europejski (European Festival Awards). Open'er Festival odbywa się od 2002 r. i już na stałe wpisał się w europejski kalendarz najważniejszych letnich festiwali.

Jego pierwsza edycja odbyła się w Warszawie, bilety kupiło wtedy niewiele ponad dwa tysiące widzów. „Zaczynaliśmy od niczego, na efekt pracowaliśmy latami" – mówił potem w jednym z wywiadów pomysłodawca i organizator imprezy Mikołaj Ziółkowski. Ale rezultaty są imponujące: gdyński Open'er przyciąga obecnie większe tłumy niż słynny festiwal rockowy w Roskilde w Danii.

Rozkwit Open'er zawdzięcza niewątpliwie przenosinom nad Bałtyk. Festiwal organizowany na terenie wojskowego lotniska w dzielnicy Babie Doły jest ogromnym przedsięwzięciem logistycznym. Na jeden tydzień w roku powstaje tam miasto dla kilkudziesięciu tysięcy mieszkańców. Open'er ma własną walutę – bony towarowe, ale można też posługiwać się Alterkartą, czyli festiwalową kartą kredytową. Działa bezpłatna komunikacja, umożliwiająca dojazd do centrum Gdyni. A gdy w 2010 r. podczas festiwalu odbywała się w Polsce druga tura wyborów prezydenckich, widzom zapewniono możliwość głosowania.

Na festiwal zapraszane są rozmaite organizacje pozarządowe, Open'er realizuje własne projekty ekologiczne, ale najważniejsza jest muzyka. Rozbrzmiewa przez cztery dni od popołudnia niemal do świtu, na kilku scenach równocześnie, mniej więcej co 30 minut rozpoczyna się nowy występ. Jak mówią bywalcy festiwalu, Open'er to nieustanne wędrowanie, pokonywanie kilometrów między estradami. Wybór jest trudny, bo życie muzyczne toczy się tu równolegle.

Gdyńska impreza to koktajl dla różnych pokoleń odbiorców. W 2010 r. klasyka rocka miała wiele odmian, wystąpili tacy wykonawcy jak Pearl Jam, Massive Attack, Skunk Anansie, Cypres Hill, Pavement, Grace Jones, Fatboy Slim. Młodszej generacji oferowano heavy-bluesowe granie The Dead Weather, nowy rap z RPA w wykonaniu grupy Die Antwoord i mistrza tego gatunku, nowojorczyka Nasa występującego razem z Damianem Marleyem. Było też popowe widowisko Empire Of The Sun oraz zabawa popkulturą w wykonaniu 2manydjs.

Każdego roku na gdyńskim festiwalu występuje około 30 zagranicznych artystów, liczna jest także reprezentacja polskich muzyków. Niektóre sławy, takie jak Massive Attack, Groove Armada czy Jack White, chętnie wracają na kolejne edycje. Choć od 2003 r. sponsorem festiwalu jest Heineken, impreza zachowuje pełną autonomię. „Jesteśmy zależni tylko od publiczności" – podkreśla Mikołaj Ziółkowski.

Mocna pozycja festiwalu wynika również z faktu, że sama Gdynia przekonała się, jak ważna jest to impreza. Dla miasta liczącego ponad 250 tys. mieszkańców przyjazd w lipcu kilkudziesięciu tysięcy ludzi to po prostu dobry biznes.

DURING JULY OF 2010 some eighty-five thousand people took part in a major musical festival acclaimed one year earlier as the best in Europe (at the European Festival Awards ceremony). Open'er Festival has been taking place since 2002 and has become a major event in the European summer festival calendar.

Its first edition took place in Warsaw and was attended by just over 2,000 people. "We started from scratch and it took us years to see the results," said originator and organizer, Mikołaj Ziółkowski. The result is impressive; Gdynia's Open'er currently attracts larger crowds than the famous rock festival in Roskilde, Denmark.

Open'er undoubtedly owes its growth in popularity to its relocation to the Baltic coast. The festival is organised at a military airport in the Babie Doły district and is an important logistics undertaking. For one week the area becomes a camp site for thousands and thousands of people. Open'er has its own currency coupons and a festival credit card, Altercard, can also be used. Free public transport to the center of Gdynia is provided. In 2010, during the presidential run-off at the time of the festival, fans were provided with the means to participate in the elections.

Open'er welcomes various NGOs and runs its own ecological projects, but the music is the most important. For 4 days, it resonates simultaneously from several stages from afternoon till almost dawn. Approximately every 30 minutes a new performance starts. What the regular festival attendees associate with Open'er is the constant movement and effort to cover the distances between stages. The choice is hard since diverse musical worlds all play live at the same time.

The Gdynia event has a mixed musical selection for all generations. In 2010, classic rock was widely represented by artists such as Pearl Jam, Massive Attack, Skunk Anansie, Cypress Hill, Pavement, Grace Jones, Fatboy Slim. Youngsters were exposed to the heavy-blues sounds of The Dead Weather, new South African rap performed by Die Antwoord, and the master of the genre, Nas, performing with Damian Marley. There was a pop show *Empire of the Sun* and a pop-culture mix from 2manydjs.

Every year, the Gdynia festival stage hosts approximately 30 foreign artists and a strong representation of Polish musicians. Some celebrities such as Massive Attack, Groove Armada or Jack White eagerly return to perform at successive editions. Although Heineken has been the festival's sponsor since 2003, the event maintains its full independence. "We depend only on the audience," points out Mikołaj Ziółkowski.

The festival's strong position results from Gdynia's authorities realizing how important the event is. Thousands of people coming to a city of 250,000 are, simply, good, profitable business.

Wielka **Orkiestra** Świątecznej Pomocy

Największa na świecie orkiestra ludzkich serc.

ODBYWAJĄCY SIĘ OD 1993 R., na początku stycznia, finał WOŚP jednoczy tysiące ludzi, którzy grają w całej Polsce (a w ostatnich latach także w wielu miejscach na świecie) i kwestują na rzecz chorych dzieci. Każdy ofiarodawca otrzymuje naklejkę w kształcie czerwonego serca. Noszenie go na ubraniu to przywilej i honor każdego Polaka. W czasie dziewiętnastu finałów Orkiestra zebrała ponad 430 mln złotych, które przeznaczono na wyposażenie szpitali i leczenie dzieci.

Twarzą Orkiestry jest urodzony w 1953 r. Jerzy Owsiak – dziennikarz muzyczny i organizator koncertów rockowych. W 1992 r., podczas audycji radiowej „Brum" (którą prowadził), odpowiedział na apel borykających się z brakiem sprzętu kardiochirurgów i rzucił hasło zbiórki na rzecz szpitala Centrum Zdrowia Dziecka. Spontaniczna reakcja słuchaczy, głównie bardzo młodych ludzi, zainspirowała go do zorganizowania profesjonalnej zbiórki pieniędzy. O pomoc poprosił swoich znajomych i przyjaciół – muzyków, którzy zagrali pierwsze koncerty. Tak powstała Orkiestra. Dzisiaj w setkach miejscowości w Polsce i na świecie (w kilku krajach Europy, Afryce, Arktyce i Ameryce Północnej) gra dla chorych dzieci. Tysiące młodych wolontariuszy zbiera pieniądze na ulicach, odbywają się aukcje internetowe. Akcje wspierają firmy, organizacje, zwykli ludzie.

Podczas pierwszego finału (1993 r.) na leczenie chorób serca uzbierano równowartość 2,24 mln złotych. W 2010 r. – na walkę z chorobami nowotworowymi – już 42,88 mln. Fundacja WOŚP co roku ogłasza inny cel zbiórki, organizuje przetargi na sprzęt, rekrutuje wolontariuszy, słowem – kieruje tą wielką machiną społecznego zaangażowania, w którą przerodziła się ta spontaniczna akcja.

W zgodnej opinii socjologów Orkiestra jest fenomenem na skalę światową. Wyrosła na fali euforii towarzyszącej przemianom po upadku komunizmu i powszechnej wówczas wiary w lepsze jutro. Od blisko dwudziestu lat gra każdego roku, i to coraz głośniej, angażując nowe pokolenia młodych ludzi. Fenomenem jest też sam Owsiak – showman, potrafiący mobilizować dziesiątki tysięcy ludzi na żywo i miliony przed telewizorami. Rozmach Orkiestry bierze się bowiem z gigantycznego wsparcia mediów – prasy, radia i telewizji, a ostatnio także Internetu i nowych kanałów komunikacji. Każdy finał jest świętem transmitowanym przez największe stacje, a aukcje i zbiórki toczą się jeszcze długo po jego zakończeniu. Korzyści marketingowe wynikające z dołączenia do „szczytnej akcji" mobilizują wielkie korporacje.

Za pomocą Orkiestry Owsiak realizuje też swoją misję wychowawczą. Już w latach 80. ubiegłego wieku organizował imprezy muzyczne gromadzące tysiące młodych ludzi, którzy poszukiwali możliwości wyrażenia swego buntu. Zainspirowany ideami hippisów z lat 60. Przystanek Woodstock – letnia impreza muzyczna organizowana dla ponad 400 tys. ludzi – jest swoistym podziękowaniem dla młodych wolontariuszy, którzy pół roku wcześniej angażują się w wielotygodniową pracę na rzecz Orkiestry. Rzucone przez Owsiaka wiele lat temu hasło: „Róbta, co chceta!" idealnie trafia w psychikę nastolatków, namawiając do rozumnego buntu i wykorzystując ich szlachetną potrzebę czynienia dobra. Dowodem jest rosnąca popularność Orkiestry i Przystanku Woodstock.

The Great Orchestra of Christmas Charity

The greatest orchestra of human hearts in the world.

■ Jerzy Owsiak podczas finału Wielkiej Orkiestry Świątecznej Pomocy
■ Jerzy Owsiak during the finale of the Great Orchestra of Christmas Charity

AT THE BEGINNING OF JANUARY, and since 1993, the Great Finale of the GOCC unites thousands of people who give concerts across Poland (in recent years also in many places in the world) to collect money to help sick children. Every donor receives a red heart shaped sticker and wearing it is the privilege, duty and honour of every Pole. During the 19 Great Finales of the GOCC which have taken place so far over 430 million zloty have been collected and spent to improve hospital equipment and to help treat sick children.

The leader of the Orchestra is Jerzy Owsiak – a music journalist and organizer of rock concerts. It all began in 1992, during one of his radio broadcasts 'Brum', when he responded to a better medical equipment appeal by cardiac surgeons by encouraging his audience to donate to the Children's Health Center. The spontaneous reaction of the audience, primarily among very young people, inspired him to organize professional fund-raising. He asked his musician friends for help and they organized the first concerts. This was the beginning of the Orchestra which today performs in hundreds of cities and towns in Poland (and a few countries in Europe, Africa, Arctic and North America) to raise money for sick children. Thousands of young volunteers collect money in the streets and the charity action is supported by firms, organizations, and ordinary people – internet auctions are also organized to support the cause.

During the first GOCC Great Finale in 1993, 2,24 million zloty were collected to fight heart disease, and in 2010 the huge amount of 42,88 million zloty was collected to be used to fight cancer. Each year the GOCC announces different fund-raising objectives and manages the organisation of this large social engagement which has grown over the last 20 years – recruiting volunteers and, among other functions, coordinating tenders for equipment.

Sociologists agree that the Orchestra is a world phenomenon. It rose to prominence during the social euphoria and optimism following the demise of communism in Poland. It has been present for nearly twenty years, engaging new generations and organizing bigger and louder concerts every year. The figure of Owsiak is a phenomenon in itself – a showman able to mobilize thousands of people live, with billions of people watching on television. The eager support of the mass media - press, radio, television and recently the Internet and other channels of communication have created the momentum of the event. Each Great Finale is broadcast by the biggest radio and television stations with auctions and funds continuing long after it is over. The marketing benefits of joining the 'good cause' have mobilized many large corporations to be part of the event.

Through the Orchestra's actions Owsiak fulfills his pedagogic task – back in the 1980's he was organizing huge musical festivals for young people who were looking for a way to express their teenage needs. The Woodstock Festival, a summer musical festival inspired by the hippy ideas of the 1960's, attracts more than 400 thousand people each year. It is a form of tribute paid to the young volunteers who work for the orchestra for a few weeks. Owsiak's motto years ago, "Do what you like!" fits the teenage point of view perfectly, encouraging intelligent rebellion and inviting these splendid young people to share their goodness with others – and the enormous popularity of the Orchestra and the Woodstock Festival is the best proof of the success of this mission.

O

Polskie Oscary

W kilkudziesięcioletniej historii nagród polscy filmowcy zdobyli dziesięć statuetek.

PIERWSZYM POLAKIEM uhonorowanym przez Amerykańską Akademię Sztuki i Wiedzy Filmowej w 1942 r. był dyrygent Leopold Stokowski. Choć urodził się w Londynie i nie mówił po polsku, zawsze podkreślał, że tak jak ojciec jest Polakiem. Największe sukcesy odnosił w USA, gdzie m.in. w latach 1912–1941 kierował Filadelfijskimi Symfonikami. Oscara otrzymał za nagranie ścieżki dźwiękowej do animowanej „Fantazji" Walta Disneya (1941).

Kompozytor Bronisław Kaper (1902–1983) nagrodzony został za piosenkę „Hi Lili Hi Lo" z filmu „Lili" (1953). Karierę zaczynał w latach 20. XX w. w warszawskich kabaretach. W 1933 napisał muzykę do filmu Jana Kiepury „Ein Lied für Dich", ze słynnym przebojem „Ninon, ach uśmiechnij się". Dwa lata później był już w Hollywood, gdzie rozpoczął błyskotliwie – od muzyki do „Nocy w operze" z braćmi Marx. Skomponował ścieżki dźwiękowe do kilkudziesięciu filmów.

Kolejnym zdobywcą Oscara, tym razem w kategorii „Najlepszy krótkometrażowy film animowany", był Zbigniew Rybczyński. W nagrodzonym „Tangu" (1982) nałożył na siebie wiele codziennych, powtarzalnych zdarzeń rozgrywających się w jednym pokoju. Po zdobyciu nagrody Rybczyński założył studio pod Nowym Jorkiem. Jako jeden z pierwszych produkował filmy w systemie HD i realizował muzyczne wideoklipy – „Imagine" Johna Lennona z 1986 r. uważany jest za arcydzieło gatunku.

Oscarami uhonorowani zostali również współpracownicy Stevena Spielberga przy „Liście Schindlera": twórcy scenografii Allan Starski i Ewa Braun oraz autor najlepszych zdjęć za 1993 r. Janusz Kamiński. Operator urodził się w 1959 r., z Polski wyjechał 21 lat później. Osiadł w Chicago, gdzie pracował i studiował, potem przeniósł się do Los Angeles. Zaczynał jako asystent operatora, przełomem okazał się film telewizyjny „Dziki kwiat" (1991). To dzięki niemu Steven Spielberg zwrócił uwagę na Polaka i zaproponował mu pracę najpierw przy „Liście Schindlera", a później przy kolejnym swoim filmie „Szeregowcu Ryanie" (1998), który również przyniósł mu Oscara. Kamiński był też nominowany za „Amistad" oraz „Motyl i skafander".

Polish Oscar Winners

■ Janusz Kamiński odbiera nagrodę od Umy Thurman
■ Janusz Kamiński receiving his Oscar from Uma Thurman

Throughout the long history of the Academy Awards, Polish filmmakers have received ten golden statues.

W 2000 r. Andrzejowi Wajdzie przyznano Oscara za całokształt twórczości. Wcześniej były nominowane trzy jego filmy („Ziemia obiecana", „Panny z Wilka", „Człowiek z żelaza"), a później – „Katyń". Złotą statuetką uhonorowano także Romana Polańskiego za reżyserię „Pianisty" (2002). Film oparty jest na okupacyjnych wspomnieniach Władysława Szpilmana, kompozytora żydowskiego pochodzenia.

Polskim zdobywcą Oscara jest też kompozytor Jan A.P. Kaczmarek (ur. 1953). Oscarowy sukces przyniosła mu w 2005 r. ścieżka dźwiękowa do „Marzyciela" Marca Forstera. Prostymi środkami podbudował nastrój opowieści o życiowych perypetiach Jamesa Matthew Barriego, autora „Piotrusia Pana".

Ostatnią – jak na razie – statuetkę otrzymała brytyjsko-polska produkcja „Piotruś i wilk", wyróżniona podczas uroczystości wręczenia 80. Oscarów w kategorii „Najlepszy krótkometrażowy film animowany".

THE FIRST POLE to be awarded by the Academy of Motion Picture Arts and Sciences was the conductor Leopold Stokowski (1942). Although he was born in London and did not speak Polish, he always laid emphasis on his Polish origins. He had achieved major success in the US, where he conducted the Philadelphia Orchestra during the years 1912–1941. He received the Academy Award for composing the score for the Walt Disney film *Fantasia* (1941).

Composer Bronisław Kaper (1902–1983) received the Oscar for writing the song *Hi Lili Hi Lo* for the film *Lili* (1953). He began his career in Warsaw comedy clubs in the 1920's. In 1933 he composed music for Jan Kiepura's film *Ein Lied für Dich* and the song *Ninon, ach uśmiechnij się*. Two years later he was working in Hollywood where his career took off brilliantly – he wrote music for *A Night at the Opera* with the Marx Brothers and music for several dozen other films.

Another Oscar winner, in the category of short animated films, is Zbigniew Rybczyński. In his *Tango* (1982) he plotted many repetitive everyday events which occur in one room. After winning the Academy Award, Rybczyński established his own studio in New York and became one of the first producers to make high definition video films and produce music videos – Rybczyński produced John Lennon's *Imagine*, an experimental film in HDTV (1986) considered a masterpiece.

Academy Awards were also won by stage designers, Allan Starski and Ewa Braun and best photography of 1993 for Janusz Kamiński in Steven Spielberg's *Schindler's List*. The cinematographer was born in 1959 and spent 21 years of his life in Poland. He worked and studied in Chicago and eventually moved to Los Angeles. Kamiński started his filming career as a cinematographer's assistant but achieved groundbreaking success with the *Wildflower* television film (1991). It was this motion picture that attracted Steven Spielberg's attention and convinced him to offer Kamiński work first on *Schindler's List* and later on the Academy Award winning film *Saving Private Ryan* (1998). Kamiński also received an Oscar nomination for *Amistad* and *The Diving Bell and the Butterfly*.

In 2000 Andrzej Wajda was presented with an Oscar for his lifetime achievements. Three of his films had been nominated before (*The Promised Land*, *The Maids of Wilko* and *Man of Iron*), and *Katyń* received a nomination several years later. The golden statue has also been awarded to Roman Polański for *The Pianist* (2002). The film is based on the World War II memoirs of the Jewish pianist, Władysław Szpilman.

Another Polish Oscar winner is the composer, Jan A.P. Kaczmarek (born 1953). His award was for the score of the 2005 *Finding Neverland,* directed by Marc Foster, which enriched the film's wistful storyline of the life of the author of *Peter Pan*, James Matthew Barry.

Up to date, the most recent Academy Award success was a British-Polish collaboration of *Peter and the Wolf*. At the 80th Academy Awards ceremony, the production was chosen as the best short animated film of 2007.

■ Andrzej Wajda ze statuetką, którą otrzymał w 2000 r. za całokształt twórczości
■ Andrzej Wajda in 2000 with the Oscar for his lifetime achievements

O Oscypek i inne produkty regionalne

Tradycyjne smakołyki zarejestrowane w Unii Europejskiej.

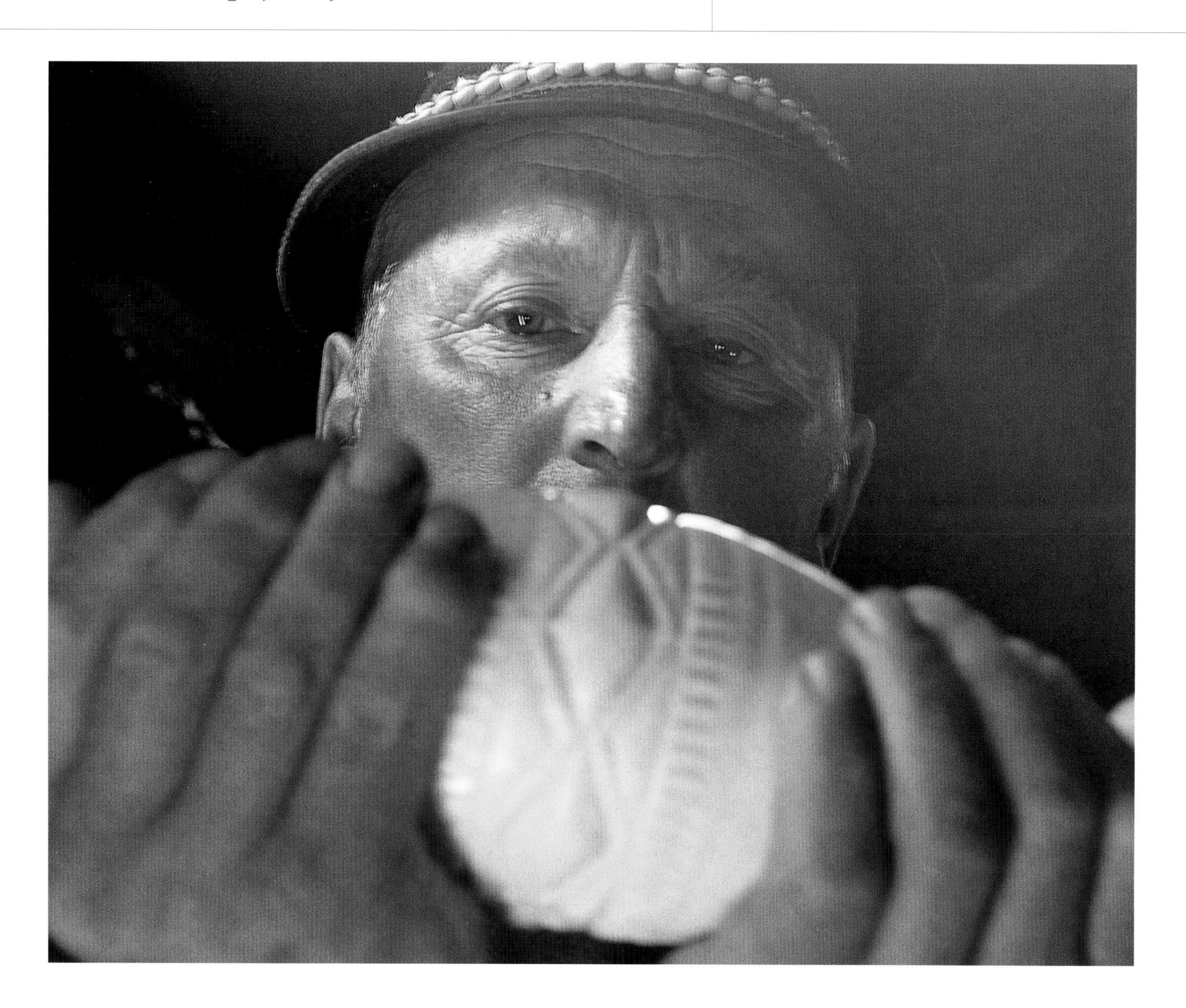

OSCYPEK, BRYNDZĘ, redykołkę, miód spadziowy i wiele innych lokalnych produktów objęto unijnym systemem ochrony. Dzięki niemu polskie wyroby tradycyjne mają szansę zachowania swojej niepowtarzalności, autentyczności i marki oraz ochrony przed nieuczciwą konkurencją. Polska słynie w całej Europie z czystego środowiska oraz ekologicznych produktów i upraw. Zachowały się tu wspaniałe lasy, nieuregulowane rzeki, nieskażone górskie hale. Na terenach tych od wieków powstają tradycyjne produkty, które dzisiaj, wraz ze wzrostem świadomości i większym zainteresowaniem nieprzemysłową żywnością, powracają do łask konsumentów.

Do najlepszych i najbardziej znanych produktów objętych unijną ochroną należą podhalańskie sery owcze: bryndza, oscypek (oszczypek) oraz redykołka. Na górskich halach wciąż prowadzony jest tradycyjny wypas owiec. Pasterze wyruszający latem w góry ze swoimi stadami w poszukiwaniu dobrej paszy od wielu pokoleń wytwarzają według własnych receptur w bacówkach (w których mieszkają na halach) doskonałe sery. Podhalańskie łąki

Oscypek and other regional products

- Najlepiej znanym polskim produktem regionalnym jest góralski oscypek – ser wyrabiany tradycyjnymi metodami z mleka owczego
- The best known Polish regional food product is oscypek – a Tatra Mountains distinctive goat milk cheese made with traditional methods

Traditional delicacies that have been registered by the European Commission.

porastają unikalne rośliny, które – zjedzone przez owce – wpływają na oryginalny smak mleka, a także robionych z niego serów.

Bryndza jest świeżym serem owczym (z dopuszczalną 40-proc. domieszką mleka krowiego), jasnym, o nieco pikantnym i słonym smaku. Oscypek, najbardziej znany ser podhalański, powstaje w wyniku dalszego przetwarzania odciśniętego świeżego sera owczego. Specjalne formy nadają mu charakterystyczny kształt połączonych ze sobą stożków, a proces wędzenia – żółtą barwę i niepowtarzalny smak. Redykołka to niewielki serek powstały z tego, co pozostało po produkcji oscypka. Przybiera różne kształty, zależne od foremek. Tradycyjnie była podarunkiem przynoszonym przez pasterzy jesienią, wraz z nadejściem redyku.

Polska słynie też z doskonałych miodów. Unijną ochroną objęty jest podkarpacki miód spadziowy, wytwarzany przez pszczoły ze spadzi jodły pospolitej. Oznaczenie „Gwarantowana Tradycyjna Specjalność" otrzymały też polskie miody pitne: czwórniak, trójniak, dwójniak i półtorak oraz inne wyroby, m.in. olej rydzowy i pierekaczewnik. Na liście produktów chronionych znalazły się także wiśnia nadwiślańska (podobnie jak sery podhalańskie i miód spadziowy oznaczana jest znakiem „Chroniona Nazwa Pochodzenia"), kiełbasa lisiecka, wielkopolski ser smażony, miód kurpiowski, miód wrzosowy z Borów Dolnośląskich, fasola korczyńska, truskawka kaszubska, suska sechlońska, andruty kaliskie, rogal świętomarciński (wszystkie mają symbol „Chronione Oznaczenie Geograficzne").

Ponadto w każdym regionie kraju wytwarza się wiele doskonałych wyrobów, wpisywanych na przykład na Listę Produktów Regionalnych Ministerstwa Rolnictwa. Bogactwo wędlin, produktów mlecznych i zbożowych, alkoholi, olejów, kiszonek, przetworów, miodów czy deserów może przyprawić o zawrót głowy, a czasem także o ból brzucha. Odkrywanie kulinarnego dziedzictwa jest jednak fascynującą przygodą i okazją do poznania tradycyjnej Polski i jej lokalnych kultur.

OSCYPEK, SHEEP'S MILK CHEESE, bryndza, redykołka and honeydew honey as well as many other local products are now protected under EU legislation. Today Polish traditional products have a chance of maintaining their unique quality, their authenticity and trade mark and will be protected against unreasonable competition. Poland is well-known in Europe for its unpolluted environment, its natural farming and ecological products. Magnificent woods and forests, non-regulated rivers and pristine mountain meadows are protected in Poland. Traditional products that have been made here for centuries are now gaining the attention of consumers and raising consciousness and interest in organic food.

Among the tastiest and most well-known products that have been registered with the EU are cheeses made in the Tatra region: *bryndza*, *oscypek* (also called *oszczypek*) and *redykołka*. Traditional grazing of sheep still takes place on hillside meadows and during the summer shepherds take their herds up into the mountains looking for better pastures. This results in the excellent cheeses which have been made in this region for generations.

Bryndza is fresh sheep cheese (cow milk cannot constitute more than 40% milk used for its production) pale in colour and spicy-salty in taste. *Oscypek*, the most famous Tatra sheep cheese, is made when freshly rinsed cottage cheese is squeezed and then placed into special forms which gives it its characteristic bicorn shape. Smoking gives it that yellow colour and its inimitable taste. *Redykołka* is a small cheese made from the byproduct of oscypek manufacture. It takes various shapes depending on the forms used. Traditionally it was offered as a gift brought by shepherds in autumn when the winter transhumance of sheep began.

Poland is also famous for its excellent honey. Sub – Carpathian honeydew honey made by bees pollinating fir trees is protected by EU legislation. The *Traditional Specialty Guaranteed* mark has been awarded to Polish meads: *czwórniak*, *trójniak*, *dwójniak* and *półtorak* and to other products such as camelina oil and *Pierekaczewnik*. Nadwiślanka cherry (which is marked with *Protected Designation of Origin* as are the Tatra cheeses and honeydew honey) lisiecka sausage, fried cheese from Wielkopolska, kurpiowski honey, heather honey from Bory Dolnośląskie, Korczyn beans, Kaszubska strawberries, *suska sechlońska* (a kind of sausage) Calisian wafers and Saint Martin's Day croissant, are all listed under the *Protected Geographical Indication*. Many other delicious products are made in every region of Poland. They are on the Ministry of Agriculture List of Regional Products. The selection of cold meats, dairy products, alcoholic beverages, oils, pickles, preserves, honeys and desserts can sometimes give you a headache, or if you overdo it, a stomach ache.

Discovering the cultural heritage of Poland is a fascinating journey and at the same time an opportunity to encounter the traditions and local cultures of the country.

P

Miejsca **pamięci** na świecie

Po całym świecie rozsiane są miejsca, które „zamiast rosy piły polską krew...".

CHOĆ SŁOWA PIEŚNI „Czerwone maki na Monte Cassino" dotyczą żołnierzy walczących we Włoszech, odnieść je można do wielu cmentarzy i grobów, głównie z okresu II wojny światowej. Otoczone opieką władz i zwykłych ludzi, przypominają czasy, gdy o wolność Polski biliśmy się na cudzej ziemi lub składaliśmy daninę krwi na ołtarzu bezlitosnych totalitaryzmów.

Katyń, Miednoje, Ostaszków – to nazwy przez dziesięciolecia PRL nieobecne w oficjalnej historiografii. W wyniku tajnej decyzji Biura Politycznego rosyjskiej partii komunistycznej z 5 marca 1940 r. w Związku Radzieckim w planowy sposób wymordowano około 22 tys. polskich jeńców – oficerów i urzędników państwowych. Ofiary spoczęły w zbiorowych mogiłach w Katyniu pod Smoleńskiem, w Miednoje koło Tweru, w Piatichatkach na przedmieściach Charkowa i innych miejscach kaźni.

Tragizm zbrodni pogłębiał fakt, że Sowieci po odkryciu grobów katyńskich przez Niemców

Places of remembrance in the world

Places of remembrance, which 'drank Polish blood instead of dew', can be found all around the world.

w 1943 r. – zrzucili winę na hitlerowców. Alianci początkowo przyjęli tę kłamliwą wersję, była bowiem wygodna i ułatwiała niezbędny w czasie wojny dialog z ZSRR. Dopiero 50 lat później Polacy oficjalnie usłyszeli od Rosjan, że decyzję podejmował osobiście szef państwa radzieckiego Józef Stalin, a wykonywali jego najbliżsi współpracownicy. Kwestie odpowiedzialności za tę zbrodnię przeciwko ludzkości do dzisiaj nie zostały uregulowane.

Zbrodnia katyńska kładła się cieniem na powojennych losach Polski (to kolejna hekatomba krwi polskiej inteligencji w XX w.) i stosunkach ze Związkiem Radzieckim, a później z Rosją. Miała też swoje złowieszcze memento 10 kwietnia 2010 r., kiedy to w katastrofie samolotu na lotnisku w Smoleńsku zginęło 96 członków polskiej delegacji udającej się na obchody 70. rocznicy zbrodni, w tym prezydent Lech Kaczyński, dowódcy sił zbrojnych, członkowie rządu, parlamentarzyści, krewni ofiar sprzed ponad pół wieku.

Wieńce z biało-czerwonymi szarfami składamy każdego roku w dziesiątkach miejsc, w których z bezprzykładnym bohaterstwem walczyli polscy żołnierze na frontach II wojny światowej. Do najważniejszych należą: Narwik w Norwegii (gdzie w 1940 r. w bitwie morskiej brały udział trzy polskie niszczyciele: „Błyskawica", „Burza" i „Grom", a potem walczyła Samodzielna Brygada Strzelców Podhalańskich), Tobruk w północnej Afryce (w 1941 r. Samodzielna Brygada Strzelców Karpackich pod dowództwem gen. Stanisława Kopańskiego uczestniczyła w obronie Tobruku) oraz Monte Cassino nieopodal Rzymu, gdzie znajdują się prochy żołnierzy 2. Korpusu Polskiego i ich dowódcy, gen. Władysława Andersa.

Droga do polskiej wolności była bardzo długa i kręta. A dla wielu żołnierzy Polskich Sił Zbrojnych na Zachodzie – wręcz zamknięta, bowiem zwycięstwo w II wojnie światowej miało dla Polaków gorzki smak. Na skutek politycznych decyzji przywódców Wielkiej Brytanii, USA i ZSRR Europę przedzieliła żelazna kurtyna i tysiące Polaków nie mogło powrócić do domu. Ich groby pozostały poza ojczyzną. Ale nie poza zbiorową pamięcią narodu, w której mają swe miejsce na zawsze.

ALTHOUGH THE WORDS OF THE SONG 'The Red Poppies on Monte Cassino' are about the fallen soldiers who fought in Italy, they can also refer to other numerous cemeteries and graves, mainly from World War II. These cemeteries are cared for by the local authorities and the people of the region. They are a reminder of the times when Polish soldiers fought for Poland's freedom on foreign soil and were the bloody sacrifices on the altars of brutal totalitarianism.

From 5 March 1940 22,000 Polish prisoners, officers and state officials, were cold bloodily murdered by decision of the Political Bureau of the Russian Communist Party. They lie in mass graves in Katyń near Smolensk, Mednoye near Tver, Piatykhatky on the outskirts of Kharkov and other sites where Poles were murdered. Katyń, Mednoye, Piatykhatky, Ostaszków – are names which during the communist decades were absent in any official Polish history.

The tragedy of the Katyń crime was aggravated further by the Soviets who, after the Germans had discovered the mass graves in 1943, blamed the Nazis for the atrocities. The Allied Forces initially accepted this false version, as at the time it was a convenient lie and facilitated dialogue with the USSR, a necessity during this phase of WWII. Some 50 years later the Russians revealed that the decision had been made by the head of the Soviet state – Joseph Stalin and had been carried out by his NKVD collaborators. The question of the responsibility for this crime against humanity has still not been resolved.

The Katyń crime was a shadow cast over the post-war history of Poland (yet another bloody hecatomb of Polish intelligentsia) and its relations with the Soviet Union, and later Russia. This shadow still seemed present seventy years later on the 10 April 2010 when the plane taking 96 high ranking Polish officials including the Polish President Lech Kaczyński, military commanders, members of parliament and relatives of the Katyń victims crashed killing all onboard. They were on their way to pay homage to those murdered at Katyń.

Wreaths of white and red are laid every year in the many places where Polish soldiers fought heroically on all the fronts of World War II. Narvik in Norway, a battle at sea in 1940 – three Polish destroyers 'Błyskawica' (Lightening) 'Burza' (Storm) and 'Grom' (Thunder) the Samodzielna Brygada Strzelców Podhalańskich - Polish Independent Highland Brigade - fought there also and later, in 1941, at the defence of Tobruk in North Africa under the command of Gen. Stanisław Kopański. The 2nd Polish Corps fought at Monte Cassino where today many of them lie buried, with their commander Gen. Władysław Anders.

Poland's road to freedom has been very long and torturous. For many soldiers of the Polish Armed Forces in the West this road had no end and victory had a bitter taste. The Yalta agreement between Great Britain, USA and USSR, resulted in an 'Iron Curtain' separating eastern and western Europe for some 50 years and thousands of Poles never returned home. Their graves remain outside their homeland but they will always be remembered in the collective memory of the nation in which they have their place forever.

■ Obchody 65. rocznicy walk o Monte Cassino w 2009 r. z udziałem prezydenta Lecha Kaczyńskiego

■ The sixty-fifth anniversary of the battle of Monte Casino attended by the President Lech Kaczyński in 2009

P Piłkarze

Deyna, Lato, Boniek, Dudek – gwiazdy polskiego futbolu.

■ Zbigniew Boniek w akcji, podczas meczu Old Stars w 1995 r.
■ Zbigniew Boniek in action during the Old Stars Game in 1995

CHOĆ POLSKA PIŁKA NOŻNA od lat pogrążona jest w kryzysie, wciąż żywo wspomina się wielkie wydarzenia i wspaniałych sportowców, którzy zachwycali kibiców na całym świecie. Dzisiaj nasi najlepsi piłkarze grają w zagranicznych klubach.

Symbolem polskiego futbolu jest bez wątpienia Zbigniew Boniek: człowiek, który zrobił zawrotną karierę także poza granicami kraju. Wyjechał na Zachód jeszcze jako stosunkowo młody człowiek, co w czasach PRL (kiedy grał) nie było częste. Wielu wybitnych piłkarzy, o których starały się największe kluby świata z Realem Madryt na czele, nie otrzymało zgody na wyjazd. A jak ją dostawali, to po trzydziestce, czyli pod koniec kariery piłkarskiej. Tymczasem Boniek przeszedł z Widzewa Łódź do Juventusu Turyn w 1982 r., mając zaledwie 26 lat. Stworzył tam niezwykły duet z napastnikiem Michelem Platinim, późniejszym przyjacielem, i poprowadził drużynę do zwycięstwa w Pucharze Zdobywców Pucharów w 1984 r. i rok później w Pucharze Europy.

Kariera klubowa stała się konsekwencją wielkich osiągnięć z reprezentacją. Zbigniew Boniek był kluczowym zawodnikiem podczas Mistrzostw Świata w 1982 r. w Hiszpanii, kiedy polska kadra zajęła trzecie miejsce. W tym samym roku w prestiżowym plebiscycie magazynu „France Football" na najlepszego piłkarza Europy zajął trzecie miejsce. Wszystkie te osiągnięcia Boniek umiał doskonale wykorzystać: pewny siebie, inteligentny, dowcipny, chętnie zapraszany przez telewizję, stał się osobą powszechnie znaną nie tylko w Polsce i Włoszech, ale i w całym futbolowym świecie.

Zupełnie inaczej potoczyła się kariera Kazimierza Deyny (1947–1973), uważanego za najlepszego polskiego piłkarza. Wielkie sukcesy w reprezentacji (mistrz olimpijski z 1972 r., trzecie miejsce na Mistrzostwach Świata w 1974, wicemistrz olimpijski z 1976) i uznanie w świecie (trzeci najlepszy zawodnik Europy w 1974 według magazynu „France Football") nie przełożyły się na międzynarodowy sukces ligowy. Choć starały się o niego największe kluby na świecie, nie pozwolono mu na wyjazd z kra-

Football players

■ Polska reprezentacja podczas mistrzostw świata w 1974 r.
■ Polish national team at the World Cup in 1974

Deyna, Lato, Boniek, Dudek – stars of Polish football.

ju. Zgodę dostał dopiero w 1978 r. Jako 31-letni piłkarz przybrał barwy słynnego Manchesteru City. Swoją karierę zakończył w USA.

Świat wciąż pamięta także o innych niezwykłych piłkarzach sprzed lat. Są wśród nich: Grzegorz Lato (król strzelców niemieckiego mundialu), Józef Młynarczyk (zdobywca Pucharu Europy z FC Porto w 1987 r.), Andrzej Szarmach (legenda francuskiego AJ Auxerre) czy Włodzimierz Lubański. Dzisiaj również wielu piłkarzy swoim talentem wspiera europejskie kluby (Kuba Błaszczykowski, Łukasz Fabiański, Artur Boruc). Jerzy Dudek był nawet bohaterem dramatycznego finału Ligi Mistrzów w 2005 r. Jego niezwykły taniec w bramce podczas decydującej serii rzutów karnych (tzw. *Dudi dance*) na trwałe wszedł do historii światowego futbolu i uczynił z Dudka osobę rozpoznawalną na całym globie.

ALTHOUGH POLISH FOOTBALL has been in crisis for years, the greatest successes and outstanding athletes who delighted fans across the world are still vividly recalled. Nowadays, the best Polish footballers play in foreign clubs.

One man, who made a brilliant career abroad, Zbigniew Boniek, is undoubtedly the symbol of Polish football. He set off for Western Europe at a relatively young age, which was rare during the period of Polish communism. Many excellent players, who were wanted by the world's biggest clubs, were denied permission to leave the country. And when they were finally given it, they were already in their thirties and towards the end of their football career. However, Boniek was transferred from Widzew Łódź to Juventus Turin in 1982, when he was only 26 years old. He formed a brilliant duo with forward striker player and his future friend Michel Platini, and led the team to win the UEFA Cup Winners' Cup in 1984, and the UEFA Cup one year later.

His club career was a natural consequence of what he had achieved with Poland's national team. Zbigniew Boniek was its key player during the 1982 World Cup in Spain, when Poland won third place. During that same year, the prestigious, *France Football*, plebiscite chose him as the 3rd best European player of the year. Boniek knew how to make good use of his achievements. Self-confident, intelligent, witty and popular with television, Boniek became a celebrity not just in Poland and Italy, but around the entire football-interested world.

The career of Kazimierz Deyna, considered the best Polish football player, followed an entirely different direction. Remarkable success with the national team (Olympic champion in 1972, 3rd place in the World Cup 1974, Olympic vice champion in 1976) and international recognition (Euro Cup 1974 3rd best player, according to *France Football*) did not translate into international league triumph. The most important clubs in the world wanted him, but he was not allowed to leave Poland until 1978. As a 31-year-old player, he wore the colours of the famous football club Manchester City. He ended his career in the USA.

People around the world still remember other former outstanding players: Grzegorz Lato (best scorer of the World Cup in Germany), Józef Młynarczyk (UEFA Cup winner with FC Porto in 1987), Andrzej Szarmach (the legend of French AJ Auxerre) or Włodzimierz Lubański. Today, many players contribute their skills in European teams (Kuba Błaszczykowski, Łukasz Fabiański, Artur Boruc). Jerzy Dudek was the hero of the dramatic Champions League final in 2005, when his peculiar dance and saves between the goal posts (the so-called *Dudi Dance*) during the series of penalty kicks has gone down in history and brought Dudek international fame.

■ Moneta kolekcjonerska z podobizną Zbigniewa Bońka
■ Collector's coin with the image of Zbigniew Boniek

P Józef **Piłsudski**

Całe życie podporządkował idei przywrócenia Polsce wolności.

■ Portret marszałka Józefa Piłsudskiego, lata 20.
■ Portrait of Marshal Józef Piłsudski from the 1920's

NACZELNIK PAŃSTWA (1918–1922), Pierwszy Marszałek Polski i dwukrotny premier (1926–1928 oraz 1930), miał ogromny wpływ na odzyskanie niepodległości po 123 latach zaborów (w 1918) i kształt granic II Rzeczypospolitej.

Józef Piłsudski (1867–1935) już w czasie studiów medycznych w Charkowie rozpoczął działalność konspiracyjną w organizacjach niepodległościowych. Konspiracja, aresztowania, zsyłka na Sybir, działalność w ruchu socjalistycznym, tworzenie oddziałów zbrojnych, czyny bojowe i gry polityczne – wszystko to pchało Piłsudskiego w wir, który zmiatając porządek Kongresu Wiedeńskiego, przeorał Europę i stworzył szansę na restytucję Rzeczypospolitej.

Podczas I wojny światowej dowodził I Brygadą Legionów Polskich. Odmowa przysięgi Legionów na wierność cesarzowi niemieckiemu w 1917 r. doprowadziła do osadzenia go w twierdzy w Magdeburgu. Jego legenda rosła. Po powrocie do Warszawy, jak pisał historyk Andrzej Garlicki, „władza pchała się do rąk Piłsudskiemu zewsząd". Zaangażował się w tworzenie zrębów państwa polskiego, a widząc zagrożenie płynące ze wschodu, chciał położyć tamę rosyjskiej rewolucji. Dowodził w Bitwie Warszawskiej (1920), która zatrzymała pochód bolszewików na zachód.

Pomimo zwycięstwa Marszałkowi nie udało się stworzyć federacyjnej Rzeczypospolitej i Konfederacji Międzymorza, która broniłaby narody od Bałtyku do Morza Czarnego przed imperializmem rosyjskim. Zbrojne zajęcie Wilna, brak porozumienia z Ukraińcami (w 1921 r. usiłował go zabić ukraiński nacjonalista Stiepan Fedak) i kwestie narodowościowe w II Rzeczypospolitej kładły się cieniem na polityce państwa.

Piłsudski nie mógł się też pogodzić z szachrajstwami politycznymi licznych partii, które oskarżał o wyprzedawanie polskiego interesu narodowego. Zniechęcony osiadł w Sulejówku pod Warszawą, aby wrócić do Warszawy w maju 1926 r. na czele wiernych mu wojsk i dokonać zamachu stanu. Odtąd Rzeczpospolita była rządzona sprawniej, lecz autorytarnie. Rządy sanacyjne (*sanatio* – uzdrowienie) trwały aż do wybuchu II wojny światowej.

Józef Piłsudski

A life devoted to the restoration of Poland's independence.

- „Marszałek Józef Piłsudski na Kasztance" – olej na płótnie Wojciecha Kossaka, ze zbiorów Muzeum Narodowego w Warszawie
- Marshal Józef Piłsudski astride his mare, Kasztanka. Painting by Wojciech Kossak from the collection of the National Museum in Warsaw

HEAD OF STATE (1918–1922) the 'First Marshall' and twice Prime Minister (1926 –1928 and 1930) Piłsudski was an important figure in the restoration of Poland's independence (from 1918) after 123 years of partition and the fixing of the borders of the Second Republic of Poland.

Józef Piłsudski (1867–1935) as a student of medicine in Kharkov became involved in the plans and activity of independence organisations. Conspiracy, exile to Siberia, socialist movement activity, forming military units, military activity and political ploys – all pushed Piłsudski into rearranging the decisions of the Congress of Vienna to allow for the rebirth of Poland.

During World War I he commanded the Brigade of the Polish Legions. Refusing to swear allegiance to the German Kaiser he was imprisoned in the Magdeburg Fortress. The Piłsudski legend grew steadily and after his return to Warsaw, "power willingly flowed into Piłsudski's hands", as historian Andrzej Garlicki described it. He became involved in the formation of parts of the Polish state and wanted an end to the Russian Revolution which he considered a threat. He was commander at the Battle of Warsaw (1920) which stopped the Bolshevik march to the west.

In spite of being victorious, the First Marshall was unable to form a federal Polish Republic and the Intermarum Confederation which were to defend the nations from the Baltic to the Black Sea against Russian imperialism. The military occupation of Vilnus, tension with Ukraine (following the 1921 attempt on Piłsudski's life by a Ukrainian nationalist, Stiepan Fedak) and the nationalistic issues within the Second Polish Republic overshadowed state politics.

Piłsudski could not reconcile himself to the corruption of the numerous political parties which he accused of trading off Polish interests. Discouraged, he settled in Sulejówek, only to return to Warsaw in May 1926, leading his loyal supporters in a coupe d'etat. The resulting Polish government was more efficient, but authoritarian. The Sanation administration (sanatio means 'healing' in Latin) lasted until the outbreak of World War II.

Just before Hitler took power in 1932, Piłsudski attempted to convince France to take part in a preventive strike on Germany, but his plan was rejected. He saw through French politics very well ("France will abandon us, France will betray us") and aimed at developing a policy of 'even distances' between Poland, Russia and Germany, later continued by minister of foreign affairs, Józef Beck, within the 'Third Europe' framework. This policy extended from the Baltic Republics to Romania, Hungary and Yugoslavia and was to protect these countries from communist Russia and fascist Germany.

After Piłsudski's death in 1935, the Sanation representatives initiated the cult of the Marshall. He was certainly a controversial figure, but his unswerving devotion to creating a strong Polish state cannot be questioned. Fortunately, he did not live long enough to witness the defeat of Poland in the 1939 September Campaign and a new partitioning of Poland by Nazi Germany and Stalin's Soviet Union which he had devoted his life to preventing. Today, his life and legacy are presented in the Museum of Independence in Krakow.

Tuż przed dojściem Hitlera do władzy w 1932 r. Piłsudski usiłował namówić Francję na prewencyjne uderzenie na Niemcy. Spotkał się z odmową. Niezwykle trafnie odczytywał ówczesną politykę międzynarodową („Francja nas porzuci, Francja nas zdradzi") i dlatego usiłował tworzyć politykę „równych odległości" między Polską a Rosją i Niemcami, kontynuowaną przez ministra spraw zagranicznych Józefa Becka jako koncepcja „Trzeciej Europy". Rozciągała się ona od republik nadbałtyckich przez Rumunię, Węgry po Jugosławię i miała chronić te państwa przed czerwoną Rosją i faszystowskimi Niemcami.

Po śmierci Piłsudskiego w 1935 r. władze sanacyjne ustanowiły kult Marszałka. Jego osoba wywoływała wiele kontrowersji, ale nie można mu odmówić niezwykłego poświęcenia w tworzeniu silnej Polski. Szczęśliwie nie dożył klęski we wrześniu 1939 r. i kolejnego rozbioru Rzeczypospolitej przez hitlerowską III Rzeszę i stalinowski ZSRR, przed czym tak usilnie starał się Polskę bronić. Dziś jego życie i działalność przybliża Muzeum Czynu Niepodległościowego w Domu im. Józefa Piłsudskiego w Krakowie.

Henryk Sienkiewicz i Władysław Reymont – autorzy noblowskich powieści.

■ Henryk Sienkiewicz w swoim gabinecie, grawiura
■ Engraving of Henryk Sienkiewicz in his study

KAŻDY POLAK zna Henryka Sienkiewicza (1846–1916) i Władysława Reymonta (1867–1925). Ich powieści są lekturami obowiązkowymi w polskich szkołach. W świecie zasłynęli dzięki dziełom „Quo vadis" (Sienkiewicz) i „Chłopi" (Reymont), które okazały się powieściami na miarę Nobla.

Henryk Sienkiewicz żył w czasach, kiedy Polska była wymazana z mapy świata. Wzrastał przepojony ideałami patriotycznymi. Po upadku powstania styczniowego jego pokolenie chciało służyć narodowi codzienną pracą, więc Henryk Sienkiewicz (absolwent wydziału filologiczno-historycznego) zadebiutował w 1869 r. w warszawskiej prasie. Zwrócił na siebie uwagę felietonami, a w latach 70. XIX w. „Listami z podróży do Ameryki". Sławę zyskał, gdy w 1883 r. zaczął publikować w odcinkach „Ogniem i mieczem", „Potop" i „Pana Wołodyjowskiego". Ukończona w ten sposób w 1888 r. „Trylogia" okazała się mistrzowskim połączeniem powieści przygodowej z romansem historycznym. Opisane w niej wydarzenia z lat 1648–1673, kiedy Rzeczpospolitą nękały wojny i zagrożenia, ale wychodziła z nich zwycięsko, miały służyć umocnieniu nastrojów patriotycznych.

„Trylogię" pokochali wszyscy, tak jak późniejszych „Krzyżaków" – powieść o walce z niemieckim zakonem, zwieńczonej zwycięstwem pod Grunwaldem. W 1900 r. Sienkiewicz otrzymał od narodu dworek w Oblęgorku koło Kielc (obecnie znajduje się tam jego muzeum). Uznanie międzynarodowe przyniosła mu powieść „Quo vadis", publikowana w latach 1895–1896. Przedstawił w niej Rzym czasów Nerona, początki chrześcijaństwa oraz prześladowania jego wyznawców. Kiedy w 1905 r. Henrykowi Sienkiewiczowi przyznano Nagrodę Nobla, werdykt uzasadniono wybitnymi osiągnięciami w literaturze epickiej, ale decydujące znaczenie miała popularność powieści „Quo vadis". Przetłumaczono ją na ponad 50 języków. W 1912 r. powstała jej pierwsza ekranizacja, słynna była też hollywoodzka produkcja z 1951 r. (osiem nominacji do Oscara). W 2001 r. „Quo vadis" nakręcił też Jerzy Kawalerowicz.

Dłuższą drogę do literatury przebył Władysław Stanisław Reymont. Najpierw był aktorem, potem pracował na kolei. Jako pisarz zadebiutował w warszawskim „Głosie" nowelą „Śmierć" (1892).

Polish Nobel Prize laureates in literature

■ Portret Władysława Reymonta wykonany między 1910 a 1915 r., Muzeum Literatury w Warszawie
■ Portrait of Władysław Reymont painted between 1910 and 1915 from the collection of the Museum of Literature in Warsaw

Henryk Sienkiewicz and Władysław Reymont – two Nobel Prize authors.

W ciągu następnych 10 lat stworzył cztery duże powieści: „Komediantkę" z opisem swych aktorskich doświadczeń, modernistyczne „Fermenty", a przede wszystkim „Ziemię obiecaną", która zyskała rozgłos dzięki wersji filmowej Andrzeja Wajdy, oraz „Chłopów" publikowanych w odcinkach w latach 1902–1906.

Akcja każdego z czterech tomów „Chłopów" toczy się o innej porze roku. Autor, opisując Lipce, stworzył barwny portret społeczności wiejskiej z obowiązującą w niej hierarchią. Wykorzystał elementy gwary ludowej, ale jednocześnie pokazał wieś uniwersalną, w której rządzą odwieczne prawa. Zapewne dlatego powieść spodobała się również poza Polską. Za tę epopeję Władysław St. Reymont otrzymał w 1924 r. Nagrodę Nobla. Dziś w rozsławionych w powieści Lipcach Reymontowskich działa muzeum regionalne z pamiątkami związanymi z pisarzem.

EVERYONE IN POLAND has heard of Henryk Sienkiewicz (1846–1916) and Władysław Reymont (1867–1925). Their novels appear on required reading lists in Polish schools. Their international fame is a result of their masterpieces *Quo Vadis* (Sienkiewicz) and *Chłopi* (Reymont).

Henryk Sienkiewicz lived during times when Poland did not exist on the map of Europe yet he grew up imbued with patriotic ideals. After the collapse of the January Uprising, his generation wanted to serve the nation through their ordinary, everyday work. Thus in 1869 Sienkiewicz, a graduate student of philology and history, made his literary debut in one of Warsaw's newspapers. He drew the attention of readers with his feature articles and in the 1870's with his *Letters from a Journey to America*. In 1883 he began publishing in instalments three successive novels *Ogniem i mieczem* (*With Fire and Sword*) *Potop* (*The Deluge*) and *Pan Wołodyjowski* (*Pan Michael*) and it was these books that brought him fame and recognition. *The Trilogy* eventually completed in 1888, proved to be a literary tour de force mixing the adventure genre with historical romance. In this masterpiece, Sienkiewicz depicted events from 1648 to 1673, a time when the Republic of Poland, although constantly plagued by wars and disasters, seemed invincible – the author's motivation for writing the novels was to strengthen the spirit of patriotism in the nation.

The Trilogy was very popular and Sienkiewicz's later novel *Krzyżacy* (*The Teutonic Knights*) about the war with the Teutonic Order was also a great success. In 1900 the writer received a manor house from his fellow countrymen in Oblęgorek near Kielce (today the building houses a museum). He gained international recognition with *Quo Vadis* published in instalments between 1895 and 1896. Set in Rome under the rule of the Emperor Nero, the novel describes the beginnings of Christianity and the persecution of the Christians. The popularity of the book, beyond any doubt, helped Sienkiewicz win the Nobel Prize in 1905, although officially he was awarded because of his achievements as an epic writer. *Quo Vadis* was translated into more than fifty languages. It was adapted for the silver screen for the first time in 1912; the famous Hollywood version from 1951 was nominated for eight Academy Awards. In 2001 Jerzy Kawalerowicz directed yet another version of *Quo Vadis*.

Władysław Stanisław Reymont's road to literary success was somewhat longer. He tried his hand at acting, and then he worked at a train station. He made his literary debut with a novella entitled *Śmierć* (*Death*) which appeared in the Warsaw newspaper *Głos* (*The Voice*) in 1882. Within the next decade he produced four epic novels: *Komediantka* (*The Deceiver*) where he described his acting experience, *Fermenty* (*Ferments*) written in the modernist style, and, most importantly *Ziemia obiecana* (*The Promised Land*) which has gained popularity today thanks to the film adaptation by Andrzej Wajda, as well as, *Chłopi* (*The Peasants*) published in instalments between 1902 and 1906. .

Chłopi is divided into four volumes comprising all the four seasons of the year. The book vividly describes the village of Lipce and its inhabitants, along with all the hierarchical relationships binding the community. In his work Reymont incorporated many elements of the local peasants' speech, at the same time creating a picture of a universal village with its unalterable laws. It was because of its detailed description of peasant life that the book received the positive interest of readers outside Poland. In 1924 this epic novel won the Nobel Prize for its author. Today in the village of Lipce Reymontowskie there is a regional museum exhibiting a collection of memorabilia associated with the writer.

P Poeci nobliści

Czesław Miłosz i Wisława Szymborska – jedne z największych indywidualności poetyckich współczesnego świata.

CZESŁAW MIŁOSZ (1911–2004) i Wisława Szymborska to dwie bardzo różne osobowości literackie. Ale to dzięki nim, w epoce kultury masowej, znów zaczęliśmy czytać wiersze.

Kiedy w 1980 r. Czesław Miłosz otrzymał Nagrodę Nobla, dużo lepiej znany był za granicą niż w kraju. Od 1951 r., gdy jako I sekretarz ambasady Polski w Paryżu poprosił o azyl polityczny, był na indeksie autorów zakazanych. Co prawda jego książki wydawane na Zachodzie przemycano do kraju, ale docierały one do nielicznych. Należne mu miejsce odzyskał w 1980 r. – na odsłoniętym w Gdańsku pomniku Poległych Stoczniowców, ofiar robotniczego buntu z grudnia 1970 r., wyryto słowa z jego wiersza: „Który skrzywdziłeś człowieka prostego... ".

Urodził się w Szetejniach na Litwie – kraj lat dziecinnych opisał w „Dolinie Issy". Z komunizmem rozliczył się w „Zniewolonym umyśle" i „Rodzinnej Europie", ale dziedziną mu najbliższą była

Nobel Prize laureate poets

■ Wisława Szymborska i Czesław Miłosz podczas Dni Literatury na Zamku Królewskim w Warszawie
■ Wisława Szymborska and Czesław Miłosz during the Days of Literature at the Royal Castle in Warsaw

nie proza, lecz poezja. Pierwsze tomiki opublikował w latach 30., międzynarodowe uznanie zaczął zdobywać po 1960 r., gdy przeniósł się do Stanów Zjednoczonych i został profesorem literatury w University of California w Berkeley. Miał doktoraty honoris causa wielu uczelni w USA, Polsce i na Litwie. W twórczości zwracał się często ku przeszłości, bo jak powiedział podczas uroczystości z okazji otrzymania Nagrody Nobla: „powołaniem ludzi z naszej części Europy jest pamięć, ponieważ być może nie ma innej pamięci niż pamięć ran". Do końca życia był twórczy i aktywny. W 1997 r. wydał znakomity tomik „Piesek przydrożny", zacierający granicę między poezją a prozą. A po stracie żony, Carol, napisał piękną wersję „Orfeusza i Eurydyki".

Na tym tle dorobek Wisławy Szymborskiej, urodzonej w 1923 r. w Bninie pod Poznaniem, prezentuje się skromnie. To zaledwie około 250 wierszy, ale niemal każdy z nich jest arcydziełem. Pierwszy ważny tom, „Wołanie do Yeti", ukazał się w 1957 r., ostatni – jak na razie – w 2009 („Tutaj"). Po otrzymaniu Nagrody Nobla w 1996 r. zamilkła na kilka lat, wystraszona medialnym szumem. Skromne życie w ukochanym Krakowie stało się już niemożliwe.

Wisława Szymborska to jedna z największych indywidualności poetyckich współczesnego świata. Jej twórczość ma charakter uniwersalny, dlatego we Włoszech tomiki polskiej autorki osiągnęły łączny nakład ponad 100 tys. egzemplarzy, a w Hiszpanii „Tutaj" znalazł się na pierwszym miejscu najlepszych książek poetyckich roku.

Szymborska nie stawia się nigdy ponad czytelnikiem, nieustannie dziwi się światu i zadaje pytania. W odczycie wygłoszonym w Sztokholmie w 1996 r. powiedziała: „Poeta, jeśli jest prawdziwym poetą, musi ciągle powtarzać sobie: nie wiem. Każdym utworem próbuje na to odpowiedzieć, ale kiedy tylko postawi kropkę, już ogarnia go wahanie". Nie unika spraw fundamentalnych dla egzystencji człowieka, ale niezmiennie jest zachwycona urodą życia. Jej wiersze pełne są lirycznego humoru i dystansu do samej siebie. A prostota języka łączy się z jego wyrafinowaniem.

Czesław Miłosz and Wisława Szymborska – two major personalities in the contemporary world of poets and poetry.

CZESŁAW MIŁOSZ (1911–2004) and Wisława Szymborska are two distinct literary personalities, but they do have one thing in common: in the age of mass culture, it is thanks to them that we are reading poetry again.

When in 1980 Czesław Miłosz received the Nobel Prize, he enjoyed wider recognition outside Poland than in his own country. In 1951, as the first secretary of the Polish embassy in Paris, he applied for political asylum and his name was placed on the list of banned authors. Sometimes his books, published in the West, were smuggled into the country but only a handful of people could find and read them. He regained his rightful position in 1980, with the unveiling of the Monument to the Fallen Shipyard Workers 1970 – the memorial commemorating the victims of the workers' strike in December 1970 features lines from his poetry: "You who harmed a simple man...".

Miłosz was born in 1911 in Šateiniai (now Lithuania). He depicted the land of his childhood in *Dolina Issy* (*The Issa Valley*). With *Zniewolony umysł* (*The Captive Mind*) and *Rodzinna Europa* (*Native Realm*) he settled his score with the communist system, but he seemed to prefer poetry to prose.

He published his first collections of poems as early as the 1930's but received international acclaim only after 1960 when he moved to the USA to become professor of literature at the University of California in Berkeley. He received honorary doctorates from many universities in the USA, Poland and Lithuania. The focus of his writing is the past, for as he said in his Nobel Prize speech: "The nations of the 'other Europe'... [are] the bearers of memory, for it is possible that there is no other memory than the memory of wounds." Creative and active until the end of his days, in 1997 he published an excellent collection *Roadside Dog* in which he blurred the distinction between poetry and prose. When his wife, Carol, died he wrote a beautiful version of *Orpheus and Eurydice*.

Compared with the writings of Miłosz, the literary output of Wisława Szymborska, born in 1923 in Bnin near Poznań, seems rather modest. But even though only about 250 poems have been published to date, every single one of them is a masterpiece. Her first important collection *Wołanie do Yeti* (*Calling Out to Yeti*) appeared in 1957 and her most recent one *Tutaj* (*Here*) in 2009. After receiving the Nobel Prize in 1996 she remained silent for several years. She did not like the attention of the media as it prevented her from continuing living a modest life in her beloved Kraków.

Wisława Szymborska is one of the most outstanding personalities in contemporary poetry. In her writings she addresses universal themes, which is why in Italy the poems, in their entirety, of this Polish authoress have been published in more than a hundred thousand copies, while in Spain her volume *Here* became the top poetry book of the year.

Szymborska never places herself in a superior position to the reader – she marvels at the world, asks endless questions. In her Nobel Prize speech, delivered in 1996 in Stockholm, she said: "Poets, if they're genuine, must also keep repeating: I don't know. Each poem marks an effort to answer this statement, but as soon as the final full stop hits the page, the poet begins to hesitate." She does not try to avoid the most fundamental aspects of human existence, but remains enchanted with the beauty of life. Her poems abound in lyrical humour and a sense of distance from herself. The language she employs is very simple, and at the same time very refined.

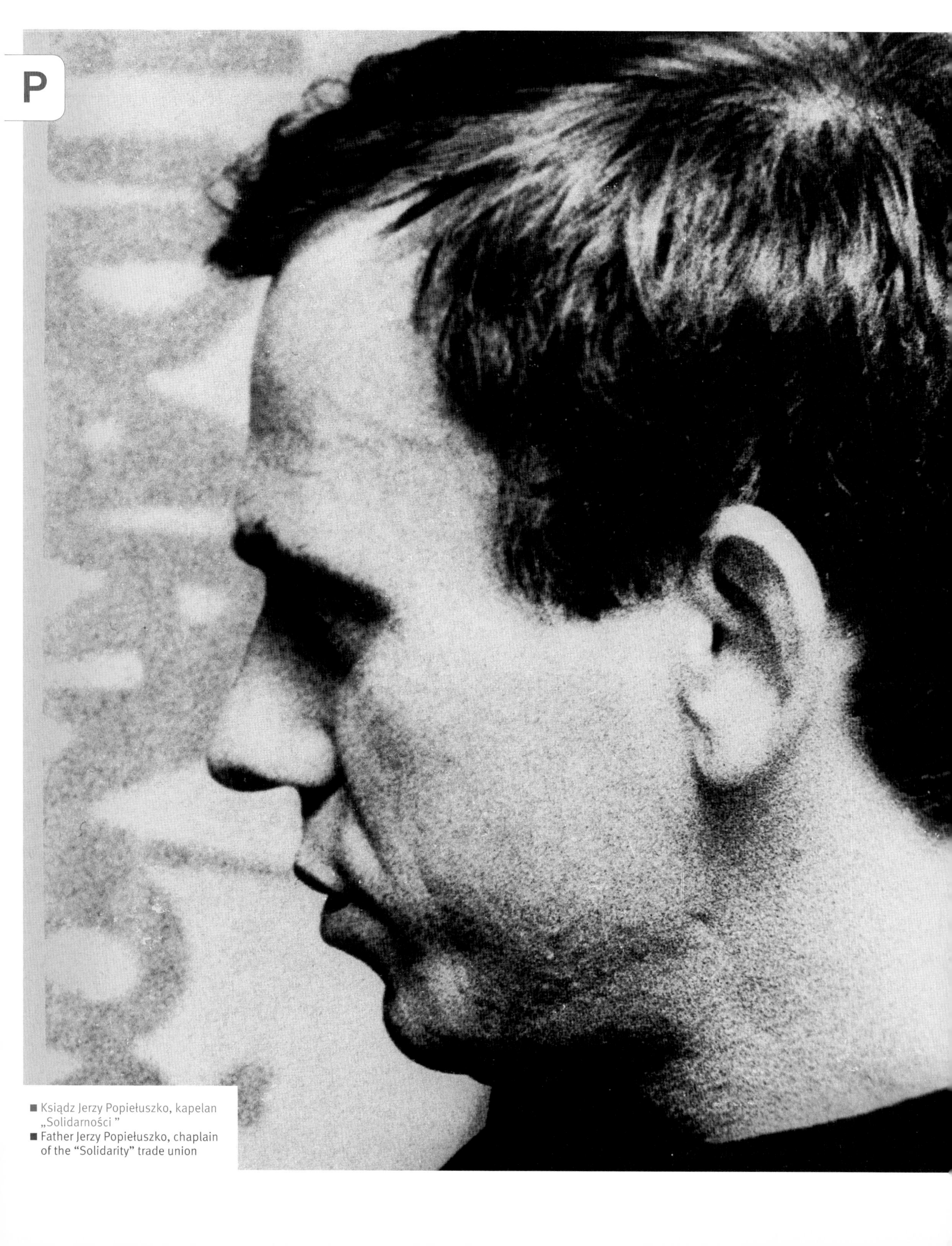

P

■ Ksiądz Jerzy Popiełuszko, kapelan „Solidarności ”
■ Father Jerzy Popiełuszko, chaplain of the “Solidarity” trade union

Ksiądz Jerzy Popiełuszko

Father Jerzy Popiełuszko

Przyświecało mu ponadczasowe przesłanie: „Zło dobrem zwyciężaj".

Preacher of the enduring dictum: 'Overcome evil with good'.

JEGO ŚMIERĆ WSTRZĄSNĘŁA POLSKĄ, a pogrzeb w niewielkim kościele parafialnym na warszawskim Żoliborzu zgromadził blisko pół miliona ludzi. Żyjący w czasach komunizmu ksiądz Jerzy Popiełuszko został uznany za niezłomnego głosiciela Prawdy, kapłana, który za Prawdę oddał życie. Jego działalność, postawa i męczeńska śmierć wyniosły go na ołtarze Kościoła.

Jerzy Popiełuszko (1947–1984) pochodził z małej wsi na Podlasiu. Wyróżniał się głęboką religijnością, po maturze wstąpił więc do seminarium. W 1972 r. otrzymał święcenia kapłańskie z rąk kardynała Stefana Wyszyńskiego, charyzmatycznego Prymasa Tysiąclecia. W 1980 r. trafił do parafii św. Stanisława Kostki na Żoliborzu w Warszawie.

W czasie strajków sierpniowych (1980) został wysłany do odprawiania mszy w Hucie Warszawa. Od tego czasu związał się ze środowiskami robotniczymi, później zaczął wspierać „Solidarność". Działalność duszpasterską oparł na przesłaniu św. Pawła: „Nie daj się zwyciężyć złu, ale zło dobrem zwyciężaj" (Rz 12,21). Organizował msze za ojczyznę, głosił podstawowe prawdy moralne, wspierał prześladowanych działaczy opozycji. W 1983 r. odprawił pogrzeb Grzegorza Przemyka – warszawskiego maturzysty śmiertelnie pobitego przez milicję.

Aktywność księdza Jerzego szybko została uznana przez władze za sprzeciw wobec systemu komunistycznego. Był regularnie rozpracowywany przez Służbę Bezpieczeństwa, szykanowany przez milicję i prokuraturę, a władze wielokrotnie domagały się od episkopatu ukrócenia jego działalności. Ówczesny prymas Polski, w związku z rosnącym zagrożeniem i kłopotami zdrowotnymi, zaproponował mu w październiku 1984 r. wyjazd na studia do Rzymu. Popiełuszko odmówił.

Trzy dni później, podczas mszy w Bydgoszczy, powiedział: „Módlmy się, byśmy byli wolni od lęku, zastraszenia, ale przede wszystkim od żądzy odwetu i przemocy". W drodze powrotnej do Warszawy został porwany przez oficerów Służby Bezpieczeństwa. 30 października z Wisły koło Włocławka wyłowiono jego zmasakrowane zwłoki. Społeczeństwo zamarło ze zgrozy. Bardzo szybko wskazano bezpośrednich sprawców zabójstwa. Po dwóch miesiącach zostali oni, wraz z przełożonymi z MSW, skazani na kary od 14 do 25 lat więzienia.

Pogrzeb księdza Jerzego stał się jedną z największych w latach 80. ubiegłego wieku manifestacji patriotycznych. Po 26 latach, 6 czerwca 2010 r., został ogłoszony błogosławionym Kościoła katolickiego.

Życie księdza Jerzego Popiełuszki inspirowało wielu artystów. Już w 1985 r. światowej sławy kompozytor Andrzej Panufnik stworzył koncert fagotowy poświęcony jego pamięci. Trzy lata później powstał amerykańsko-francuski film fabularny w reżyserii Agnieszki Holland „Zabić księdza". W 2009 r. odbyła się głośna premiera filmu Rafała Wieczyńskiego „Popiełuszko. Wolność jest w nas". W Warszawie przy parafii św. Stanisława Kostki działa Muzeum Błogosławionego Księdza Jerzego Popiełuszki.

FATHER JERZY POPIEŁUSZKO'S DEATH was a terrible blow to the Polish nation and his funeral ceremony held in the small parish church of Żoliborz in Warsaw was attended by almost half a million people. Father Popiełuszko, who lived under the communist regime, has always been recognised as the indomitable advocate of Truth and for this he sacrificed his life. His engagement against the communist regime, his attitude and martyrdom contributed to his being proclaimed a saint of the Catholic Church.

Jerzy Popiełuszko (1947–1984) came from a small village in Podlasie and as a boy he was deeply religious. After passing his High School leaving exams he entered a seminary. In 1972 he received holy orders from the hands of Cardinal Stefan Wyszyński, and in 1980 he was transferred to the parish of St. Stanislaus Kostka in Żoliborz, Warsaw.

At the time of the August strikes (1980) Popiełuszko took on the charge of conducting Masses in the Warsaw Steelworks and thereafter he was associated with workers' communities and his support of 'Solidarity'. He derived his priestly dictum from St. Paul's: "Do not be overcome by evil, but overcome evil with good" (Romans 12:21). Father Popiełuszko organised Masses, preached moral conduct and supported activists of the opposition. In 1983 he conducted the funeral service for Grzegorz Przemyk, a Warsaw High School pupil who had been beaten to death by police officers.

The authorities interpreted Father Popiełuszko's efforts as resisting the communist regime. The priest was regularly victimized by the Secret Police and harassed by police officers and prosecutors. The authorities demanded that the episcopate put an end to the priest's anti communist speeches. In October 1984 Father Jerzy, who had been under constant threat of death and already in poor health, was offered a place at university in Rome. Three days later during a Mass in Bydgoszcz he said: "Let us pray that we may be free from fear and intimidation, but above all from the lust for revenge and violence." On his way back to Warsaw he was kidnapped by Secret Police agents. On October 30 his battered body was recovered from the Vistula River. The murderers were found immediately and two months later they and their superiors from the Ministry of Internal Affairs were sentenced from 14 to 25 years imprisonment. The funeral of Father Popiełuszko, 3 November 1984, was one of the biggest patriotic manifestations of the 1980's. 26 years later, on June 6, 2010, Father Popiełuszko was beatified by the Catholic Church.

In 1985 Andrzej Panufnik, the world famous composer, wrote his Bassoon Concerto in memory of Father Popiełuszko. Three years later Agnieszka Holland directed, *To Kill a Priest*, a Franco/American production. More recently, Rafał Wieczyński's, *Popiełuszko. Wolność jest w nas*, had its premiere in 2009. In the Church of St. Stanislaus Kostka in Warsaw there is a Museum dedicated to Father Jerzy.

P Powstanie warszawskie

Największa bitwa stoczona przez polskie wojsko w czasie II wojny światowej.

■ Powstańcy na barykadzie na ulicy Zielnej obserwują płonącą PAST-ę
■ Insurgents at the barricade in Zielna Street watching the Polish Telephone Exchange building burning (PAST)

POWSTANIE WARSZAWSKIE, choć zakończyło się kapitulacją, stało się symbolem męstwa i determinacji w walce o niepodległość. Do dzisiaj toczą się spory o sens tego zrywu. Nie osiągnęło ono żadnego istotnego celu militarnego ani politycznego. Poległ kwiat polskiej młodzieży i inteligencji. Pod koniec wojny 85 proc. miasta leżało w gruzach. Bezpowrotnie zniszczono lub zrabowano znaczną część skarbów kultury polskiej. Jednak zryw i ofiara powstania odcisnęły piętno na całej powojennej historii Polski. Delegat Rządu na Kraj, Jan Stanisław Jankowski, mówił przed mikrofonem powstańczego radia: „Chcieliśmy być wolni i wolność sobie zawdzięczać". Żywa pamięć powstania miała ogromny wpływ na późniejszy opór przeciwko sowietyzacji Polski i wytrwałe dążenie Polaków do suwerenności.

Pod koniec września 1939 r. Warszawa znalazła się pod okupacją wojsk hitlerowskich. Codziennością stały się publiczne egzekucje, łapanki i wywożenie na roboty do Rzeszy, katowanie Polaków w siedzibie gestapo przy alei Szucha, wysyłki do obozów koncentracyjnych. W 1943 r. Niemcy krwawo stłumili powstanie w Getcie Warszawskim, wcześniej wysyłając jego mieszkańców do obozów zagłady.

W obliczu ofensywy wojsk sowieckich na prawym brzegu Wisły dowódca Armii Krajowej, gen. Tadeusz „Bór" Komorowski, podjął 31 lipca 1944 r. decyzję o wybuchu powstania. Celem było niedopuszczenie do wzmocnienia sił niemieckich i ujawnienie się podziemnych struktur państwa polskiego, a co za tym idzie – wystąpienie wobec wojsk sowieckich w roli gospodarza. Zakładano, że walki będą trwać 4-5 dni. Tymczasem ostatnie powstańcze oddziały opuściły Warszawę po 65 dniach.

1 sierpnia 1944 r., o godzinie 17 słabo uzbrojeni, ale dobrze zorganizowani powstańcy uderzyli na hitlerowców. Jednak dowódca niemiecki, SS-Obergruppenführer i gen. policji Erich von dem Bach-Zelewski, nie dopuścił do połączenia powstańczych oddziałów z różnych dzielnic miasta. Niemcy nie tylko walczyli z żołnierzami Armii Krajowej, ale także dokonywali licznych rzezi cywilnych mieszkańców.

The Warsaw Uprising

■ Pomnik Powstania Warszawskiego 1944 na placu Krasińskich w Warszawie
■ Warsaw Uprising Monument in Plac Krasińskich Square in Warsaw

The greatest battle waged by the Polish army during World War II.

Sowiecki dyktator, Stalin, cynicznie wykorzystał wybuch powstania: polscy patrioci wykrwawili się, angażując przy tym poważne siły niemieckie. 8 sierpnia odrzucił plan opanowania Warszawy, opracowany przez marszałków G. Żukowa i K. Rokossowskiego. Do 10 września nie godził się nawet na lądowanie w strefie sowieckiej alianckich samolotów z pomocą dla powstania.

Kapitulacja 2 października 1944 r. zakończyła heroiczną walkę. Do obozów w Pruszkowie i Ursusie wyprowadzono kilkaset tysięcy ocalałych mieszkańców Warszawy i okolic. W gruzach pozostało około 130-150 tys. zabitych cywilów (dokładna liczba jest trudna do ustalenia) oraz 10 tys. żołnierzy. 5 tys. powstańców odniosło rany, a 7 tys. uznano za zaginionych. Niemcy przystąpili do systematycznego niszczenia zabudowy miasta. Zgodnie z rozkazem Hitlera stolica Polski została starta z powierzchni ziemi.

Dopiero w 2004 r., w wolnej Polsce, otwarto Muzeum Powstania Warszawskiego upamiętniające tamte dni i oddające hołd tym, którzy walczyli i zginęli w 1944 r.

ALTHOUGH THE WARSAW UPRISING ended with capitulation it has become the symbol of valour and determination in the struggle for independence. Disputes about the sense of the outbreak and continuation of the Uprising are still going on to this day. The Uprising attained no significant objectives, military or political, and many, the flower of Polish youth, intellectuals and the citizens of the capital, were sacrificed. At the end of the war, 85 % of the city lay in ruins, and the major part of the treasures of Polish culture had been stolen or destroyed. This tremendous and bloody endeavor was imprinted on the entire post-war history of Poland. Jan Stanisław Jankowski, The Government Delegate of the State, when speaking on the insurgent's radio said: 'We wanted to be free, and the freedom we owe to ourselves'. The memory of the Uprising had an enormous influence on later resistance against the Soviet occupier of Poland and its struggle for sovereignty.

At the end of September 1939, Warsaw was occupied by Hitler's army. Public executions, raids, labour transportation to Germany, the torture of Poles at the Gestapo headquarters on Szucha Street, concentration camps – all of this was part of the everyday life the citizens of Warsaw. In May 1943 the Germans finally overran the Warsaw Jewish Ghetto and the Jewish Uprising came to an end and the survivors were sent to extermination camps.

On 31st July 1944 with the Red Army offensive stalled on the right shore of the Vistula, the Commander of the Home Army, General Tadeusz 'Bór' Komorowski, ordered the Warsaw Uprising to begin. The purpose of the Uprising was to destroy the German forces in Warsaw and to organise the then underground structures of the Polish state. These were to be in place when the Russian Soviet forces crossed the river in their pursuit of the retreating Germans. It was assumed that the fighting would last at the most 4-5 days but in fact the Uprising continued for 65 days.

On 1st August 1944 at 5 p.m., the poorly armed, but well organized, insurgents struck at the Nazis. The German commander, SS-Obergruppenfuhrer, and general of the police, Erich von dem Bach-Zalewski, prevented the insurgents in their different districts uniting as one army. The Germans fought the dispersed Home Army units and in reprisals throughout the time of the Uprising slaughtered thousands of civilians.

Soviet dictator, Stalin, took advantage of the outbreak of the Uprising: the Polish Home Army was destroyed and countless patriots bled for their country in their struggle against a much larger German force. On 8th August, Stalin rejected a plan by Marshals G. Żukow and K. Rokossowski to attack Warsaw. Up to 10th September no Allied aircraft were allowed to land on Soviet occupied territory with aid for the insurgents in Warsaw. On 2nd October 1944 the insurgents capitulated. Their heroic stand was over. Camps in Pruszków and Ursus were set up where thousands of the survivors from Warsaw and surrounding areas were sent. Between 130-150 thousand civilians and 10 thousand soldiers lay dead (the precise numbers are hard to establish) in the ruins of the city. Five thousand insurgents were wounded with 7 thousand missing. The Germans on Hitler's specific orders systematically razed the city to the ground. The capital of Poland was to be destroyed completely.

In 2004, in an independent Poland, the Warsaw Uprising Museum was opened to commemorate those days and to pay tribute to the people who fought and died in 1944.

■ Obszar Ochrony Ścisłej w Białowieskim Parku Narodowym
■ A strictly protected area in the Białowieski National Park

Puszcza Białowieska

Białowieża Forest

Ostatnia pierwotna puszcza Europy.

PO WIĘKSZOŚCI EUROPEJSKICH KNIEI do dnia dzisiejszego pozostały jedynie nazwy. Tymczasem Białowieski Park Narodowy wciąż chroni ostatni na Starym Kontynencie fragment pierwotnej puszczy. Tylko tutaj można zobaczyć, jak przed tysiącami lat wyglądał Niż Europejski, od Karpat aż po Bałtyk. Ten najstarszy polski park powstał w 1932 r. W 1976 znalazł się na prestiżowej Światowej Liście Rezerwatów Biosfery UNESCO, a trzy lata później na Liście Światowego Dziedzictwa UNESCO. Naukowcy od lat walczą o objęcie ochroną całej puszczy, by zahamować niekontrolowany wyrąb lasu. Łącznie zajmuje ona 150 tys. ha (62,5 ha w Polsce i 87,5 ha na Białorusi).

Puszcza Białowieska swoje ocalenie zawdzięcza położeniu na pograniczu krajów, w otoczeniu bagien, z dala od wielkich miast i skupisk rolniczej ludności. A także litewskim książętom, polskim królom i rosyjskim carom, którzy chronili tutejsze lasy, uznając je za własne tereny łowieckie. Przez wieki tylko władcy mogli tu polować, a okoliczni mieszkańcy, chcąc pozyskiwać miód czy drewno, musieli ubiegać się o specjalne pozwolenia. Porządku pilnowali strażnicy nazywani „osocznikami". Haracz, jaki puszcza musiała płacić za tę ochronę, był jednak wysoki. Tylko podczas jednego ze słynnych polowań (a było ich wiele), zorganizowanego w 1860 r. przez cara Aleksandra II, osaczono i wybito: 57 żubrów, 3 łosie, 23 dziki, 36 saren, 17 wilków, 15 lisów, 14 borsuków i 100 zajęcy. I choć króla puszczy – żubra – objęto specjalną ochroną, do lat 20. XX w. nie przeżył ani jeden przedstawiciel tego gatunku. Dopiero prowadzone od 1923 r. w Białowieży prace nad reintrodukcją tego zwierzęcia przywróciły go polskiej puszczy.

Białowieski Park Narodowy liczy dziś 10 517 ha i składa się z obszarów ochrony ścisłej i czynnej, Parku Pałacowego oraz rezerwatów (hodowlanego i pokazowego). Najcenniejszy jest ścisły rezerwat – fragment leżący w samym sercu puszczy, podlegający ochronie już od 1921 r. Można po nim wędrować wyłącznie pod opieką przewodnika. Tutaj nie wycina się starych drzew ani nie sadzi nowych. Martwe pozostawiane są tam, gdzie upadły, dając życie kolejnym organizmom: grzybom, porostom, mchom. Z ziemi sterczą potężne wykroty (tarcze korzeni przewróconych drzew) – nieodłączny element naturalnego lasu. W powietrzu unosi się gęsta, przenikliwa wilgoć, sprzyjająca epifitom, czyli roślinom nadrzewnym. Ich obecność świadczy o niezwykłej czystości powietrza.

Puszcza jest domem dla przeszło 10 tys. gatunków zwierząt (z czego ponad 8 tys. stanowią owady). Rośnie tu około 14 tys. gatunków roślin, w tym 61 prawnie chronionych. Jej symbolem, obok żubra, jest dąb. Najstarsze drzewa (można je podziwiać na Szlaku Dębów Królewskich) mają ponad 400 lat. Najpotężniejszy jest dąb „Maciek" – 732 cm w obwodzie i 41 m wysokości. W rezerwacie pokazowym, urządzonym w stylu ogrodu zoologicznego z dużymi wybiegami, można zobaczyć żubry, wilki, łosie, dziki, koniki polskie i puszczańskiego dziwoląga – żubronia (krzyżówka krowy z żubrem).

The last European primeval forest.

WHAT REMAINS OF THE MAJORITY of the 'European wilderness' these days are only the names. But Białowieża National Park still protects the last fragments of a primeval forest on the Old Continent. This protected region, the European Depression, from Karpaty to the Baltic Sea, is as it must have been for over thousands of years. The first Polish National Park came into existence in 1932 and from 1976 it has been on the UNESCO World List of Biosphere Reserves, with three years later on the UNESCO World Heritage List. For many years scientists and researchers have been protecting this vast wilderness and stopping the out of hand felling of trees. The park covers 150 thousands ha (62,5 ha in Poland, and 87,5 ha in Belarus).

The continuing survival of the Białowieża National Park is mainly due to its location on the borders of different countries in the midst of swamps, remote from large cities and any concentration of farming populations. For many hundreds of years it was also the hunting grounds of Polish kings and the aristocracy, Lithuanian princes and Russian emperors. The forests were used by a select few only and local communities had to have special permission to collect honey or wood. However, the price for this protection was high. During one of the many famous hunts organized in 1860 by Emperor Alexander II, 57 bison, 3 elk, 23 boars, 36 roe-deer, 17 wolves, 15 foxes, 14 badgers and 100 hares were trapped and killed. The king of this wilderness, the bison, was protected by special decree until the 1920's, but not a single one survived. In 1923 the animal was reintroduced to the forests and once again came to rule this part of the Polish wilderness.

Today, the Białowieża National Park covers 10,517 ha and consists of areas of strict and active conservation, the Palace Park, and reserves (breeding and show areas). The most important is the reserve itself – the part lying in the heart of the forest which has been under protection since 1921. In this part of the Park, hiking is allowed with guides only. Here, old trees have not been felled and new ones have not been planted. The dead trees have been left where they fell giving life to new organisms: funguses, lichens, mosses. At ground level overturned tree roots point to the sky – an expected element of a natural forest, and the air is filled with a dense penetrating humidity, conducive for epiphytes, arboreal plants such as the moss on trees. Their presence is evidence that the air is very clean.

The wilderness is home to over 10 thousand species of animals (more than 8 thousand are insects) and about 14 thousand species of plants of which 61 are protected by law. The symbol of the Park, along with the bison, is the oak tree. The oldest trees are over 400 years old and the mightiest among them is the oak 'Maciek' ('Matthew') – 732 cm girth, and 41 m in height. In the show reserve, with large open spaces one can see: bison, wolves, elk, boars, Polish ponies, and the strangest creature in the park – żubroń (a cross between a cow and a bison).

R Polskie **rekordy**

Od „polskiej Amazonki" do najmniejszej książki świata.

POLSKA NIE JEST WIELKIM KRAJEM, ale za to bardzo różnorodnym. Każdy region ma inne, charakterystyczne krajobrazy, architektoniczne perły, jedyne w swoim rodzaju turystyczne atrakcje. Każdy ma swoje symbole, jak Chopin, Żelazowa Wola i wierzby na Mazowszu, czy Tatry, Kraków i Smok Wawelski w Małopolsce. Wreszcie każdy może się poszczycić jakimiś „naj": skarbami przyrody i zabytkami wpisanymi na listę UNESCO czy rekordami, które trafiły do księgi Guinnessa. Wiele z nich rozsławiło nasz kraj na całą Europę, a nawet i świat.

Wśród przyrodniczych osobliwości najsłynniejsza jest ostatnia pierwotna puszcza Europy rozciągająca się wokół Białowieży. Ale mamy też „polską Amazonkę", czyli Narew. To jedyna na naszym kontynencie rzeka anastomozująca, tzn. płynąca kilkoma równorzędnymi korytami. Żeby zobaczyć drugą tak niezwykłą dolinę, trzeba by wybrać się do Afryki nad Kongo lub do Ameryki Południowej nad Amazonkę. Mierzeja Wiślana znana jest z największej europejskiej ostoi kormoranów. W ponad 700 gniazdach żyje tu około 18 tys. ptaków tego gatunku. Ale zapewne mało kto słyszał o Wyspie Konwaliowej na Jeziorze Radomierskim koło Przemętu (Wielkopolska). Rosną na niej jedyne w Europie różowe konwalie.

Liderem pod względem ilości rekordów jest Trójmiasto. Kościół Mariacki w Gdańsku uchodzi za największą gotycką świątynię zbudowaną z cegły na Starym Kontynencie. Nad Motławą pochyla się najstarszy dźwig w Europie. Żuraw, bo o nim mowa, działał od XIII do II połowy XIX w. W Dworze Artusa stoi zaś najwyższy piec świata. Renesansowy kolos ma prawie 11 m wysokości i ponad 500 kafli. Sopot ma najpiękniejszy, a przy tym najdłuższy w Europie drewniany pomost liczący 511,5 m.

Pułtusk na Mazowszu szczyci się najdłuższym rynkiem w Europie. Brukowany kocimi łbami plac ma wymiary 400 x 50 m. Mamy też najwyższą na świecie budowlę z drewna modrzewiowego (111 m) – Radiostację Gliwicką, czyli maszt antenowy z 1935 r. – oraz największe w Europie tężnie w Ciechocinku – o wysokości 16 m i łącznej długości 1741,5 m. Do ich budowy zużyto prawie 20 tys. m^3 drewna i 50 tys. m^3 tarniny.

Kudowa-Zdrój (a konkretnie Czermna w Sudetach) słynie z makabrycznej kaplicy (jedyna w Polsce i jedna z trzech w Europie), której wnętrze wyłożone jest 24 tys. ludzkich czaszek i piszczeli. Wnętrze bazyliki Wniebowzięcia NMP w Pelplinie kryje najwyższy (26 m) drewniany ołtarz w Europie Środkowej oraz najcenniejszą na świecie drukowaną książkę – Biblię Gutenberga. Z 48 zachowanych egzemplarzy nasz jest unikatowy, bo ma skazę. Jeden z eksponatów katowickiego Muzeum Najmniejszych Książek Świata Ręcznie Pisanych – książeczka o wymiarach 0,8 x 1 mm w 1976 r. trafił do Księgi Rekordów Guinnessa. W tej samej księdze znalazł się w 2007 r. rekord w kategorii „Najniżej odbywający się koncert muzyczny na świecie". Muzycy Filharmonii Kaliskiej zagrali „Cztery pory roku" Vivaldiego w Kłodawie – w kopalni soli, której szyby sięgają 750 m w głąb ziemi.

W Warszawie od ponad 40 lat istnieje Muzeum Prywatne Diabła Polskiego „Przedpiekle", uważane za drugą tego typu kolekcję etnograficzną na świecie. Ukoronowaniem rekordowych osiągnięć Polski jest Muzeum Rekordów i Osobliwości w Rabce, pełne najdziwniejszych eksponatów. Można tu znaleźć: najmniejszy rower świata, najmniejszą galerię świata (1000 obrazów w jednym) czy najdłuższy hymn kościelny (1051 zwrotek).

■ Eksponat z katowickiego Muzeum Najmniejszych Książek Świata Ręcznie Pisanych
■ An item from the Katowice Museum of the World's Smallest Handwritten Books

Polish records

■ „Polska Amazonka", czyli rzeka Narew z lotu ptaka
■ The Narew River, known as the Polish Amazon, a bird's eye view

From 'the Polish Amazon' to the world's smallest book.

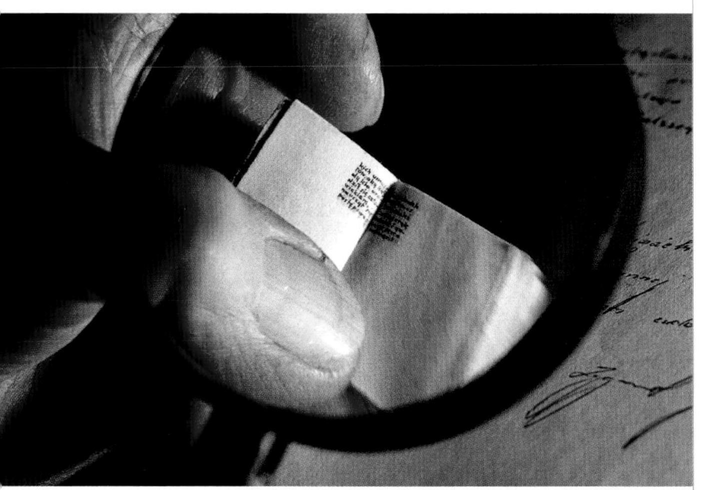

POLAND, ALTHOUGH NOT A LARGE COUNTRY, is one of great diversity. Each region has its own characteristic landscapes, architectural pearls, one of a kind tourist attractions and exceptional historical sites. Masovia has Frédéric Chopin, Zelazowa Wola and beautiful willows; Lesser Poland has the Tatras, Krakow the Wawel Dragon, just to name a few. Finally, each one has its own 'the most ...' natural treasures, vestiges acknowledged by UNESCO, or the Guinness Book of Records – many of these have made Poland famous in Europe, and the world.

The best known Polish natural curiosities are the last untouched backwoods in Europe surrounding Bialowieza. And we have the River Narew, 'the Polish Amazon', the only anastomotic river on the continent – it flows through a network of many minor branches. One would have to go to the Congo, Africa to find this type of lowland waterway. The Vistula Spit has the largest congregation of cormorants in Europe, around 18 thousand, in more than 700 nests. Without a doubt, few have heard of The Lily of the Valley Island on Radomierskie Lake near Przemet in Greater Poland - the only place in Europe where pink lilies of the valley can be found.

The greatest amount of records, however, belong to the Tricity. St. Mary's Church in Gdansk is considered to be the greatest brick built gothic church on the Old Continent. The oldest European crane, 'Zuraw' in use from the 13th century to the second half of the 19th century, stoops over Motlawa. The highest tiled stove in the world stands in Artus Court – an 11 m high Medieval colossus built with more than 500 tiles. And Sopot has the most beautiful and the longest (511,5 m) wooden pier in Europe.

The cobbled market square in Pultusk, Masovia, is famous for being the longest one in Europe – 400 m long and 50 m wide. Another Polish record is the highest European building made of larch – 111 m high Gliwice Radio Tower, the antenna flagstaff built in 1935, and the largest European graduation towers, 16 m high with a total length of 1741,5 m in Ciechocinek. For the construction of the towers, almost 20 thousand cubic meters of wood and 50 thousand cubic meters of blackthorn were used.

The gruesome chapel in Kudowa-Zdroj, better known as Czermna in the Sudetes is the only place in Poland of its kind and one of three in Europe – its interior is covered with 24 thousand human skulls and tibias. It is also important to mention the unique artifacts of the Pelplin Basilica: the highest wooden altar in Central Europe (26 m) and a priceless book – The Gutenberg Bible, the first printed book. The Pelplin copy is the most valuable of the 48 copies in existence; it has a mark in it. And the Museum of the Smallest Books of the World in Katowice has a book which is in the 1976 Guinness Book of Records – its size, 0,8 x 1 mm.

Another Polish record found its place in the book in the category of 'the concert performed in the lowest place in the world'. Musicians of the Kalisz Philharmonic performed Vivaldi's 'The Four Seasons' in the Klodawa 750 m deep salt mine. Another Guinness record, an 'underground balloon flight' in Wieliczka by the Tarnow Flying Association.

The Polish Devil's Private Museum 'Limbo' has been open in Warsaw for more than 40 years and is considered to be the second ethnographic collection of this kind in the world. To commemorate Polish records, The Museum of Records and Oddities – full of very peculiar exhibits – was established in Rabka. There you can find the world's smallest bicycle, the world's smallest gallery (1000 pictures compressed into one) and the world's longest ecclesiastical hymn composed of 1051 verses!

R

■ Pierwsza Komunia Święta. Białe stroje dzieci symbolizują czystość
■ First Holy Communion The children's white robes symbolize purit

Religijność

Religia katolicka od tysiąca lat odgrywa niezwykle ważną rolę w życiu Polaków.

WEDŁUG RÓŻNYCH STATYSTYK od 90 do 95 proc. Polaków deklaruje wiarę katolicką. I choć znacznie mniej osób przyznaje się do regularnych praktyk religijnych, to i tak pozostajemy religijnym liderem Europy. Każdego roku 7 mln osób (czyli około 15 proc. ludności) wybiera się do jednego z ponad 500 sanktuariów rozsianych po całej Polsce. Przewidywano, że po przemianach ustrojowych zapoczątkowanych w 1989 r. kościoły zaczną pustoszeć, tymczasem Polska wciąż opiera się tak powszechnej w Europie Zachodniej laicyzacji.

Wysoka pozycja Kościoła wynika z faktu, że w burzliwej historii Polski zawsze stał on na straży suwerenności narodu, jedności państwa i wolności słowa, co było szczególnie ważne w czasach zaborów, II wojny światowej i komunistycznej dominacji w II połowie XX w. Ogromny wpływ na wzmocnienie wiary Polaków miał pontyfikat Jana Pawła II. Papież był niekwestionowanym autorytetem moralnym i to nie tylko dla wierzącej części społeczeństwa. Po jego śmierci pojawiło się nowe pojęcie – „pokolenie JP2" – odnoszące się do Polaków wychowanych na papieskich naukach, osamotnionych i zagubionych po jego odejściu.

Dzisiaj miejsce Kościoła w państwie regulują zapisy konkordatu. Został on podpisany w 1993 r. (ratyfikowany pięć lat później) między Rzecząpospolitą Polską a Stolicą Apostolską. „Wspólnota polityczna i Kościół są, każda na własnym terenie, od siebie niezależne i autonomiczne" – czytamy w artykule 1. Z kolei konstytucja, choć zapewnia prawo do wolności religijnej, zawiera w preambule unikalny w Europie zapis odwołujący się do Boga i wartości chrześcijańskich: „My, Naród Polski – wszyscy obywatele Rzeczypospolitej, zarówno wierzący w Boga będącego źródłem prawdy, sprawiedliwości, dobra i piękna, jak i nie podzielający tej wiary, a te uniwersalne wartości wywodzący z innych źródeł, równi w prawach i w powinnościach wobec dobra wspólnego...".

Szczególną pozycję w polskim Kościele ma kult maryjny. Największym i najsłynniejszym polskim sanktuarium jest Jasna Góra. Rocznie prawie 5 mln pielgrzymów przybywa tu oddać hołd Czarnej Madonnie. Krakowskie Łagiewniki przyjmują wiernych z 85 krajów świata. W Licheniu znajduje się największy w Europie i siódmy co do wielkości na świecie kościół. Kalwarię Zebrzydowską wpisano zaś na listę UNESCO. Ale polska religijność to nie tylko sanktuaria, lecz także przywiązanie do tradycyjnych praktyk i obrzędów, takich jak pielgrzymki, procesje liturgiczne (np. w Boże Ciało), rekolekcje adwentowe i wielkopostne, odpusty parafialne.

Najstarsza jest tradycja pielgrzymowania. Nasi przodkowie, jeszcze zanim przyjęli chrześcijaństwo, pielgrzymowali do miejsc dla nich świętych, jak choćby góra Ślęża. Pierwsze chrześcijańskie pielgrzymki na ziemiach polskich miały miejsce ponad tysiąc lat temu, kiedy to do grobu św. Wojciecha udał się cesarz Otton III. W XVII-XVIII w. ten rodzaj aktywności religijnej był niemal obowiązkiem, a ktoś, kto nigdy nie poszedł w pielgrzymce, uważany był za dziwaka. Dzisiaj Polacy stanowią 3-5 proc. wszystkich chrześcijan pielgrzymujących na świecie i 20 proc. pielgrzymujących Europejczyków. Za wzór mają swego rodaka – Jana Pawła II, który przez cały świat określany był mianem „papieża-pielgrzyma".

Religion

The Catholic religion has played a significant role in the lives of Poles for a thousand years.

ACCORDING TO VARIOUS SOURCES 90–95 percent of Poles profess being Catholics. And although recently less people are declaring regular religious practice, Poland remains the leading religious nation of Europe. Every year, around 7 million people (about 15 percent of the country's population) visit one of the 500 sanctuaries in Poland. It was expected that the transformation of the political system started in 1989 would empty churches of their congregations but it appears that Poland has withstood secularization, which is common in Europe of today.

The Church's significant position in society is a result of Poland's turbulent history. The Church defended the nation's independence, unity, freedom of speech and played a very important role when Poland was partitioned in the 18th century, invaded during World War II and governed by the communists in the second half of the 20th century. The pontificate of John Paul II considerably strengthened the faith of Polish Catholics as he was unquestionably a moral figurehead and not just for the more religious part of Polish society. After his death, a new concept was coined – the JP2 Generation – signifying Poles raised on the Pope's teachings and now saddened and disoriented after his passing.

Today, the church's position is regulated by the Concordat signed in 1993 (ratified 5 years later) by Poland and the Vatican. Article 1 states: 'The Republic of Poland and the Holy See reaffirm that the State and the Catholic Church are, each in its own domain, independent and autonomous.' The Constitution of Poland – although providing the right to freedom of religion – features in its preamble a clause unknown in other European Constitutions, referring to God and Christian values: 'We, the Polish Nation – all the citizens of the Republic, both those who believe in God as the source of truth, justice, righteousness and grandeur, as well as those not sharing such faith but respecting those universal values as arising from other sources, equal in rights and obligations towards the common good...'

A particular position in the Polish Church is occupied by the cult of the Virgin Mary. The major and most popular Polish sanctuary is the Jasna Góra Monastery visited by nearly five million pilgrims annually to pay homage to the Black Madonna. The largest church in Europe, and the 7th biggest in the world, is located in Licheń and the town of Kalwaria Zebrzydowska has been put on the list of UNESCO sites. Polish spirituality is not only measured by the number of sanctuaries, however, what counts also is the sentiment for traditional practices, such as pilgrimages, liturgical processions (Corpus Christi), Advent, evangelical retreats and Church Fairs.

The tradition of pilgrimages is the oldest one. Even before they were baptised, the ancestors of today's Poles had gone on pilgrimages to sacred places (Ślęża Mountain). The first Christian pilgrimage in Poland took place over one thousand years ago when st. Adalbert's tomb was visited by the Holy Roman Emperor, Otto III. Today, Poles constitute 3–5 percent of all Christian pilgrims in the world and 20 percent of European pilgrims. For their exemplar they have taken their fellow countryman – John Paul II, universally acclaimed as 'The Pilgrim Pope'.

R

Rezerwaty biosfery UNESCO

Dziesięć miejsc, które uznano za wzorcowe pod względem harmonijnego współistnienia człowieka i przyrody.

EUROPA BYŁA PIERWSZYM KONTYNENTEM, na którym w 1971 r. UNESCO uruchomiło program MAB (Man and the Biosphere – Człowiek i biosfera). W ślad za nim utworzono międzynarodową sieć rezerwatów biosfery, które miały być przykładem, że możliwe jest tworzenie właściwych relacji pomiędzy człowiekiem a środowiskiem. Chodziło więc nie tylko o typową ochronę cennych przyrodniczo obszarów, lecz o wyróżnienie miejsc, w których udało się doprowadzić do stanu trwałej równowagi, z której zarówno przyroda, jak i ludzie mogą czerpać maksimum korzyści. Dzisiaj na liście znajdują się 564 rezerwaty w 109 krajach.

Rezerwat Biosfery Białowieża (wpisany na listę w 1976 r.) to największa polska ostoja żubra i ostatni pierwotny las na Starym Kontynencie, a do tego unikalny melanż dwóch kultur (polskiej i białoruskiej) i trzech religii (katolickiej, prawosławnej i islamu). Puszcza Białowieska znajduje się też na Liście Światowego Dziedzictwa UNESCO.

Rezerwat Biosfery Babia Góra (1976) obejmuje stoki najwyższego szczytu Beskidów. Górskie lasy zamieszkują duże ssaki (m.in. rysie i niedźwiedzie), a stoki porasta 70 gatunków roślin wysokogórskich.

Rezerwat Biosfery Jezioro Łuknajno (1976) jest jedną z najważniejszych w Europie ostoi ptactwa wodnego. Gnieździ się tu największa populacja łabędzia niemego (do kilkudziesięciu par), a na pierzenie się rokrocznie przylatuje aż dwa tysiące osobników.

Słowiński Rezerwat Biosfery (1977) słynie z potężnych ruchomych wydm i zbiorników słodkowodnych okresowo zalewanych przez słone wody Bałtyku.

Rezerwat Biosfery Karpaty Wschodnie (1992) to pierwszy rezerwat utworzony na obszarze trzech krajów: Polski, Ukrainy i Słowacji. W jego skład wchodzą trzy parki narodowe i trzy krajobrazowe. Występują tu rozległe górskie łąki (połoniny) oraz rzadko spotykane zwierzęta, m.in. największy europejski wąż Eskulapa.

Rezerwat Biosfery Karkonosze (1992) leży po obu stronach polsko-czeskiej granicy, w najwyższej części Sudetów. Obejmuje góry z rzeźbą typową dla obszarów lodowcowych i unikalnym mikroklimatem.

Tatrzański Rezerwat Biosfery (1992) obejmuje najwyższe góry w Polsce z krajobrazem typu alpejskiego. Na otaczającym rezerwat Podhalu UNESCO doceniło unikalną kulturę góralską.

UNESCO Biosphere Reserves

■ Najmłodszy i największy z polskich obiektów UNESCO – Rezerwat Biosfery Bory Tucholskie
■ The most recent and largest Polish addition to the list of UNESCO sites – the Tuchola Forest Biosphere Reserve

Ten ideal models of natural sites where human beings live in perfect harmony with Nature.

Rezerwat Biosfery Puszcza Kampinoska (2000) to jedyny tak duży kompleks leśny położony w bezpośrednim sąsiedztwie wielkiego miasta – Warszawy. Znany jest z rzadko występujących w Europie wydm śródlądowych i rozległych terenów bagiennych.

Rezerwat Biosfery Polesie Zachodnie (2002) to kraina bagien, torfowisk i jezior krasowych. Dzięki wyjątkowej izolacji ten niemal dziewiczy obszar wciąż zamieszkują m.in. żółwie błotne.

Rezerwat Biosfery Bory Tucholskie (2010) obejmuje największy w naszym kraju kompleks leśny. To unikalne połączenie gęstych suchych lasów, terenów bagiennych i bardzo czystych rynnowych jezior polodowcowych zamieszkiwanych przez zagrożone wyginięciem gatunki roślin i zwierząt.

IN 1971 UNESCO launched the Man and the Biosphere (MAB) Programme in Europe. The project developed into an international network of biosphere reserves set up to promote the concept that it is possible to establish a practicable relationship between man and his environment. The aim of the programme was not only to preserve important natural areas, but also to bring to light those places in which the balance between people and Nature is maintained as a constant for the maximum benefit of both. The list now includes 564 reserves in 109 countries.

The Białowieża Biosphere Reserve (added to the list in 1976) is the biggest wisent - the European Bison - sanctuary in Poland and the only remaining primeval forest on the Old Continent. It is an exceptional place which brings together two cultures (Polish and Belarusian) and three religions (Christianity, Protestantism and Islam). The Białowieża Forest is also one of UNESCO's World Heritage Sites.

The Babia Góra Biosphere Reserve (1976) extends across the slopes of the highest peaks in the Beskid Mountains. The mountain forests contain large mammals (lynxes and bears among others) and the slopes are covered with seventy species of Alpine flora.

The Łuknajno Lake Biosphere Reserve (1976) is one of the main aquatic bird sanctuaries in Europe. It is home to the largest population of mute swans (up to several dozen pairs), and each year as many as two thousand birds arrive for the moulting season.

The Słowiński Biosphere Reserve (1977) is famous for its massive shifting sand dunes and freshwater lakes which are periodically inundated with salt water from the Baltic Sea.

The East Carpathian Biosphere Reserve (1992) is the first trans-frontier reserve to extend across three countries: Poland, Ukraine and Slovakia. It incorporates three national parks and three landscape parks with vast mountain pastures and rare species of animals such as the Aesculapius Snake, which is the largest snake in Europe.

The Karkonosze Biosphere Reserve (1992) is situated on both sides of the Polish-Czech border, in the highest parts of the Sudety Mountains. This unique microclimate region contains mountains which exhibit elements of postglacial landforms.

The Tatra Biosphere Reserve (1992) consists of the highest mountain range in Poland featuring Alpine landscape. On the foothills of the reserve is the Podhale, a region inhabited by the Górals (the mountain people) whose distinctive culture has also been recognised by UNESCO.

The Puszcza Kampinoska Biosphere Reserve (2000) is the only large forest complex of its kind located in close proximity to a city – Warsaw. It is famous for its inland sand dunes (very rare in Europe) and vast wetlands.

The West Polesie Biosphere Reserve (2002) abounds in wetlands, peatlands and borderland lakes. This secluded area, which has hardly been affected by humans, contains many rare species of animals, one of which is the pond turtle.

The Tuchola Forest Biosphere Reserve (2010) is the largest forest complex in Poland stretching across dense dry forests, wetlands and crystal-clear postglacial channel lakes. The reserve, unique in its complexity of natural forms, is home to many endangered species of plants and animals.

■ Z krawędzi Kotła Małego w Karkonoszach widać słynne schronisko Samotnia oraz wierzchołek Śnieżki
■ The Samotnia shelter and the Śnieżka Mountain peak can be seen from the slopes of the Kocioł Mały Mountain in the Karkonosze range

R Rzeczpospolita Obojga Narodów

W ciągu ponad 400 lat wspólnej historii Polski i Litwy Rzeczpospolita stała się mocarstwem, którego wpływy sięgały od Bałtyku po Morze Czarne.

POLSKA I LITWA, pomimo bliskiego sąsiedztwa, nie były nastawione do siebie przyjaźnie. Jednak w obliczu wspólnego zagrożenia ze strony zakonu krzyżackiego w XIV w. pojawiła się koncepcja unii, która doprowadziła do połączenia obu państw i przetrwała aż do 1795 r. W szczytowym okresie to państwo federacyjne rozciągało się na terytorium dzisiejszej Polski, Litwy, Białorusi i Ukrainy oraz częściowo Łotwy, Estonii, Rosji, Mołdawii i Słowacji. W 1618 r. osiągnęło maksymalny zasięg terytorialny – około 990 tys. km^2.

Pod koniec XIV w. w Krakowie zdecydowano o powołaniu na tron polski nie habsburskiego księcia Wilhelma, lecz wielkiego księcia litewskiego – Jagiełły. W 1385 r., na zamku w Krewie, Jagiełło wystawił akt przyłączenia Litwy do Polski, zgodził się na chrzest Litwy, koronację i ożenek z polską królową – Jadwigą Andegaweńską. W rzeczywistości w Krewie położono dopiero podwaliny pod związek obu państw – unia tworząca Rzeczpospolitą Obojga Narodów została podpisana przez ostatniego Jagiellona – Zygmunta II Augusta – w 1569 r. w Lublinie. Jagiełło został ochrzczony (przyjął imię Władysław), koronowany i ożenił się z Jadwigą, czteroletnią wówczas dziewczynką.

Po pokonaniu zakonu krzyżackiego federacja polsko-litewska stała się mocarstwem. Za panowania króla Kazimierza IV Jagiellończyka (1447–1492) rozciągała się od Bałtyku, po Morze Czarne, aż za Dniepr. Sprzyjało temu szczęście dynastyczne: żona Kazimierza IV Jagiellończyka, Elżbieta Habsburżanka, urodziła 13 dzieci, stając się matką królów Polski, Litwy, Czech i Węgier. Polska triumfowała nie tylko odniesionymi zwycięstwami nad zakonem, Moskwą i księstwami naddunajskimi, ale i rozwojem nauki. Wiek XVI był złotym okresem kultury polskiej, a uniwersytet krakowski – najlepszą uczelnią w tej części Europy.

Król Zygmunt I doprowadził w 1525 r. do hołdu zbuntowanego „księcia w Prusiech” Albrechta Hohenzollerna. W 1533 r. został zawarty wieczysty pokój z Turcją. Po zakończeniu rządów przez dynastię Jagiellonów w 1572 silną pozycję Rzeczypospolitej podtrzymał król Stefan I Batory. Odzyskał on Inflanty nad Bałtykiem i założył pierwszy uniwersytet na wschód od Wisły – Akademię w Wilnie.

W 1600 r. hetman Jan Zamoyski odniósł zwycięstwo nad Telezyną, pokonując wojska Michała Walecznego. Do Bukaresztu wkroczyły polskie chorągwie. Szwedzi, usiłujący przejąć Inflanty, zostali rozbici przez husarię hetmana Jana Karola Chodkiewicza w bitwie pod Kircholmem we wrześniu 1605 r., a w 1606 i 1610 Polacy weszli na moskiewski Kreml.

Niestety, od połowy XVII w. państwem, zwanym już wówczas Rzecząpospolitą Polską, zaczęły wstrząsać poważne kryzysy. Najpierw powstanie kozackie pod wodzą Bohdana Chmielnickiego, a później najazdy wojsk ościennych. W 1655 r. armie szwedzkie, moskiewskie, siedmiogrodzkie i kozackie wdarły się na polskie ziemie. Wojny te wyniszczyły kraj, a niestabilny ustrój polityczny doprowadził do upadku Rzeczypospolitej w 1795 r. i zniknięcia państwa z mapy Europy.

The Polish–Lithuanian Commonwealth

During more than 400 years of Polish Lithuanian history the Commonwealth was a power whose influence reached from the Baltic Sea to the Black Sea.

■ „Unia Lubelska" – obraz Jana Matejki z 1869 r.
■ The Union of Lublin by Jan Matejko (1869)

■ Współczesna rekonstrukcja Herbu Rzeczpospolitej Obojga Narodów
■ Reconstruction of the Seal of Two States

POLAND AND LITHUANIA, despite being close, were historically not very friendly neighbours. However, in the face of a common threat from the Teutonic Order the idea of creating a union emerged in the 14th century. This unification lasted till 1795. At its peak, the Federation occupied the territories of today's Poland, Lithuania, Belarus and Ukraine, parts of Latvia, Estonia, Russia, Moldavia and Slovakia. In 1618 it reached its maximum size – some 990,000 sq. km.

At the end of the 14th century it was decided in Kraków to choose the Grand Duke of Lithuania, Jagiełło, to be the King of Poland instead of the Habsburg Prince Wilhelm. In 1385, in the castle in Kreva, Jagiełło issued the Lithuania Poland Act of Unification and he agreed to Lithuania's Christian baptism and the coronation and marriage with Jadwiga Andegaweńska the Polish Queen. In reality, the Kreva unification act was only an initial proposition for union – the union establishing the Polish-Lithuanian Commonwealth was signed by the last Jagiellon – Zygmunt II August – in 1569 in Lublin. Jagiełło was baptized (he took the name Władysław), crowned and married Jadwiga, a four-year old girl at that time.

After conquering the Teutonic Order, the Polish-Lithuanian Federation became an immense and influential power. During the reign of King Kazimierz IV Jagiellończyk (1447–1492) it stretched from the Baltic Sea to the Black Sea and Dnieper River. This was the result of some 'dynastic luck': the wife of Kazimierz IV Jagiellończyk, Elżbieta Habsburg, gave birth to 13 children becoming the mother of the kings of Poland, Lithuania, Czech and Hungary. Poland triumphed not only through victories over the Teutonic Order, Moscow and countries around the Danube, but also through its pursuit of the sciences. The 16th century was the golden age of Polish culture and the University in Kraków was unsurpassed in this part of Europe.

King Zygmunt I convinced the rebellious 'duke in Prussia' Albrecht Hohenzollern to pay him homage in 1525. 'Eternal peace' was signed with Turkey in 1533. Following the end of the Jagiellonian dynasty in 1572 the important position of the Commonwealth was administered by King Stefan I Batory. He regained the Duchy of Livonia on the Baltic Sea and founded the first university east of Vistula River – the Academy in Vilnius.

In 1600, Hetman Jan Zamoyski was victorious at Telezyna, where he conquered the army of Michał Waleczny. Polish flags were seen in Bucharest. The Swedes trying to conquer the Duchy of Livonia where overwhelmed by the hussars of Hetman Jan Karol Chodkiewicz in the battle of Kircholm in September 1605, and in 1606 and 1610 there were Poles in the Kremlin in Moscow.

But as history has a way of showing by the mid-17th century the country then called the Republic of Poland was struck by a series of events which would eventually lead to its destruction. First the Cossack uprising headed by Bohdan Chmielnicki, then the invasions of armies from neighbouring countries. In 1655, from Sweden, then from Moscow, Transylvania and as if that was not enough, the Cossacks invaded Polish lands again. The wars destroyed the country and the unstable political system led to the fall of the Republic of Poland in 1795 and its disappearance from the map of Europe.

Wilhelm **Sasnal**

Najbardziej ceniony na świecie polski artysta plastyk – malarz, rysownik, filmowiec i twórca komiksów.

W 2006 R. MAGAZYN „FLASH ART" opublikował listę stu najważniejszych młodych artystów na świecie. Krytycy i marszandzi na pierwszym miejscu umieścili Wilhelma Sasnala. W tym samym roku jego „Samoloty" zostały sprzedane na aukcji w Nowym Jorku za 396 tys. dolarów. Takiej ceny nie osiągnął wcześniej żaden współczesny polski obraz. Jego obrazy znajdują się w zbiorach m.in. Centre Pompidou w Paryżu, Tate Modern w Londynie, The Museum of Modern Art w Nowym Jorku i Centrum Sztuki Współczesnej Zamek Ujazdowski w Warszawie.

„Przystojny, zdolny i z sukcesami, jakich w jego profesji i w jego wieku od dawna nikt w Polsce nie osiągnął" – napisał jeden z krytyków o Wilhelmie Sasnalu (ur. 1972). Należałoby też dodać: niezwykle pracowity. Co rano idzie do pracowni i opuszcza ją około czwartej po południu. Przez 10 lat mieściła się w garażu w rodzinnym Tarnowie, ale potem Sasnal przeprowadził się

Wilhelm Sasnal

■ Wilhelm Sasnal w warszawskiej galerii Zachęta
■ Wilhelm Sasnal in the Zachęta Gallery in Warsaw

The most celebrated Polish visual artist: painter, graphic designer, filmmaker and comic artist.

do Krakowa i na pracownię zaadaptował 30-metrową kawalerkę.

W 1992 r. zaczął studiować architekturę, ale po dwóch latach przeniósł się na malarstwo do Akademii Sztuk Pięknych w Krakowie. Z przyjaciółmi z uczelni założył wkrótce Grupę Ładnie. Nie działała długo, ale Sasnal tłumaczył potem, że dzięki niej upewnił się, iż można malować tak, jak się chce, nie oglądając się na innych.

Inspirują go obrazy z ekranu telewizora czy komputera, z kolorowej prasy i ulotek reklamowych. Zatrzymane w pamięci kadry artysta maksymalnie upraszcza, operuje skrótem, znakiem graficznym komunikatywnym dla odbiorców kultury masowej. Tworzy rodzaj kroniki banalnej codzienności, o czym świadczą choćby tytuły jego prac: „Patrycja przestała jeść mięso, Anka nie chodzi głosować" czy wydany w 2001 r. książkowy komiks „Życie codzienne w Polsce". Artysta przedstawił w nim swoją rodzinę: narodziny syna, kupno samochodu, remont mieszkania.

Po 2000 r. zaczął interesować się też filmem. W „Samochodach i ludziach" wykorzystał figury żołnierzyków i zabawki samochodziki, pod które podkładał petardy, by filmować zainscenizowane katastrofy. W „Kodachrome" powtarzał obrazy nakręcone z okna Concorde podczas lotu. Jest to film-pętla, podczas projekcji ulegający stopniowemu zniszczeniu.

Międzynarodowa kariera Wilhelma Sasnala rozpoczęła się od monograficznej prezentacji na targach sztuki w Bazylei w 2002 r. Następnie został zaproszony do udziału w wystawach zbiorowych i indywidualnych w Paryżu, Zurychu, Antwerpii, Nowym Jorku. W 2005 r. brytyjski kolekcjoner Charles Saatchi na ekspozycji z okazji 20-lecia swojej galerii pokazał aż 15 jego prac. Rok później Sasnal został laureatem Nagrody im. Vincenta van Gogha. Otrzymanie tego prestiżowego europejskiego wyróżnienia zaowocowało wystawą w Amsterdamie. Artysta jest silnie związany z polską historią, o czym świadczą tytuły wielu prac: „Wyszyński", „Narutowicz", „Beck", „Partyzanci", a także mural w Muzeum Powstania Warszawskiego.

IN 2006 *FLASH ART* published a list of 100 of the world's most important young artists, and Wilhelm Sasnal was placed top of the list. During that same year in New York he sold his, *Airplanes*, for 396, 000 dollars, the highest auction price for a contemporary Polish painting. His work can be found in many collections including the Pompidou Centre in Paris, Tate Modern in London, The Museum of Modern Art in New York and The Centre for Contemporary Art Ujazdowski Castle in Warsaw.

"Handsome and talented, very few painters in Poland have been as successful at such a young age," wrote one art critic about Wilhelm Sasnal (born 1972). But Sasnal is also remarkably hardworking. Each morning he goes to his studio and works there until four in the afternoon. In the past he painted in a garage in his hometown of Tarnów but after 10 years Sasnal moved to Krakow and set up his atelier in a 30 m^2 studio apartment. In 1992 he went on to study architecture but after two years he gave it up in favour of painting at the Academy Of Fine Arts in Krakow. Together with his university friends he founded the artistic group, Ładnie. They soon broke up but the experience remained important for Sasnal; he later explained that the group gave him the courage to paint as he liked and to do his own thing.

Sasnal finds inspiration in images from TV and computers, in glossy magazines and advertisements. He fixes reality in a camera-like fashion; next, he simplifies the frames to the extreme by taking shortcuts and using graphic symbols which are accessible to a mass audience. He records the banalities of every day life; the titles speak for themselves: a painting entitled, *Patricia Ceased to Eat Meat, Anka Does not Vote*, or the comic book, *Everyday Life in Poland* (2001) in which he presented events from his family life: the birth of his son, buying a car, renovating their flat.

He has had an active interest in films since 2000. *Cars and Men*, features toy soldiers and toy cars; Sasnal threw bangers under the cars to improvise disaster scenes. In, *Kodachrome*, he shows a view from the cabin window on a Concorde flight. During the screening the same images reappear in a loop as the images are gradually wiped off.

Sasnal came to international fame after his monograph exhibition at Kunsthalle Basel in 2002. He was then invited to participate in solo and collaborative exhibitions in Paris, Zurich, Antwerp and New York. In 2005, 15 of his pieces were shown at Charles Saatchi's exhibition marking the twentieth anniversary of the British collector's gallery. A year later Sasnal was honoured with the prestigious Vincent van Gogh Award which paved the way for a presentation of his art in Amsterdam.

In many of his pieces, the artist draws on themes from Polish history; these paintings include, *Wyszyński*, *Narutowicz*, *Beck*, *Partisans*, as well as a mural in The Warsaw Uprising Museum.

■ Kamienice przy rynku w Zamościu (górne) oraz wnętrze XVII-wiecznego kościoła Pokoju w Świdnicy (dolne)

Skarby kultury

Na Liście Światowego Dziedzictwa UNESCO znajduje się 13 polskich obiektów, w tym aż 12 kulturalnych.

MIEJSCA, KTÓRE ZNAJDĄ SIĘ NA PRESTIŻOWEJ LIŚCIE UNESCO, muszą przedstawiać unikatowe świadectwo kulturowe, wybitnie ilustrować ważny etap w historii ludzkości albo przynajmniej być dowodem na integrację człowieka ze środowiskiem. Figuruje już na niej 911 obiektów ze 151 krajów (w tym 704 kulturalnych, 180 naturalnych i 27 mieszanych).

Na pierwszej Liście Światowego Dziedzictwa UNESCO w 1978 r. znalazły się krakowskie Stare Miasto i kopalnia soli w Wieliczce. Dawna stolica Polski ma największy w Europie rynek i jeden z najstarszych uniwersytetów, zaś znajdująca się nieopodal Wieliczka skrywa w plątaninie podziemnych korytarzy solne arcydzieła i zabytki techniki. Rok później do spisu trafił nazistowski obóz zagłady Auschwitz-Birkenau w Oświęcimiu (dziś jest tu miejsce pamięci i muzeum). To największe i najstraszniejsze hitlerowskie miejsce kaźni, w którym zginęło 1,5 mln ludzi, w przeważającej części pochodzenia żydowskiego.

W 1980 r. do wyróżnionego grona dołączyła warszawska Starówka, wzbudzająca najwięcej kontrowersji. Jest to jeden z nielicznych obiektów, które nie są oryginałem, lecz wierną rekonstrukcją. Na kolejny wpis trzeba było poczekać aż 12 lat – wówczas umieszczono na liście Stare Miasto w Zamościu, którego idealne założenia architektoniczne sprzed wieków oparły się nowoczesnej zabudowie. W 1997 r. dopisano dwa obiekty związane z Krzyżakami. Średniowieczny zespół miejski Torunia do dziś zachwyca XIV- i XV-wiecznymi budowlami, a dawna stolica zakonnych braci – zamek w Malborku – jest największą ceglaną budowlą średniowiecznej Europy o charakterze militarnym.

Dwa lata później na liście pojawiła się Kalwaria Zebrzydowska, wyróżniona nie tylko z uwagi na malowniczy XVII-wieczny manierystyczny zespół architektoniczny, lecz także ze względu na duchowe znaczenie tego miejsca pielgrzymkowego. Czynnik religijny był istotny również przy wpisie dokonanym w 2001 r. Zbudowane w połowie XVII w. kościoły Pokoju w Jaworze i Świdnicy to największe w Europie obiekty sakralne o konstrukcji szkieletowej. W 2003 r. UNESCO doceniło też inne świątynie – drewniane kościoły południowej Małopolski (Binarowa, Blizne, Dębno, Haczów, Lipnica Murowana i Sękowa).

Twórcy wpisanego na listę w 2004 r., położonego po obu stronach polsko-niemieckiej granicy parku Mużakowskiego poszukiwali harmonii. Wiejski park nazywany „obrazem malowanym za pomocą roślin" zapoczątkował nowy prąd w architekturze krajobrazu Europy i Ameryki, wykorzystujący rodzimą roślinność do podkreślenia naturalnych walorów miejsca. Elementami tak uformowanego obrazu są nie tylko lasy, łąki i jeziora, ale również budowle miejskie. Jako ostatnia na listę trafiła wrocławska Hala Stulecia (2006). Wzniesiona w 1913 r. na planie potężnego koła z czterema absydami jest w stanie pomieścić sześć tysięcy osób. To tutaj inżynierowie wypróbowali wiele nowoczesnych rozwiązań konstrukcyjnych, bez których nie byłoby możliwe wznoszenie dzisiejszych drapaczy chmur.

Treasures of culture

The list of UNESCO World Heritage Sites features 13 Polish sites, 12 of which are of cultural origin.

THE SITES PLACED ON THIS IMPORTANT UNESCO LIST are required to have a unique cultural heritage and to illustrate clearly a major stage in mankind's history, or to at least demonstrate evidence of man's integration with the environment. The list features 911 sites in 151 countries (704 cultural, 180 natural and 27 of a mixed nature).

The first list of World Heritage Sites from 1978 contained the Old Town in Krakow and the Wieliczka Salt Mine. Poland's former capital has the biggest market square in Europe and one of the oldest universities and the nearby Wieliczka mine underground corridors contain a number of salt and mining technological treasures. One year later, the list was added to with the Nazi concentration camp, Auschwitz-Birkenau (where today a memorial and a museum are located). It is the largest and most horrifying example of Nazi organised extermination, where 1.5 million people were murdered, most of them Jewish.

In 1980, amongst great controversy, Warsaw Old Town was added to the list. The Old Town is one of the few places which are not original but reconstructed. Twelve years had to pass before another Polish site appeared on the list. Zamość Old Town was added for its modern realization of ancient architectural concepts. In 1997, 2 sites associated with the Teutonic Knights were added; the center of Toruń with its remarkable buildings from the 14th and the 15th century and the former seat of the Teutonic Knights, and the largest military brick built construction in Medieval Europe, Malbork Castle.

Two years later, the list was extended with the town of Kalwaria Zebrzydowska, recognized not only for its manneristic architecture but also for the spiritual significance it has for pilgrims. The religious factor was also decisive in the case of the 2001 entry; the Churches of Peace built in Jawor and Świdnica in the mid 17th century are the largest sacral timbered-framed constructions in Europe. In 2003, UNESCO recognized yet another sacral site – the wooden churches in southern Lesser Poland (Binarowa, Blizne, Dębno, Haczów, Lipnica Murowana and Sękowa).

The creators of the Muskau Park located on both sides of the Polish-German border, which appeared on the UNESCO list in 2004, sought harmony. Their countryside park, often compared to a picture painted by Nature, has launched a trend in European and American landscape architecture which took advantage of the natural verdant quality of a site to emphasize the site's characteristics. Other sites designed in this manner are not only forests, meadows and lakes but urban developments. The most recent Polish addition (2006) to the list of World Heritage Sites was the Centennial Hall in Wrocław. Constructed in 1913 in a circular form with 4 apses, it can house 6,000 people. Here engineers experimented with numerous construction techniques, without which later, they could not have built our modern day skyscrapers.

Maria Skłodowska-Curie

Dwukrotna laureatka Nagrody Nobla w dziedzinie chemii i fizyki.

- Portret jednej z najmądrzejszych kobiet wszech czasów
- Portrait of one of greatest scientists of all time

BYŁA JEDNYM Z NAJWYBITNIEJSZYCH UCZONYCH WSZECH CZASÓW, a w dodatku jedynym naukowcem, który otrzymał dwa Noble z różnych dziedzin nauki. Nad Wisłą, skąd pochodziła, uważana była za wybitną Polkę. Nad Sekwaną, gdzie osiadła, uchodziła za genialną Francuzkę z polskimi korzeniami. Była pierwszą kobietą studiującą na wydziale fizyki i chemii na paryskiej Sorbonie. Jako pierwsza kobieta na świecie została też doktorem fizyki, a potem otrzymała stanowisko profesora na tej uczelni.

Maria Skłodowska (1867–1934) urodziła się w wielodzietnej rodzinie nauczycielskiej. Ojciec zaraził ją pasją do przedmiotów ścisłych – sam wykładał matematykę i fizykę w warszawskich gimnazjach. Maria, szybko uznana za ponadprzeciętnie inteligentną, nie mogła kontynuować nauki w Polsce – uniwersytet w czasach zaborów był dla niej nieosiągalny. Przez kilka lat pracowała więc jako guwernantka, a pieniądze wysyłała siostrze, która studiowała medycynę w Paryżu. Później role się odwróciły i Maria rozpoczęła wymarzone studia na wydziale fizyki i chemii paryskiej Sorbony. W 1893 r. zdała egzaminy końcowe na fizyce, rok później zaś ukończyła matematykę. Równocześnie pracowała w jednym z paryskich laboratoriów przemysłowych. W 1895 r. poślubiła Piotra Curie, młodego doktora fizyki, z którym w pracowni słynnego fizykochemika Henriego Becquerela prowadziła badania nad wysoką radioaktywnością rud uranu. Wraz z mężem odkryła dwa pierwiastki chemiczne, które nazwała polon (od Polski) i rad. Wyjaśniła również, że przyczyną ich promieniowania jest rozpad jąder atomowych. Za to odkrycie małżonkowie Curie (wraz z Becquerelem) zostali uhonorowani w 1903 r. Nagrodą Nobla. Po tragicznej śmierci męża w 1906 r. kontynuowała badania nad promieniotwórczością. W 1911 r. Królewska Szwedzka Akademia Nauk ponownie doceniła jej pracę naukową, przyznając Nobla z chemii za dalsze badania nad radem i polonem. W 2011 r., ogłoszonym Międzynarodowym Rokiem Chemii, przypada 100. rocznica tego wydarzenia.

Marie Skłodowska-Curie

■ Maria Skłodowska-Curie wraz z mężem Piotrem Curie w laboratorium, 1904 r.
■ Maria Skłodowska-Curie with her husband Piotr Curie in their laboratory in 1904

Two-time Nobel Prize laureate in the fields of chemistry and physics.

MARIE SKŁODOWSKA-CURIE (1867–1934) is considered the most remarkable scientist of all time and one of only two scientists to receive two Nobel Prizes in different fields. In Warsaw, Poland, where she was born she is regarded as an outstanding fellow countrywoman. In France, where she eventually settled, everyone saw her as a brilliant Frenchwoman with Polish roots. She was the first woman to study physics and chemistry at the Sorbonne University in Paris and also the first woman to receive a doctorate in physics and the first female professor at the Sorbonne.

Marie Skłodowska was born in 1867 into a large family of teachers. Her father, who taught mathematics and physics in secondary schools in Warsaw, infected his daughter with his enthusiasm for science-related subjects. Before long Marie was recognised as exceptionally intelligent, however, she could not develop academically in her home country as it was impossible for her to enter university during the period of the Partitions of Poland. For several years she worked as a governess, sending the money she earned to her sister in Paris who studied medicine there. Her sister later returned the favour, enabling Marie to fulfill her dream of studying at the department of physics and chemistry at the Sorbonne in Paris. In 1893 Marie passed her final exams in physics and a year later she received her degree in mathematics. During this time she also worked in a commercial laboratory in the city. In 1895 she married Pierre Curie who held a doctorate in physics; they had been working together in the laboratory of the renowned physicist and chemist Henri Becquerel where they conducted research on high levels of radiation in uranium ore. Marie and her husband discovered two new chemical elements, which she named polonium (after her home country of Poland) and radium. She also showed that radiation from the two elements was a result of the disintegration of the atomic nuclei. For this discovery the Curies (together with Becquerel) received the Nobel Prize in 1903. Following the tragic death of her husband in 1906, Marie continued her work on radioactivity. In 1911 the Royal Swedish Academy of Sciences presented her with the second Nobel Prize in recognition of her later research on polonium and radium. The year 2011, called the International Year of Chemistry, will be the 100th anniversary of this event.

During the First World War Curie donated the gold Nobel Prize medals (her own and her husband's) for the war effort against the Germans. She also demonstrated practical applications of radioactivity by building up a network of X-ray ambulances for wounded French soldiers. Until the end of her life she retained her Polish identity – her daughters spoke her native language, Marie herself supported Polish researchers, and in 1925 she established the Radium Institute in Warsaw (now the Maria Skłodowska-Curie Institute of Oncology). She died in 1934 in a sanatorium in France, the cause of her death leukaemia brought on by excessive exposure to radiation. Sixty one years later her remains were placed in the Pantheon in Paris – she was the first woman, and the only one to this day, to be honoured in this way. In the Marie Skłodowska-Curie Museum in Warsaw, located in her home at 16 Freta Street, there is a permanent exhibition devoted to her life and work.

Podczas I wojny światowej przeznaczyła medale noblowskie (własne i męża) na rzecz wsparcia wojny z Niemcami oraz zaprezentowała praktyczne zastosowanie promieniowania, organizując sieć ambulansów rentgenowskich służących francuskim żołnierzom. Do końca życia była związana z Polską – córki mówiły w jej ojczystym języku, wspierała też polskich uczonych, a w 1925 r. założyła w Warszawie Instytut Radowy (obecnie Centrum Onkologii jej imienia). Zmarła w szwajcarskim sanatorium, na wywołaną prawdopodobnie przez nadmierne napromieniowanie białaczkę. 61 lat później jej prochy spoczęły w paryskim Panteonie; przed nią nie pochowano tam jeszcze żadnej kobiety. W warszawskim Muzeum Marii Skłodowskiej-Curie, mieszczącym się w jej rodzinnym domu przy ulicy Freta 16, jest stała ekspozycja poświęcona życiu i działalności uczonej.

Słowiński Park Narodowy

Wędrujące góry piachu.

■ Las zasypywany przez wydmy
■ Forest covered by dunes

ZAŁOŻONY W 1967 R. SŁOWIŃSKI PARK NARODOWY chroni system jezior przybrzeżnych (przymorskich), bagna, torfowiska, łąki i nadmorskie bory, ale przede wszystkim unikatowe ruchome wydmy. Olbrzymie połacie wędrujących gór piachu są ewenementem w Europie. To najbardziej naturalny fragment polskiego wybrzeża. Od 1977 r. park znajduje się na Światowej Liście Rezerwatów Biosfery UNESCO, a w 1997 został również objęty konwencją ramsarską jako obszar wodno-błotny o międzynarodowym znaczeniu. Najnowszą formą ochrony (od 2004) było włączenie niektórych ekosystemów parku w skład Europejskiej Sieci Ekologicznej w ramach programu Natura 2000.

Krajobraz parku uformował się około 5,5 tys. lat temu, kiedy piaszczysta Mierzeja Łebska (długości 35 km) odcięła zatokę od pełnego morza, tworząc wielkie i płytkie jeziora przybrzeżne z przyległymi torfowiskami. Powstałe na mierzei ogromne wydmy przemieszczają się pod wpływem wiatrów zachodnich. Największe z nich mają ponad 40 m wysokości. Przesuwają się z prędkością od 3 do 15 m na rok, zasypując żywy, zielony las lub jeziora z ich przybrzeżnymi łąkami. Tuż za wydmami sterczą kikuty martwych drzew pogrzebanych przed wiekami. Najbardziej ruchliwa jest Wydma Łącka – jej rekordowe przemieszczenie odnotowano zimą 1998/99, kiedy pokonała 20 m! Największe pole wydmowe, pas długości 5 km i powierzchni ponad 500 ha, nazywane jest polską Saharą lub Białymi Górami. Nie ma tu bowiem nic oprócz piaszczystych wzgórz. Na horyzoncie zaś połyskują tafle wody – po jednej stronie pofalowane morze, po drugiej – spokojniejsze jezioro Łebsko.

Symbolem parku jest mewa srebrzysta. BirdLife International ustanowił na jego terenie Międzynarodową Ostoję Ptaków, która jest niezwykle ważnym siedliskiem, głównie dla gatunków wodno-błotnych. Wiele rzadkich ptaków znajduje tu doskonałe warunki do lęgów lub tylko odpoczynku w czasie wędrówki. Z 261 zaobserwowanych gatunków aż 184 zakłada gniazda.

Ochroną objęto obszar rozpościerający się na 32 744 ha – z czego większość zajmują wody i tereny podmokłe (morze, jeziora, torfowiska i bagna). Powierzchnia jezior na skutek zasypywania i zarastania ciągle maleje – największe z nich, Łebsko (7142 ha), przez ostatnie 60 lat zmniejszyło się o 400 ha (blisko 2,89 ha rocznie). Pod ścisłą ochroną znajduje się 12 obszarów o łącznej powierzchni 5929 ha – blisko połowę stanowią lasy. Wytyczono 140 km szlaków turystycznych z wieżami i pomostami widokowymi.

Słowiński National Park

■ Wydmy słowińskie z widokiem na jezioro Łebsko
■ Słowiński National Park dunes with a view of the Łebsko Lake

Moving sand dunes.

Mierzeję porastają murawy napiaskowe, wrzosowiska oraz bory sosnowe – głównie nadmorski bór bażynowy. Wśród pierwszych roślin wkraczających na wydmy są trawy oraz honkenia piaskowa, która uzależniona jest od piasku – pyłek potrzebny do zapylenia przenoszą bowiem nie owady, lecz ziarenka piasku. Najbardziej znaną rośliną porastającą wydmy jest mikołajek nadmorski.

Nazwa parku pochodzi od Słowińców, nieistniejącej już grupy etnicznej spokrewnionej z Kaszubami. W Klukach znajduje się skansen prezentujący budownictwo i kulturę ludową dawnych mieszkańców Wybrzeża.

ESTABLISHED IN 1967, THE SŁOWIŃSKI NATIONAL PARK protects an array of coastal lake systems, swamps, peat bogs, meadows, coastal forests and – first and foremost – the unique moving sand dunes. The vast areas of moving sand hills are a specific natural form of this part of the Polish coast and a natural phenomenon on a global scale. The park was placed on the UNESCO list of biosphere reserves and designated as part of the Ramsar Convention in 1997 as a wetland area of worldwide importance. The most recent protection method (introduced in 2004) relies on choosing several park eco-systems for the European Ecological Network within the Natura 2000 framework.

The park's landscape was formed around 5,500 years ago, when the sandy Łeba spit (35 km long) separated the bay from the sea, giving birth to huge shallow coastal lakes surrounded by peat bogs. Large dunes were created and they now move as they are pushed by the strong westerly winds. The biggest dunes are 40 m high. They move at 3 to 15 m a year, covering natural, green forests and lakes with their coastal sand meadows. Just behind the dunes trunks of dead trees, buried long centuries ago, rise out of the sand. The dune which moves the most is the Łącka Dune, which set the record in the winter of 1998/1999 by covering a distance of 20 m! The biggest dune belt, 5 km long and 500 ha in area, is often called the Polish Sahara or the White Mountains, since nothing else exists there except these sand hills. Water glimmers on both sides of the horizon; the agitated Baltic Sea on one and peaceful Łeba Lake on the other.

The park's symbol is the European Herring Gull. The park lands have been chosen by Bird Life International as International Bird Mainstay, which is a significant nesting site predominantly visited by wetland species. For many rare birds, the park offers perfect conditions for the birds to mate or simply to rest from their tiring journeys. From 261 observed species, as many as 181 nest here. The protected area covers 32,744 ha, most of which are wetlands (sea, lakes, peat bogs and swamps). The lake area is shrinking as it is buried and overgrown. The largest, Lake Łebsko (7,142 ha) has shrunk by 400 ha (ca 2,89 ha a year) over the last 60 years. Twelve sectors of 5,929 ha in total, mostly afforested, are also under protection. One-hundred-forty km of tourist routes, with towers and landscape terraces, have been demarcated throughout the park.

The spits of land are overgrown with grasses, moors and pine woods, predominantly with Baltic dune Scots pine woods. The first species to put down roots in the dunes were grasses and coastal sand plants requiring sand to propagate – where pollen is transmitted not by insects, but by grains of sand. The plant which grows over the dunes in large quantities is the Sea Holly. The park is named after the Slovincians, an ethnic group who had left the region after WWII and who were part of the Kashubian ethnic group of today. There is a heritage park in the village of Kluki presenting the architecture and folklore of the former inhabitants of this part of the Polish coast.

„Solidarność"

Związek zawodowy i masowy ruch społeczny, który przyczynił się do pokojowych przemian ustrojowych w Polsce i Europie Wschodniej.

DLA OSÓB znających historię i realia życia w Europie Centralnej i Wschodniej rola „Solidarności" jest nie do przecenienia. Dzięki niej rozpadł się obóz sowiecki, nastąpiło zjednoczenie Niemiec i integracja Europy, a komunizm wylądował na śmietniku historii.

Po II wojnie światowej, na skutek traktatów dzielących strefy wpływów, Polska znalazła się w obozie państw komunistycznych, trzymanych żelazną ręką Moskwy. Pomimo szczytnych idei komunizm nie wytrzymywał konfrontacji z państwami demokratycznymi. Oparta na centralnym planowaniu gospodarka była pełna braków, a codzienność niewiele miała wspólnego z propagandowymi sloganami. Polacy, od stuleci przywykli do życia w opozycji do oficjalnych władz, nie poddawali się zakłamanej ideologii i wszczynali bunty: w 1956 r. w Poznaniu, w 1968 – na wyższych uczelniach, w 1970 – na Wybrzeżu, w 1976 – w Radomiu i Ursusie.

W 1980 r. zadłużonym krajem wstrząsnął kolejny kryzys. Zastrajkowali robotnicy w Lublinie, Stoczni Gdańskiej, a potem w całym kraju. 31 sierpnia tego roku stała się rzecz niebywała: wielki strajk zakończył się porozumieniem rządzącej partii i robotników. Podpisano 21 postulatów, z których najważniejsze gwarantowały powstanie niezależnych od władz związków zawodowych, prawo do strajku, przestrzeganie konstytucyjnych zasad wolności słowa. 17 września w Gdańsku powstał Niezależny Samorządny Związek Zawodowy „Solidarność". Wkrótce idee związku zawładnęły wyobraźnią 10 milionów Polaków.

Rosjanie nie interweniowali, gdyż utknęli na wojnie w Afganistanie i zdawali sobie sprawę, że Polacy, w razie inwazji, będą walczyć. Jednak po 15 miesiącach polskie władze, czując, że sytuacja wymyka im się spod kontroli, postanowiły działać. 13 grudnia 1981 r. generał Wojciech Jaruzelski ogłosił wprowadzenie stanu wojennego. Zdelegalizowano wszelkie niezależne od władz organizacje, a ich działaczy internowano.

Jednakże sygnał wysłany przez „Solidarność" i wytrwały opór polskiego społeczeństwa wpływały na zmiany w samym Związku Radzieckim. Nowy przywódca, Michaił Gorbaczow, ogłosił politykę pierestrojki i głasnosti (przebudowy i jawności). Waliła się gospodarka, a rządzenie wbrew większości społeczeństwa było coraz trudniejsze. Polskie władze, na czele z Jaruzelskim, skłonne były do rozmów. 6 lutego 1989 r., w Warszawie, do negocjacji przy okrągłym stole, usiedli przedstawiciele władz i opozycji, w tym podziemnej „Solidarności". Zwyciężyła konsekwentna polityka *non violence* (bez użycia siły), którą przez lata kierował się papież Jan Paweł II i główni architekci porozumienia: Adam Michnik, Jacek Kuroń, Bronisław Geremek, Lech Wałęsa oraz „Solidarność".

'Solidarity'

■ Plakat wyborczy „Solidarności" z 1989 r.
■ 'Solidarity' free elections poster

A trade union and a mass social movement which led to the peaceful transformation of Poland and Eastern Europe.

Porozumienie Okrągłego Stołu wywołało falę niosącą Polskę do suwerenności, demokracji i praw wolnego rynku. 4 czerwca 1989 r. kandydaci „Solidarności" odnieśli miażdżące zwycięstwo w częściowo wolnych wyborach do parlamentu, a 24 sierpnia powstał pierwszy od pół wieku niekomunistyczny rząd Tadeusza Mazowieckiego. Pozostała jeszcze rzecz najtrudniejsza: przeprowadzenie Polaków i wyniszczonego kraju przez gruntowne reformy polityczne i gospodarcze. Impuls wywołany przez „Solidarność" uruchomił proces przemian III Rzeczypospolitej w nowoczesny kraj europejski.

■ Obrady Okrągłego Stołu
■ 'Round Table' meeting

THOSE WHO KNOW the history and reality of Central and Eastern Europe cannot overestimate the role of the 'Solidarity' trade union. It contributed to the fall of the Soviet Union, the union of the two German states and European integration and consigned communism to the rubbish heap of history.

After World War II, treaties dividing zones of influence put Poland in the communist sphere, ruled by the iron fist of Moscow. Despite its lofty intentions, communism was unable to prevail in its confrontation with democratic countries. The centrally planned economy was weak and reality had little to do with propaganda slogans. Poles, who had battled against any foreign authority throughout the centuries, did not yield to the false ideology and staged rebellions: 1956 in Poznań, 1968 at universities across the country, 1970 in northern Poland, 1976 in Radom and Ursus.

In 1980, the indebted country was shaken with yet another crisis. Strikes broke out in Lublin and in Gdańsk shipyards and spread around the country. On August 31, 1980, something unbelievable happened: the general strike ended with an agreement between the government and the strikers. Twenty-one postulates were signed guaranteeing the formation of independent trade unions, the right to strike and the abidance of the constitutional freedom of speech. On September 17, 1980, the Independent Self-governing Trade Union 'Solidarity' was established. Shortly after, 10 million people joined 'Solidarity'.

As Russia was in conflict with Afghanistan at the time it did not intervene, but also realized that Poland would defend itself in the event of an invasion. After 15 months the Polish communist authorities sensed that the situation was getting out of control and decided to take action. On December 13, 1981, General Wojciech Jaruzelski imposed martial law. All non-governmental organizations were outlawed and its members were interned.

However, the message sent by the 'Solidarity' movement and the determined resistance of Polish society had exerted great influence on the Soviet Union. Its new leader, Mikhail Gorbachev, introduced a policy of perestroika and glasnost (reconstruction and transparency). The Polish authorities led by Jaruzelski had to start negotiations on February 6, 1989 because of the terrible state of the economy and the near impossibility of governing the country. The Round Table Talks began in Warsaw with government representatives and opposition groups, including the outlawed movement, 'Solidarity'. The unswerving policy of non-violence, advocated by Pope John Paul II and the foremost proponents of the agreement, Adam Michnik, Jacek Kurnoń, Bronisław Geremek, Lech Wałęsa and 'Solidarity', led to victory.

The Round Table Agreement liberated Poland and brought democracy and the free market to the country. On June 4, 1989, 'Solidarity' candidates were overwhelmingly successful in the partially free elections to the Polish parliament, and on August 24, the first non-communist government for half a century was set up by Tadeusz Mazowiecki. The 'wind of change' from 'Solidarity' began the transformation of the 3rd Republic of Poland into a modern European country. But obstacles had to be overcome such as leading Polish society through the difficult political and economical reforms of the future. This process continues to this day.

■ Adam Małysz od wielu lat jest największą gwiazdą polskiego sportu
■ Adam Małysz – the greatest Polish sportsman of recent years

Gwiazdy **sportu**

Sports stars

Ich sukcesy napawają Polaków dumą i budzą podziw kibiców na całym świecie.

Their success fills Polish people with pride and impresses sports fans all around the world.

W DZISIEJSZYM, ZDOMINOWANYM PRZEZ MEDIA ŚWIECIE, wielcy sportowcy są doskonałymi ambasadorami swoich krajów. Poprawiają ich wizerunek, budzą podziw i szacunek swoich rodaków, napawają ich dumą. Są idolami dla młodzieży i wzorami do naśladowania. Spośród wielu nietuzinkowych postaci polskiego sportu wyróżniają się Adam Małysz, Robert Kubica, Tomasz Gollob, Marcin Gortat, Agnieszka Radwańska, Mariusz Czerkawski. Wszyscy oni osiągnęli absolutne mistrzostwo w uprawianych przez siebie dyscyplinach, znaleźli się wśród uczestników najlepszych, najdroższych i najbardziej elitarnych rozgrywek. Ich twarze rozpoznawane są również poza granicami naszego kraju i jednoznacznie kojarzone z Polską.

Dla wielu Polaków Adam Małysz jest największym sportowcem w historii naszego kraju. W karierze skoczka narciarskiego osiągnął niemal wszystko: czterokrotnie wygrał Puchar Świata, cztery razy był też indywidualnym mistrzem świata, zdobył cztery medale na igrzyskach olimpijskich (Salt Lake City w 2002 r. i Vancouver w 2010), zwyciężył także w prestiżowym Turnieju Czterech Skoczni w sezonie zimowym 2001/02. Latem zdobywał Grand Prix, a zimą aż 38 razy stawał na najwyższym podium w zawodach pucharowych. Dotąd lepszy od niego był tylko Matti Nykänen, który podobnych zwycięstw zanotował 46. Kibice Adama Małysza podziwiają nie tylko jego niezwykły talent i doskonałą technikę, ale też skromność, pokorę i determinację w pokonywaniu trudności. Gdy po eksplozji talentu na początku pierwszej dekady XXI w. przyszły chwile spadku formy, wspierany przez kibiców potrafił znaleźć w sobie siłę do dalszych ciężkich treningów i wrócić na szczyt.

O Robercie Kubicy mówi dziś cały motoryzacyjny świat. Jako pierwszy Polak przebojem wdarł się na tory Formuły 1. Obdarzony jest kosmicznym wręcz refleksem oraz szybkością w podejmowaniu trafnych decyzji. Choć dotychczas tylko kilkakrotnie stał na podium Grand Prix Formuły 1, eksperci nie mają wątpliwości, że gdy tylko trafi do lepszej stajni i dostanie bolid na miarę swojego talentu, może przyćmić samego Michaela Schumachera.

Tomasz Gollob jest wielkim mistrzem w żużlu. W Polsce czarny sport cieszy się ogromną popularnością, a nasza liga uważana jest za jedną z najlepszych na świecie. Gollob od lat znajduje się w ścisłej światowej czołówce, wielokrotnie wygrywał zawody Pucharu Świata, był drużynowym mistrzem świata, a w 2010 r. po raz pierwszy zdobył najważniejsze żużlowe trofeum – został indywidualnym mistrzem świata.

Z kolei Marcin Gortat, środkowy Orlando Magic, jest pierwszym Polakiem, który osiągnął sukces w najlepszej lidze koszykarskiej NBA. W 2009 r. wywalczył ze swoją drużyną awans do finału play-off NBA, osiągając tym samym największy z możliwych sukcesów w tej dyscyplinie sportu. Światowy sukces w elitarnym sporcie odniosła też Agnieszka Radwańska, dostając się do pierwszej dziesiątki tenisistek według rankingu WTA. W Kanadzie zaś do dziś wspomina się Mariusza Czerkawskiego, najlepszego polskiego hokeistę, gracza słynnej NHL, uczestnika prestiżowego meczu sław ligi (All-Star Game) w 2000 r.

IN OUR MODERN, MEDIA-DOMINATED WORLD, great sportsmen and sportswomen are the ideal ambassadors of their countries. They improve the image of their country, impress and inspire the respect of their fellow countrymen and fill their followers with pride. They are the younger generation's idols and role models. Among many outstanding Polish sports personalities are: Adam Małysz, Robert Kubica, Tomasz Gollob, Marcin Gortat, Agnieszka Radwańska and Mariusz Czerkawski. They have all achieved an absolute mastery in their respective disciplines and have participated in the most rewarding and prestigious competitions. They are also recognized outside their homeland and unmistakably associated with Poland.

Many Polish people consider Adam Małysz the greatest Polish athlete in the history of Polish sports. During his career he has achieved nearly everything he set out to do; he has won the World Cup 4 times, became the Individual World Champion 4 times, won 4 gold medals at the Olympic Games (Salt Lake City in 2002 and Vancouver in 2010) and was first in the prestigious Four Hills Tournament in the winter season 2001/2002. In the summer he won the Grand Prix, and during the winter seasons he won the cup competition as many as 38 times. So far, only Matti Nykänen has a higher score with 46 victories. Followers of Adam Małysz admire not only his extraordinary skills and perfect technique, but also his modesty and determination to overcome difficulties. His talent 'took off' in the first decade of 2000, but later went into decline. Supported by his fans, Małysz found strength to continue his extensive training and return to top form.

Today, Robert Kubica is the talk of the motorized world. He was the first Polish sportsman to achieve a place in the ranks of Formula 1 drivers. He is gifted with extraordinary reflexes and instantaneous decision-making capabilities. Although Kubica has stood on the Formula One Grand Prix podium only a few times, experts have no doubts that one day he will overshadow even Michael Schumacher.

Tomasz Gollob is a speedway champion. In Poland, the 'black' sport is hugely popular and the Polish league is considered one of the most formidable in the world. For years, Gollob has been at the top of the international league, repeatedly winning World Cup competitions, becoming the Team World Champion, and winning the major speedway trophy in 2010 – the Individual World Champion title.

Marcin Gortat, the Orlando Magic center, is the first Polish basketball player to succeed in the most important basketball league, the NBA. In 2009, together with his teammates, he successfully qualified in the NBA play-off finals, achieving the most spectacular success in the discipline. International success in a world ranking sport was also achieved by Agnieszka Radwańska who is one of the top 10 tennis players in the WTA ranking. Canadian fans still recall Mariusz Czerkawski, the great Polish ice hockey player, playing in the prestigious NHL and taking part in the legendary All-Star Game in 2000.

■ Polska Stacja Polarna na Spitsbergenie
■ Polish Polar Station on Spitsberger Island

■ Polska Stacja Antarktyczna im. H. Arctowskiego na Wyspie Króla Jerzego
■ Henryk Arctowski Polish Antarctic Station on King George Island

Stacje polarne

Polar Stations

Polskie stacje badawcze znajdują się zarówno na Antarktydzie, jak i w Arktyce.

GDYBY OCENIAĆ KRAJE po ich zaangażowaniu w podbój i badania rejonów polarnych, Polska znalazłaby się w gronie mocarstw.

„28 stycznia, o godzinie 10, na brzeg antarktycznej Wyspy Króla Jerzego wyszła pierwsza amfibia, spuszczona z pokładu m/s »Zabrze«. Tak rozpoczęła się operacja lądowania wielkiej wyprawy, której celem jest założenie pierwszej polskiej stałej stacji badawczej w Antarktyce" – poinformowała w 1977 r. Polska Agencja Prasowa, która za pośrednictwem Gdynia Radio skontaktowała się z polarnikami kierowanymi przez prof. Stanisława Rakusy-Suszczewskiego.

Na miejsce lądowania wyprawy wybrano zachodni brzeg Zatoki Admiralicji, na Wyspie Króla Jerzego, w archipelagu Szetlandów Południowych. W ciągu miesiąca na odwiedzanej dotąd tylko przez pingwiny i foki rozległej plaży stanęła antarktyczna baza składająca się z 14 budynków. Jej oficjalne otwarcie nastąpiło 26 lutego 1977 r. W ten sposób Polska stała się 13. krajem, który posiada własną całoroczną bazę na Antarktydzie oraz jest sygnatariuszem Traktatu Antarktycznego regulującego polityczno-prawny status siódmego kontynentu. Wcześniej dysponowaliśmy tylko otrzymaną w darze od ZSRR stacją naukową Oasis nazwaną imieniem A.B. Dobrowolskiego, która znajdowała się w Oazie Bungera i działała do 1979 r.

Nowa baza nosi imię Henryka Arctowskiego, oceanografa, glacjologa, geologa i meteorologa, który był jednym z pierwszych Polaków na Antarktydzie. Dotarł tam w 1898 roku na pokładzie statku badawczego „Belgica" (miał wtedy zaledwie 26 lat) i zakochał się w „białym kontynencie", jak go nazywał w swoich opisach. Jego wyprawa była też pierwszą, która zimowała w Antarktyce.

Prowadzone w Stacji im. Arctowskiego prace koncentrowały się na biologii i ekologii antarktycznego kryla. Później poszerzono zakres m.in. o hydrologię, oceanologię, geologię, geomorfologię i medycynę. W latach 80. XX w. do stacji zawitali pierwsi turyści, dziś bazę odwiedza blisko 3 tys. osób rocznie – szczególnym zainteresowaniem cieszy się m.in. grób Włodzimierza Puchalskiego, znanego fotografa i reżysera filmów przyrodniczych, który zmarł na atak serca podczas wyprawy fotograficznej.

Druga słynna polska baza polarna znajduje się po przeciwległej stronie globu – nad Zatoką Białego Niedźwiedzia (Isbjornhamna), w południowej części wyspy Spitsbergen Zachodni. Założona została w lipcu 1957 r. przez uczestników wyprawy Polskiej Akademii Nauk, działającej w ramach Międzynarodowego Roku Geofizycznego 1957–1958. Kierował nią prof. Stanisław Siedlecki, znany badacz polarny, geolog i taternik, który brał udział w pierwszych polskich ekspedycjach do Arktyki. Stacja prowadzi badania z zakresu geofizyki i środowiska polarnego. Jej mieszkańcy wsławili się także postawieniem w 1982 r. 10-metrowej wysokości krzyża na znak protestu przeciwko wprowadzeniu w Polsce stanu wojennego.

Polish research stations can be found in Antarctica and the Arctic.

IF WE WERE TO APPRAISE COUNTRIES by their involvement in conquering and researching the Polar Regions of the world Poland would be placed among the greatest of nations.

"On January 28, at 10 am, the first amphibian descended from the deck of the ship, 'Zabrze', and reached the coast of King George Island in Antarctica. The landing operation of an epic mission to launch the first permanent Polish research station in Antarctica had began," we were informed by the Polish Press Agency in 1977, after contact had been established through Gdynia Radio with the polar researchers lead by Professor Stanisław Rakusy-Suszczewski.

The western coast of Admiralty Bay on King George Island, in the South Shetlands archipelago was chosen as the landing site. Within a month, the vast beach, so far visited only by penguins and seagulls, was an Antarctic base consisting of 14 buildings. Its official opening took place on February 26, 1977. Poland is a signatory of the Antarctic Treaty regulating the political and legal status of the 7th continent and the 13th country to have its own year-round base in Antarctica. Before this event Poland had occupied, for a short time, the Oasis station handed over to Poland by the Soviet Union in 1959 and named after A.B. Dobrowolski.

The new station located in the Bunger Oasis has been functioning since 1979 and was named after Henryk Arctowski, an oceanographer, glaciologist, geologist and meteorologist, one of the first Poles in Antarctica. He arrived in 1898 on the research ship, 'Belgica' (he was only 26 year old) and fell in love with the 'white continent', as he described it. His expedition was the first one to pass a winter in Antarctica.

Initially, the research conducted in the Arctowski station focused on the biology and ecology of the Antarctic krill. Later, its scope was widened to hydrology, marine science, geology, geomorphology and medical research. In the 1980's, the first tourists arrived at the station and today it is visited by nearly 3,000 people a year. Some visit the grave of Włodzimierz Puchalski, a well known photographer and nature film documentary director who died of a heart attack while on a photographic expedition.

The second famous Polish polar station is located on the other side of the globe, at the White Bear Bay (Isbjornhamna), in southern Spitsbergen. It was founded in July, 1957, by the Polish Academy of Sciences working within the International Geophysical Year 1957-1958 framework. It was headed by Professor Stanisław Siedlecki, a well known polar researcher, geologist and mountaineer, who participated in the first Polish expeditions to the Arctic. The station carries out research on geophysics and the polar environment. Its personnel became known around the world in 1982, when they raised a 10-meter high cross in a gesture of opposition to the introduction of martial law in Poland.

Ś Śpiewacy operowi

Najpiękniejsze polskie głosy – od Marcelli Sembrich--Kochańskiej, przez Jana Kiepurę, do Piotra Beczały.

PETER GELB, obecny dyrektor Metropolitan Opera w Nowym Jorku, twierdzi, że Piotr Beczała jest najlepszym tenorem lirycznym na świecie. Amerykańska publiczność uwielbia obdarzoną niepowtarzalnym kontraltowym głosem Ewę Podleś. Sukcesy na świecie odnoszą również specjaliści od ról barytonowych: Mariusz Kwiecień i Andrzej Dobber oraz sopranistka Aleksandra Kurzak. Są oni godnymi następcami i kontynuatorami wspaniałych osiągnięć polskich śpiewaków operowych.

W holu Metropolitan Opera na poczesnym miejscu znajduje się portret kobiety w eleganckiej sukni. To Marcella Sembrich-Kochańska (1858–1935), primadonna światowych scen. Urodziła się na Podolu w biednej rodzinie wędrownego nauczyciela muzyki. Jesienią 1883 r. przybyła do Nowego Jorku zaangażowana na sezon w nowo otwartej Metropolitan Opera. Z teatrem tym związała się na ćwierć wieku, aż do 1909 r., śpiewając najwspanialsze sopranowe partie. Święciła też triumfy w Europie i Ameryce Południowej.

W tym samym czasie na świecie znane było też rodzeństwo Reszków. Kariera Józefiny Reszke trwała krótko – artystka zmarła w 1891 r. w wieku 36 lat. Ale jej bracia: Edward (bas) oraz Jan Mieczysław (tenor) jeszcze długo królowali w operze. W samej Ameryce Edward wystąpił ponad 700 razy, a Jan potrafił nowojorską publiczność doprowadzić do histerii. Ogromną popularność zyskali pojawiając się na scenie razem, w takich dziełach jak „Aida", „Faust" czy „Lohengrin".

Wśród wokalnych sław szczególną pozycję zajął obdarzony wyjątkowo pięknym głosem (tenor) Jan Kiepura (1902–1966). Chłopak z Sosnowca, jak o nim mówiono, zadebiutował w 1925 r. w Teatrze Wielkim, na scenie operowej Warszawy. Kilkanaście miesięcy później śpiewał już w wiedeńskiej Staatsoper, a w 1928 r. – w La Scali. Był jednym z pierwszych artystów opery, który zdobył sławę równą gwiazdom muzyki popularnej, gdyż występy w „Cyganerii", „Tosce" czy „Rigoletcie" umiejętnie łączył z karierą kinową. W latach 30. nakręcił filmy muzyczne (w kilku wersjach językowych), które rozsławiły go na całym świecie. Jan Kiepura wylansował w nich kilka nieśmiertelnych przebojów – „Ninon, ach uśmiechnij się" czy „Brunet-

Opera singers

■ Jan Kiepura odnosił sukcesy w teatrze, salach koncertowych i kinie
■ Jan Kiepura was successful in the theatre, concert halls and cinema

The most beautiful Polish voices – from Marcella Sembrich-Kochańska and Jan Kiepura to Piotr Beczała.

ki, blondynki" do dziś śpiewają kolejne pokolenia tenorów. Po wybuchu II wojny światowej osiadł w Ameryce, zaangażował się w Metropolitan Opera, by potem wraz ze swą piękną żoną, węgierską śpiewaczką, Martą Eggerth podbić Broadway, m.in. występami w „Wesołej wdówce".

Do fenomenalnych osiągnięć Jana Kiepury nawiązuje dzisiaj Piotr Beczała. Po ukończeniu studiów wokalnych w Akademii Muzycznej w Katowicach wyjechał w 1992 r. z kraju. Przez kilka sezonów był związany z teatrem w Grazu, ale prawdziwą karierę zaczął robić sześć lat później, gdy trafił do Opery w Zurychu. Dziś o pozyskanie Piotra Beczały zabiegają największe teatry na świecie. Kiedy w Berlinie zaśpiewał w „Balu maskowym", krytycy stwierdzili, że dorównuje Luciano Pavarottiemu, po „Cyganerii" w Wiedniu owacje trwały 20 minut. Od kilku sezonów jest gwiazdą Metropolitan Opera.

PETER GELB, the present Director of the Metropolitan Opera in New York maintains that Piotr Beczała is the best lyrical tenor in the world. American audiences love Ewa Podleś gifted, unique, contralto voice. Polish specialists in baritone roles: Mariusz Kwiecień and Andrzej Dobber, as well as soprano singer Aleksandra Kurzak, are also internationally famous. They are admirable followers and continue the marvellous achievements of Polish opera singers.

One of the places of honour in the hall of the Metropolitan Opera is taken by a portrait of a woman in an elegant dress. This is Marcella Sembrich-Kochańska (1858–1935), a prima donna of international stages. She was born to the poor family of a village music teacher in Podole. In the autumn of 1883 she arrived in New York to sing for one season in the newly opened Metropolitan Opera. She remained with the Metropolitan for a quarter of century, till 1909, singing the most marvellous soprano arias with successes also in Europe and South America.

During that same period the Reszków brothers and sister became world famous. The career of Józefina Reszke was short – she died at the age of 36. However, her brothers: Edward (bass) and Jan Mieczysław (tenor) reigned in opera for many years. Edward performed over 700 times in America alone and Jan knew how to bring the New York audience to a state of rapture. They gained enormous popularity appearing together on stage in masterworks of opera such as 'Aida', 'Faust' and 'Lohengrin'.

A unique place among this famous vocal family was taken by the gifted with an outstandingly beautiful voice (tenor) Jan Kiepura (1902–1966). The lad from Sosnowiec, as he was called, debuted in 1925 in the Grand Theatre on the Warsaw opera stage. Several months later he was singing in the Vienna Staatsoper and in 1928 – in La Scala. He was among the first opera artists to gain fame equal to that of pop music stars, as he skilfully combined his performances in 'The Bohemians', 'Tosca' and 'Rigoletto' with a career in the cinema. He starred in musicals (in several language versions) in the 1930's which made him famous around the world. Jan Kiepura sang some eternal hits – 'Smile, Oh Ninon' and 'Brunettes, blondes', today still sung by generations of tenors.

After the outbreak of World War II he settled in America and worked with the Metropolitan Opera, and later conquered Broadway with his beautiful wife, Hungarian singer, Marta Eggerth, performing in 'The Merry Widow'.

Today, Piotr Beczała refers to the marvellous achievements of Jan Kiepura. Beczała graduated from vocal studies at the Music Academy in Katowice and left Poland in 1992. He was contracted by the theatre in Graz for several seasons but he started making a true carrier six years later when he went to the Opera in Zurich. Today, the largest theatres in the world do their utmost to have Piotr Beczała perform. When he sang in the 'Masked Ball' in Berlin, critics stated he was equal to Luciano Pavarotti. At the end of 'The Bohemians' in Vienna, the ovations lasted 20 minutes. For several seasons now Piotr Beczała has been a celebrity of the Metropolitan Opera.

■ Przedstawienie „La Boheme" Pucciniego w londyńskiej The Royal Opera House z Piotrem Beczałą
■ Puccini's La Boheme with Piotr Beczała at The Royal Opera House in London

T Tatry i Giewont

Najwyższe polskie góry to perła krajobrazu i kulturowy fenomen.

■ Dolina Pięciu Stawów Polskich w Tatrach Wysokich
■ Dolina Pięciu Stawów (Five Lakes Valley) in the High Tatra Range

TATRY MAJĄ ZALEDWIE 795 KM² POWIERZCHNI, z czego 175 znajduje się w granicach naszego państwa. To nieco ponad pół promila powierzchni kraju, ale w polskiej kulturze i tradycji zajmują wyjątkowe miejsce. Co ciekawe, ich historię i legendę tworzyli wspólnie zarówno mieszkający u stóp masywu górale, jak i urzeczeni nimi przybysze z nizin. Wyniosłe szczyty, postrzępione turnie, przepastne urwiska i malownicze stawy z krystaliczną wodą od blisko 200 lat inspirują naukowców i artystów oraz przyciągają turystów.

Od 1954 r. góry objęte są ochroną w Tatrzańskim Parku Narodowym (21 164 ha), który razem ze słowackim parkiem tworzy międzynarodowy rezerwat biosfery UNESCO (od 1992 r.). Tatry nazywa się często miniaturką Alp. To jedyne góry w Polsce o charakterze alpejskim. Ich krajobraz został ukształtowany pod wpływem dwóch czynników: wypiętrzenia skał w czasie fałdowania alpejskiego, kiedy Afryka „zderzyła się" z Europą, oraz działania lodowców, które pokrywały góry podczas zlodowaceń, modelując doliny, wycinając kotły i jeziora wysokogórskie.

Tatry Wysokie zbudowane z twardych, odpornych na niszczenie skał krystalicznych, takich jak granit, zachowały bardziej surowy charakter. Ich szczyty i granie są postrzępione, a zbocza pionowe i niedostępne. W głębokich dolinach połyskuje około 30 stawów. Tatry Zachodnie, zbudowane z bardziej podatnych na wietrzenie (zwłaszcza chemiczne) wapieni, mają łagodniejsze formy, ale pod powierzchnią kryją ponad 650 jaskiń, z których największa jest Wielka Śnieżna.

Niezwykle bogaty świat organizmów żywych liczy w Tatrach ponad 11 tys. poznanych gatunków. Góry są ostoją niedźwiedzi brunatnych, rysi, a także kozic i świstaków zamieszkujących wyższe partie. Tutaj gniazduje też kilka par niezwykle rzadkich orłów przednich. Tatrzańska roślinność ułożona jest w piętra, z lasami regla dolnego (do 1250 m n.p.m.), reglem górnym złożonym ze świerczyny z domieszką limby – pięcioigielnej sosny wysokogórskiej rosnącej poza tym jedynie w Alpach (do 1550 m,), kosodrzewiną (do 1800 m), halami oraz skalistą i niemal nagą strefą turni.

Dwa szczyty o charakterystycznych kształtach urosły do rangi symboli Tatr: Mnich (2068 m n.p.m.)

The Tatras and Giewont

■ Giewont w Tatrach Zachodnich
■ Giewont in the Western Tatras

Poland's highest mountains are a pearl in the landscape and a cultural experience.

w Tatrach Wysokich oraz Giewont (1894 m n.p.m.) w Tatrach Zachodnich. Ten ostatni to najładniejsza góra, którą można oglądać bezpośrednio z Zakopanego. Kształtem przypomina śpiącego rycerza. Legenda głosi, że kiedy Polska znajdzie się w wielkiej potrzebie, ogromny rycerz powstanie i udzieli jej niezbędnej pomocy.

Na wierzchołku Giewontu w 1901 r. wzniesiono stalowy krzyż jubileuszowy upamiętniający wkroczenie w nowe stulecie. Krzyż ma 15,5 m wysokości, waży 1819 kg, składał się z 400 części, a wnosiło go 250 osób. Od początku był miejscem manifestacji polskiej wolności i niezależności. Wieszano na nim flagi podczas pielgrzymek polskiego papieża do ojczyzny. Każdego roku, w rocznicę śmierci Jana Pawła II, kilku zakopiańczyków wnosi na górę ogromną ilość sprzętu, by o godzinie 21.37 rozświetlić krzyż i pokazać, że Tatry ciągle pamiętają o naszym największym rodaku.

THE TATRAS COVER AN AREA OF 795 KM², of which 175 km2 lie within the Polish border. And although this is no more than a thousandth of the country's surface area, the Tatras hold a special place in Polish culture and tradition. What is interesting is that the history and legends of this region were created as much by the Highlanders dwelling in the mountains and hillsides as by visitors from the Lowlands charmed by the beauty of the Tatras. The treasures of the region, such as the grand peaks, jagged Alpine landscape, precipitous cliffs and the crystal clear waters of picturesque lakes have been inspiring scientists and artists and attracting visitors for nearly 200 years.

From 1954 the Tatras have been under the protection of the Tatra National Park, 21,164 ha in size, together with the Slovak park (from 1992) and the UNESCO Biosphere Reserve program. The Tatras are often referred to as miniature Alps and in fact they are the only Polish mountains resembling the Alps. The unique landscape of the region was shaped during two crucial landforming processes: upheaval of rocks during the structural deformation of the Earth's crust when Africa and Europe 'crashed', and the modeling processes of glaciers which covered mountains during glacial periods – this is when many valleys, cirque and high mountain lakes were formed.

The wild nature of the High Tatras is preserved to this day owing to the strong resistance to erosion of the High Tatras granite rock. The peaks and spurs are jagged with vertical cliffs impossible to climb and the deep valleys are filled with some 30 lakes. The Western Tatra landscape is less serrated – as here limestone and dolomite dominate which is less resistant to weathering (in particular chemical erosion), and over 650 caves can be found in the area, with Wielka Sniezna the largest.

More than 11 thousand species of living organisms dwell in the Tatras, making it exceptionally abundant in fauna. Brown bears and lynxes in the mountains and chamois and marmots on the higher slopes. A few extremely rare golden eagle pairs also nest here. The flora of the Tatra is present at different levels – lower mountain forests are situated at 1250 m, with the higher slopes of spruce mixed with Swiss Pine (a five year-old high-mountain pine found only here and in the Alps) no higher than 1550 m, mountain pines up to 1800 m and above only Alpine tundra and a rocky, almost barren Alpine zone.

Two distinctively shaped peaks have become the Tatra symbols: Mnich (2068m) in the High Tatras and Giewont (1894m) in the Western Tatras. The latter is the grandest peak and can be seen from Zakopane. Its shape resembles a sleeping knight and legend has it that if Poland is in danger the great knight will rise and protect the nation against its foes. A 15,5 m high steel cross weighing 1819 kg was erected on its summit in 1901 to commemorate the turn of the centuries. It was made from 400 parts and as many as 250 people carried it to the summit. The cross was hung with flags during Pope Jan Pawel II's visits to Poland and now it is the tradition that every year, on the anniversary of his death, lighting equipment is carried to the top to light the cross at 21:37 as a tribute to this great Polish patriot.

■ Jerzy Grotowski
■ Jerzy Grotowski

■ „Dama Pikowa" Piotra Czajkowskiego w reżyserii Mariusza Trelińskiego, odnoszącego obecnie sukcesy na scenach operowych
■ Tchaikovsky's The Queen of Spades directed by Mariusz Treliński, who is now successful director of opera productions.

Teatr polski

Jednym z największych reformatorów XX-wiecznego teatru był Jerzy Grotowski.

W LATACH 70. I 80. XX W. świat podziwiał spektakle Teatru Cricot 2 Tadeusza Kantora: „Umarła klasa", „Wielopole, Wielopole" czy „Niech sczezną artyści". W ostatnich latach największe sukcesy odnosi Krzysztof Warlikowski, który w 2009 r. pokazał „(A)pollonię" na festiwalu w Awinionie, a w 2010 zrealizował międzynarodową produkcję „Tramwaj" z Isabelle Huppert w roli głównej. Z kolei koprodukcją TR Warszawa i Schaubühne am Lehniner Platz w Berlinie była inscenizacja „Między nami dobrze jest" (2009) Doroty Masłowskiej, w reżyserii Grzegorza Jarzyny, który od kilku sezonów współpracuje też m.in. z Burgtheater w Wiedniu. Jednak największe uznanie w świecie zyskał Jerzy Grotowski (1933–1999) uważany za wielkiego reformatora XX-wiecznego teatru.

W 1959 r. Jerzy Grotowski został dyrektorem Teatru 13 Rzędów w Opolu (od marca 1962 noszącego nazwę Teatr Laboratorium 13 Rzędów). Miał wówczas 26 lat, był po studiach aktorskich w krakowskiej Państwowej Wyższej Szkole Teatralnej, reżyserskich w Moskwie i Krakowie. W Opolu powstały jego pierwsze głośne spektakle oparte na wielkiej literaturze dramatycznej („Dziady" Adama Mickiewicza, „Kordian" Juliusza Słowackiego, trzy wersje „Akropolis" Stanisława Wyspiańskiego).

W 1965 r. przeniósł się z zespołem do Wrocławia. W coraz bardziej ascetycznych spektaklach artysta zacierał podział między sceną a widownią, a przede wszystkim skupiał się w pracy nad ciałem aktora i sposobami ekspresji. Odwoływał się do technik wschodnich. Aktor miał być ogołocony, a więc powinien dotrzeć do pokładów psychiki, których nikt nie ujawnia w życiu codziennym.

Z tych prób wyrosły dwa najdojrzalsze dokonania Teatru Laboratorium: „Książę niezłomny" (1965) oraz „Apocalypsis cum figuris" – trzy wersje tego przedstawienia powstały w latach 1969–1973. W 1968 r. Jerzy Grotowski wydał w Danii, a następnie w USA, książkę „Ku teatrowi ubogiemu". Opublikowana później w kilkunastu krajach stała się swoistą biblią teatrów poszukujących.

Od połowy lat 70. Grotowski wykazywał coraz mniejsze zainteresowanie nowymi spektaklami. Podróżował po Azji, Meksyku, Nigerii, ale i na Białostocczyznę, pogłębiając studia etnologiczne i antropologiczne; z Teatrem Laboratorium prowadził staże w USA, Kanadzie, Australii, Francji czy Niemczech. Jego nowe projekty, takie jak „Przedsięwzięcie Góra" (1977), były raczej seansami psychoterapeutycznymi, budującymi komunikację między ludźmi za pomocą ruchu, głosu i wspólnego śpiewu.

Stan wojenny zastał go za granicą, a w 1982 r. wyemigrował do USA, gdzie został profesorem Columbia University w Nowym Jorku, a następnie Uniwersytetu Kalifornijskiego. W 1986 r. założył w Pontedery we Włoszech ośrodek noszący dziś nazwę Workcenter of Jerzy Grotowski and Thomas Richards (najbliższy współpracownik Grotowskiego). Prowadził w nim badania nad sztukami rytualnymi, kontynuowane przez jego spadkobierców do dnia dzisiejszego.

Polish Theatre

Jerzy Grotowski was one of the greatest reformers of 20th century theatre.

IN THE 1970'S AND 1980'S, performances by Tadeusz Kantor's Cricot 2 Theatre, such as *The Dead Class; Wielopole, Wielopole* and *Let the Artists Die* were widely acclaimed. In recent years, major success has been achieved by Krzysztof Warlikowski who staged *(A)pollonia* at the Avignon Festival in 2009 and directed the international production *Streetcar* starring Isabelle Huppert in 2010. In 2009 the Variety Theatre from Warsaw and Schaubühne am Lehniner Platz from Berlin co-produced *No Matter How Hard We Tried* based on Dorota Masłowska's drama directed by Grzegorz Jarzyna who also collaborated with the Vienna Burgtheater during several seasons. But the greatest notoriety was enjoyed by Jerzy Grotowski (1933–1999) considered the significant reformer of 20th century theatre.

In 1959 Jerzy Grotowski became the director of the Theatre of the 13 Rows in Opole (called the Theatre Laboratory 13 Rows from March 1962). He was only a 26-year-old graduate of acting (State Theatre School in Krakow) and directing (Moscow and Krakow). His first well known productions were based on the epic Polish dramas (*Dziady* by Adam Mickiewicz *Kordian* by Juliusz Słowacki 3 versions of *Akropolis* by Stanisław Wyspiański) and were performed in Opole. In 1965 he moved with his ensemble to Wrocław. In his increasingly ascetic performances he erased the borders between stage and audience and focused on the actual bodies of the actors. He turned towards eastern techniques and means of expression. Actors had to be denuded in order to come into contact with those levels of their psyche they would never reach in their everyday lives. His attempts allowed the theater to produce two of its most mature pieces: *The Constant Prince* (1965) and, *Apocalypsis cum figures* (three versions created between 1969–1973). In 1968 Jerzy Grotowski published his book, *Towards a Poor Theatre* in Denmark and later in the USA. Published in many countries, it became the bible for experimental theatres.

Since mid the 70's, Grotowski has shown less interest in producing new theatre pieces. He has travelled across Asia, Mexico, Nigeria and the Polish region of Białystok, deepening his studies of ethnology and anthropology. With the Theatre Laboratory he organized workshops in the USA, Canada, Australia, France and Germany. His projects such as, *Undertaking Mountain* (1977) resembled psychotherapy sessions in establishing communication between people, with the use of movement, voice and song together.

In 1982 when Grotowski was abroad the Polish government introduced Martial law and he emigrated to the USA where he became professor at Columbia University in New York and later at California University. In 1986 he established the Work Center of Jerzy Grotowski and Thomas Richards in Pontedery in Italy (Richards was his closest colleague). Here he conducted research on ritual arts which are continued by his successors to this day.

■ Toruńska Starówka najpiękniej prezentuje się z przeciwległego brzegu Wisły
■ Toruń Old Town looks most picturesque when seen from the opposite side of the Vistula River

Toruń

Średniowieczny gród na liście UNESCO.

PIERNIKOWE MIASTO, gród Kopernika, Kraków Północy – tak określany jest Toruń, z którego pochodzą najsłynniejszy polski astronom i najsmaczniejsze pierniki. Jego nadwiślańska panorama oraz wpisana na listę UNESCO Starówka nie mają sobie równych w całej Polsce. Peter Strasser, przekazując w 1997 r. certyfikat wpisu na prestiżową listę, powiedział: „Toruń jest miastem, które zachowało w niezwykłym wymiarze oryginalny, średniowieczny obraz życia". I rzeczywiście, toruńska Starówka przypomina wielkie muzeum, w którym pośród wiekowych murów toczy się współczesne życie. Pod renesansowymi stropami pracują urzędnicy i bankowcy. Studenci miejscowego uniwersytetu spędzają wieczory w gotyckich podziemiach, gdzie mieszczą się puby, restauracje i dyskoteki.

Toruń powstawał stopniowo – dzisiejsza Starówka złożona jest z trzech części: zamku (albo raczej tego, co z niego zostało, czyli gdaniska), Starego Miasta lokowanego w 1233 r. i niewiele młodszego Nowego Miasta, którego początki sięgają 1264 r. Stare Miasto z wielkimi kościołami, bogatymi kamienicami i dużym rynkiem było dzielnicą bogatych mieszczan. Nowe Miasto – z własnym ratuszem i rynkiem – zajęli rzemieślnicy i handlarze.

Toruńska Starówka, jako jedna z nielicznych w Polsce, nie ucierpiała podczas wojen. Każdy, kto dziś spaceruje jej ciasnymi uliczkami, ma niepowtarzalną okazję otrzeć się o kawałek historii. Potwierdza to też hasło reklamowe grodu: „Toruń – gotyk na dotyk". Niebywała bliskość zabytków zachwyca przybyszów. Chyląca się ku przechodniom Krzywa Wieża, misternie zdobione fasady Kamienicy pod Gwiazdą i Pałacu Dąmbskich, strzelista wieża ratusza czy katedra, w której ponoć ochrzczono Kopernika – wszystko jest tu na wyciągnięcie ręki. Większość kamienic ma średniowieczne fundamenty, nawet te zasłonięte renesansowymi tynkami, barokowymi sztukateriami czy współczesnymi reklamami.

Najcenniejszym zabytkiem jest bez wątpienia bazylika katedralna św. św. Jana Chrzciciela i Jana Ewangelisty – najstarsza z toruńskich świątyń (budowana przez ponad 200 lat, do II połowy XV w.) – oraz znajdująca się w niej potężna Trąba Boża – największy dzwon średniowieczny w Polsce (z 1500 r.). Waży ponad 7 ton, ma 2,17 m średnicy, a jego serce umocowane jest na powrozie z wołowych skór. Bije tylko dwa razy w roku, bo od potężnego dźwięku podobno kruszą się mury.

Najwięcej turystów gromadzi się na rynku pod ratuszem, przy pomniku Mikołaja Kopernika oraz obok domu, w którym urodził się ten najsłynniejszy torunianin. Największe kolejki tworzą się jednak przed sklepami z... piernikami. Dwie ikony jednoznacznie kojarzone z Toruniem – pierniki i Kopernik – łączy Fabryka Cukiernicza „Kopernik", znana (nie tylko w Polsce) z tradycyjnych wypieków, a dzieli – nieustanna rywalizacja o palmę pierwszeństwa w byciu najważniejszym symbolem miasta.

Toruń

A Medieval settlement on the UNESCO World Heritage list.

THE GINGERBREAD CITY, the birthplace of the Polish astronomer Copernicus, the Krakow of the north, are some of the names given to Toruń. Its Vistula panorama and the UNESCO heritage market square have no match anywhere else in Poland. When granting the UNESCO credentials in 1997, Peter Strasses made a remark that Toruń had managed to preserve its original Medieval image. Without a doubt, the old town of Toruń resembles a grand museum where modern life is set against ancient architecture. Clerks and bankers work below Renaissance roofs today. Students at the university spend their evenings in Gothic cellars, in pubs, restaurants and discotheques.

The city of Toruń was established in stages – its current old town consists of three parts: the Castle (the ruins only in fact), the Old Town incorporated in 1223 and not a much younger New Town from 1264. With its churches, richly ornamented architecture and a vast market square, the Old Town was the district for well-to-do citizens. The New Town with its own town hall and market square was inhabited by craftsmen and merchants.

Toruń Old Town is one of the few Polish townships that did not suffer too much during times of war. Walking down its narrow streets is a unique occasion to experience a fragment of history. The advertising slogan of the city exemplifies this perfectly: 'Toruń – get Gothic'. The surprising proximity of monuments fascinates visitors. The so-called Leaning Tower, the deliberately ornamented facades of the House under the Sign of the Star and the Dąbski Palace, the soaring town hall tower and the Cathedral where Copernicus is said to have been baptised are within easy walking distance. Most of the architecture rests on Medieval foundations, even those buildings covered with Renaissance ornamentation, Baroque stucco work or modern advertising.

One priceless monument is undoubtedly the Cathedral Basilica of Saint John the Baptist and Saint John the Evangelist – the oldest Toruń church (the construction took over 200 years up to the second half of the 15th century) with the Tuba Dei inside – the largest Medieval bell in Poland (from 1500). It weighs over 7 tons, has a 2.17 m diameter and its clapper is fastened with a rope made of cow hide. It only strikes twice a year, because its deafening sound is said to make walls crumble!

The town hall market square, next to the Nicolas Copernicus monument beside his family house is a gathering place for most tourists. But the longest queues are in front of shops selling... gingerbread. Two images unmistakably associated with Toruń – gingerbread and Copernicus – two images – the Kopernik Confectionery Company well known (and not just around Poland) for its traditional recipes and the astronomer, also well known, rivals for the prize of most recognized symbol of Toruń.

■ Kurpiowskie tradycje w Myszyńcu są wciąż żywe
■ The Kurpie folklore of the town of Myszyniec is still popular

Tradycja i folklor

Tradition and folklore

Stroje ludowe, obrzędy i zwyczaje od wieków strzegą narodowej tożsamości.

„CO WIEŚ, TO INNA PIEŚŃ" – głosi staropolskie przysłowie. I rzeczywiście, polski folklor ma tyle barw co pasiasta, łowicka spódnica. Każdy region odznacza się odrębnymi zwyczajami, wierzeniami i obrzędami. Ma swoją gwarę, kuchnię, architekturę i odmienny strój ludowy. Tego bogactwa i różnorodności zazdroszczą nam inne kraje Europy. W dobie globalizacji, komercjalizacji życia i likwidacji granic, to właśnie tradycja, folklor i kultura dają nam poczucie odrębności, odróżniają nas od innych narodów, strzegą polskiej tożsamości.

W wielu regionach kraju tradycja i folklor są wciąż obecne w życiu codziennym. By przekonać się o tym, wystarczy pójść do kościoła w Niedzielę Palmową, uczestniczyć w procesji Bożego Ciała, rozpalić ognie w noc świętojańską, zatańczyć na prawdziwym góralskim weselu czy udać się z pielgrzymką na Jasną Górę. Wystarczy podzielić się z bliskimi wielkanocnym jajkiem czy usiąść przy polskim stole wigilijnym. Nawet w miastach, w których znacznie szybciej zapomina się o obyczajach, znajdziemy sianko dla Dzieciątka Jezus pod obrusem, opłatek, nakrycie dla zbłąkanego wędrowca i dwanaście tradycyjnych potraw.

Niezwykła różnorodność polskich tradycji wynika z odmiennych warunków geograficznych poszczególnych regionów oraz ich historii, a także wpływów sąsiadujących krajów i napływającej ludności. Na Podhalu przetrwało przywiązanie do kierpc, ciupagi oraz góralskiego kapelusza i portek z parzenicami. Kaszubi mają własny język, hymn, literaturę, sztukę, stowarzyszenia. Mają też swoje obrzędy i symbole, z których bodaj najważniejszym jest tabaka, niezwykle rzadko zażywana w innych regionach kraju. W Zalipiu chałupy wciąż maluje się w kwiatki, a w Koniakowie postępowe hafciarki poszły z duchem czasów i z tradycyjnej koronki robią stringi. W Chochołowie twórcy ludowi malują na szkle, w Wojciechowie kowale kują dzieła sztuki w żelazie, a w całej Polsce na rozstajach dróg stoi niezliczona ilość rzeźb Matki Boskiej, Chrystusa Frasobliwego oraz świętych i aniołów. Bo największym fenomenem polskiej tradycji jest ludowa twórczość artystyczna zachowana w wielu zakątkach kraju.

Prócz katolików polską tradycję budowali też prawosławni Ukraińcy i Białorusini, co roku pielgrzymujący do sanktuarium we wsi Grabarka, Tatarzy skupieni wokół meczetu w Kruszynianach i greckokatoliccy Łemkowie, po których pozostały dziś cmentarze w Bieszczadach i cerkwie w Beskidzie Niskim. A do II wojny światowej swój ogromny wkład mieli również Żydzi osiedleni w Polsce jeszcze w czasach Kazimierza Wielkiego.

Wszystko to złożyło się na polską kulturę, tak odmienną od niemieckiej, hiszpańskiej czy rosyjskiej. Ale to ona właśnie pozwoliła przetrwać narodowi polskiemu czasy germanizacji i rusyfikacji, kiedy starano się pozbawić nas narodowej dumy i tożsamości. Ona też przetrwała czasy PRL, kiedy unifikowano cały kraj, usiłując zniszczyć wszelkie przejawy odrębności. Odkrywanie tych dawnych i współczesnych tradycji podczas podróży po Polsce jest niezwykle fascynujące, zarówno dla cudzoziemca, jak i dla każdego Polaka.

Folk costumes, ceremonies and customs have been the safeguard of Polish national identity for centuries.

AN OLD POLISH PROVERB SAYS, "Another village – another song" and indeed Polish folklore has as many hues as a Lowicz costume. Each region has its own distinct traditions, beliefs and ceremonies as well as its own dialect, cuisine, architecture and folk costume. This Polish cultural richness is envied by other European nations. It is the tradition, folklore and culture which distinguishes Poland from other countries and safeguards its identity in these hours of globalization, commercialization, lifestyle transformation and the erasing of frontiers.

In many regions of the country tradition and folklore are still present in everyday life. To see this, go to church on Palm Sunday, take part in a Corpus Christi procession, light a fire on Kupala Day, dance at a real Highland wedding or participate in a pilgrimage to Jasna Góra Monastery. It is even enough just to share an Easter egg with your family or sit at a Polish Christmas Eve table. Such things as a bed of hay for Infant Jesus, a wafer, a coat for a lost traveller and twelve traditional dishes can still be found even in the larger towns of the country, which, as we know, tend to forget customs much quicker.

The great diversity in Polish traditions is the result of the geographical conditions and history of the regions, as well as the influence of neighboring countries and foreigners settling in Poland. Podhale inhabitants still favour leather shoes called 'kierpce' and 'ciupaga' the shepherd's walking stick, and the Highland hat and trousers decorated with 'parzenica'. Kashubians have their own language, national anthem, literature, art, and associations. They also have their own ceremonies and symbols of which probably the most important is snuff. In Zalipie huts are still painted with flowers while Koniakow's 'progressive' embroiderers make thongs out of traditional lace! Chocholow's local painters use glass as canvas, Wojciechow's blacksmiths forge works of art in iron, and myriad sculptures of the Mother of God, the Pensive Christ and saints and angels stand at crossroads across all of Poland. The phenomenon of Polish traditions is the creative folk output still in existence in many places all across the country.

Polish tradition was created mainly by Christians, but Orthodox Ukrainians and Belarusians have had an influence. The Tatars living around the Kruszyniany mosque and the Greek Catholic Lemkos cemeteries in Bieszczady and Orthodox Churches in Low Beskids can be seen to this day. Until the Second World War the Jewish people, who arrived in Poland during the reign of Casimir III the Great, also had a great influence on Polish culture.

All these factors contributed to Polish culture – but it is that culture that rallied the Polish nation to outlast the attempts of Germanisation and Russification, aimed at erasing Polish grandeur and national identity. It also outlasted the times of The People's Republic of Poland, when the country was 'unified', the better to eradicate all individuality, which of course did not happen. Exploring these old-time and contemporary traditions during a journey across Poland is fascinating – both for foreign visitors and Polish people alike.

U Polska w UE

Kraj zwrócony Europie.

KIEDY 1 MAJA 2004 R. Polacy wyszli na udekorowane ulice, obok symboli narodowych przed wieloma urzędami i na placach spostrzegli nową flagę z 12 złotymi gwiazdami na lazurowym tle. Tego dnia Polska oficjalnie stała się członkiem Unii Europejskiej (UE) – organizacji złożonej wówczas z 25 państw. Było to uwieńczenie piętnastoletnich starań o integrację Polski ze strukturami europejskimi i symboliczne wyrwanie kraju ze strefy dominacji byłego Związku Radzieckiego, w której znajdował się przez 45 lat.

Dewizą Unii Europejskiej jest łacińska maksyma: *In varietate concordia* (Jedność w różnorodności). To przesłanie podkreśla fakt, że integracja europejska, zapoczątkowana w 1957 r., odbywa się na zasadzie współpracy niezależnych państw. Sprawa ta jest dość istotna, bowiem proces ten ma swoich entuzjastów, ale też i przeciwników. Ci pierwsi

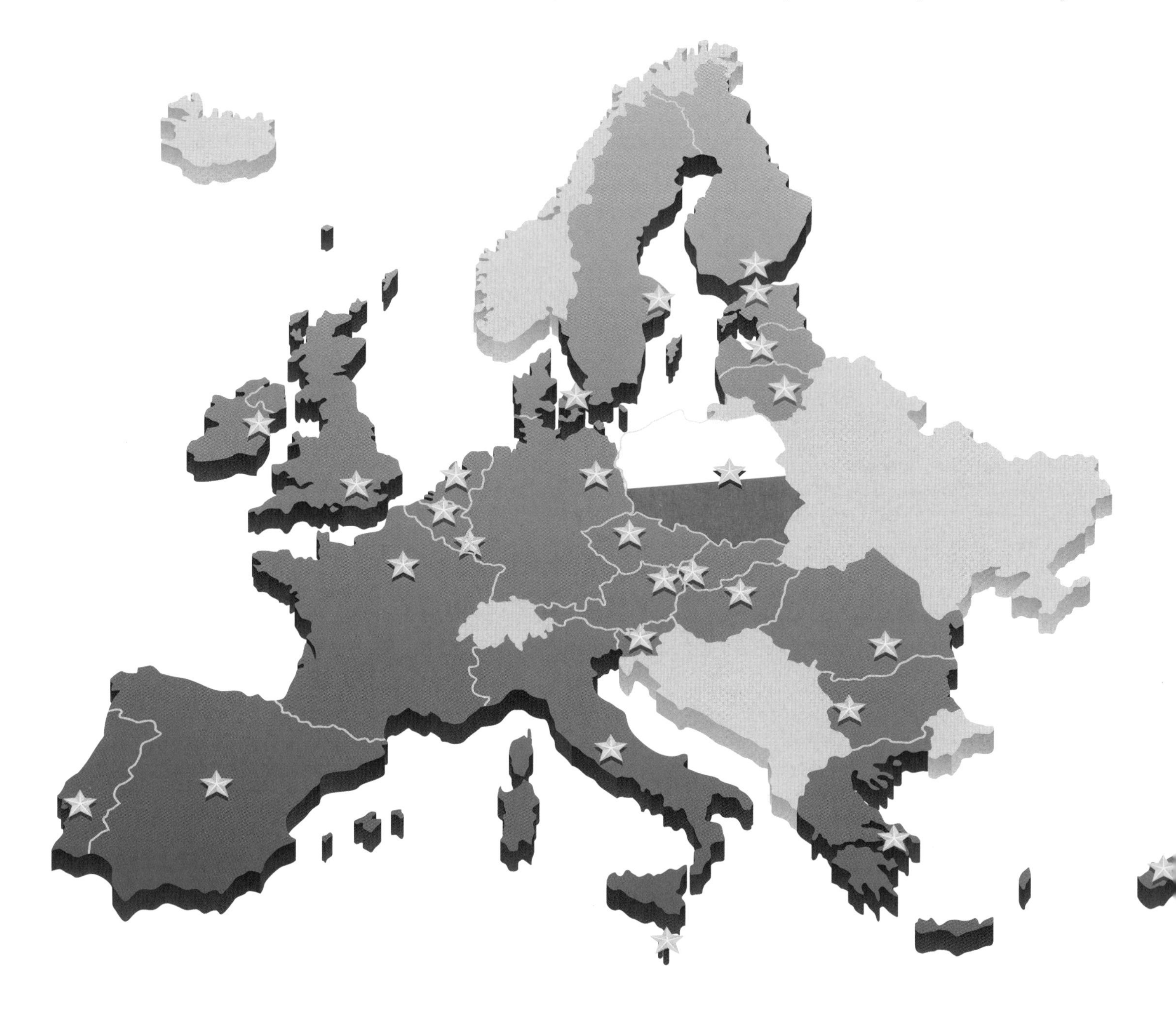

Poland in the EU

A country turned towards Europe.

wskazują na wyzwania współczesnego świata i konieczność podejmowania skutecznej rywalizacji gospodarczej najpierw – w XX w. – ze Stanami Zjednoczonymi, a w XXI – z krajami azjatyckimi. Wspólny rynek, waluta, swobodny przepływ kapitałów i technologii oraz otwarty rynek pracy stanowią warunki niezbędne do rozwoju i poprawy jakości życia. Przeciwnicy mówią o zatracaniu tożsamości narodowej, uciążliwej i kapitałochłonnej biurokratyzacji struktur europejskich, zagrożeniu zdominowania państw słabszych, szczególnie nowych członków, przez silniejsze kraje tzw. starej Unii.

Dla Polski zjednoczenie z Europą było ostatecznym odrzuceniem porządku jałtańskiego, który po II wojnie światowej pozostawił ją w strefie wpływów Związku Radzieckiego i przez blisko pół wieku zmusił do budowania tzw. gospodarki socjalistycznej. Jej nieefektywność oraz bankructwo ideologii realnego socjalizmu były przyczynami upadku państw socjalistycznych na przełomie lat 80. i 90. XX w. Polska weszła do Unii Europejskiej po latach żmudnych negocjacji, zmian dostosowawczych w prawodawstwie i gospodarce. W czerwcu 2003 r. odbyło się referendum, w którym Polacy opowiedzieli się za przystąpieniem do Unii (77,5 proc. głosujących). Wzięło w nim udział blisko 59 proc. uprawnionych do głosowania.

Pod względem obszaru i zaludnienia Polska jest szóstym co do wielkości krajem UE. Potencjał polskiego rynku działa na wyobraźnię wielu inwestorów i menedżerów światowych koncernów. Prywatyzacja państwowego majątku i inwestycje kapitałowe pozwoliły na stosunkowo szybkie zbudowanie podstaw gospodarki wolnorynkowej. Po akcesji kolejne państwa otwierały przed Polską rynki pracy, co umożliwiło znalezienie zatrudnienia milionom ludzi i złagodziło negatywne skutki transformacji ustrojowej.

Konieczność dorównywania europejskim standardom, inwestycje kapitałowe i technologiczne, otwarcie granic i rynków pracy spowodowały, że od 2004 r. nadrabianie zapóźnień cywilizacyjnych w Polsce nabrało tempa. W ramach licznych programów operacyjnych do kraju płyną miliardy euro przeznaczone na inwestycje strukturalne. To swoisty plan Marshalla, z którego niedane było Polsce skorzystać po II wojnie światowej.

ON 1 MAY 2004, the streets, offices buildings and squares of Poland were decorated with the national flag, and a new flag. Twelve stars on a sky-blue background. This was the day Poland officially became a member of the European Union (EU) – an organization then of 25 countries. It was the crowning moment of 15 years of negotiations to integrate Poland with the European structure and a symbolic breaking free from the former Soviet Union zone of domination under which the country had been held for 45 years.

The motto of the European Union is the Latin: *In varietate concordia* (United in diversity). This dictum underlines the fact that European integration initiated in 1957, is taking place in accordance with the rules of cooperation of the independent countries instead of being created as one organisation. This is rather important, as the process has both its enthusiasts and opponents. Enthusiasts point to the challenges of the modern world and the necessity to engage in efficient economic competition – in the 20th century – with the Unites States, and in the 21st century – with Asiatic countries. A common market, common currency, free flow of capital and technology and open labour market are the necessary conditions for development and improvement in the quality of life. Opponents talk about the loss of national identity, demanding and capital-consuming European bureaucracy, the threat of weaker countries being overpowered, especially new members, by stronger countries of the so called old Union.

For Poland, uniting with Europe was the final demise of the Yalta Treaty which, after World War II, had placed Poland under the influence of the Soviet Union and forced the country to develop the so called socialist political economy for almost half of century. Its ineffectiveness and the bankruptcy of this ideology of 'real socialism' was the cause of the economic and political decline of socialist countries at the turn of 1980's and 1990's. Poland entered the European Union after several years of challenging negotiations with adjustments in its laws and improvement in its economy. In June 2003 with almost 50% of Poles with the right to vote participating in the referendum the Polish nation decided to join the EU (77.5% of voters).

In terms of territory and population, Poland is the sixth largest country in the EU. The Polish market potential has fired the imagination of numerous investors and international corporations. The privatization of state-owned property and new capital investment has resulted in the relatively quick development of the grounds for a free-market economy. After accession the countries of the EU opened their labour markets to Poland which has enabled millions of people to find employment abroad and eased the process of political and economic structure transformation.

From 2004 the necessity to match European standards, boost capital and technological investments, the opening of borders and labour markets, speeded the process of catching up with western progress. Within the framework of numerous operational programs, billions of Euros for structural investments have been invested in Poland. This is today's Marshal Plan, a plan which Poland did not have the possibility of being a part of after WWII.

U

Uniwersytet Jagielloński

Najstarsza i najlepsza wyższa uczelnia w Polsce.

■ Jan Kochanowski – jeden z wielu słynnych absolwentów Uniwersytetu Jagiellońskiego
■ Jan Kochanowski –one of the graduates of Jagiellonian University

NOSIŁA RÓŻNE nazwy: Studium Generale, Akademia Krakowska, Szkoła Główna Koronna, wreszcie – Uniwersytet Jagielloński. Wykształciła wielu znakomitych naukowców, a nawet przyszłych królów (jej słuchaczami byli m.in. Mikołaj Kopernik i Jan III Sobieski). Dzisiaj, według rankingu opublikowanego przez brytyjski „The Times", jest najlepszym uniwersytetem w Polsce. Kształci się tu ponad 40 tys. studentów.

Kiedy król Kazimierz Wielki postanowił otworzyć w Polsce uniwersytet, musiał starać się o zgodę samego papieża. W 1364 r. Urban V wyraził aprobatę i trzy lata później zaczęła działać krakowska uczelnia – jedna z pierwszych w Europie Środkowej. Nazywano ją Studium Generale. Żacy studiowali tu na wydziałach: sztuk wyzwolonych, medycyny i prawa. Papież nie zgodził się na utworzenie najbardziej prestiżowego kierunku – teologicznego. Pierwszą siedzibą uniwersytetu był Zamek Królewski na Wawelu, gdyż król lubił otaczać się uczonymi. Niestety, nie można tego powiedzieć o jego następcy – za czasów Ludwika Węgierskiego uczelnia skostniała, a potem całkowicie przestała funkcjonować.

Odżyła dopiero w 1400 r. dzięki staraniom królowej Jadwigi Andegaweńskiej i jej testamentowi, w którym przekazała uniwersytetowi część osobistego majątku. Tym razem utworzono cztery wydziały, włącznie z teologicznym, a jej strukturę i program wzorowano na uniwersytecie paryskim. Wkrótce krakowscy uczeni znani byli w całej Europie jako specjaliści z dziedziny prawa cywilnego i kanonicznego. W II połowie XV w. znaczenie zyskali matematycy, alchemicy i astronomowie. Kobiety nie mogły wówczas przestępować progu uczelni. Jedyną, która złamała ten zakaz, była Nawojka – córka rektora gnieźnieńskiej szkoły parafialnej. Przebrana w męski strój ukończyła studia, lecz kiedy odkryto jej płeć musiała – w obawie przed stosem – salwować się ucieczką do zakonu.

Zmierzch świetności uczelni nastąpił w XVI w., kiedy to nie zaakceptowano tu nowych prądów płynących wraz z nastaniem reformacji. Przed całkowitą marginalizacją uratował ją Hugo Kołłątaj, który w XVIII w. wprowadził radykalne zmiany. Łacinę zastąpił język polski, wprowadzono zajęcia z nauk przyrodniczych i literatury polskiej, a uczelnia otrzymała nazwę Szkoły Głównej Koronnej. W okresie zaborów jej rola została poważnie ograniczona.

Jagiellonian University

■ Dziedziniec Collegium Maius
■ Collegium Maius Quadrangle

The oldest and pre-eminent University in Poland.

Ponowne odrodzenie Uniwersytetu Jagiellońskiego, jak nazywano uczelnię od 1817 r., nastąpiło dopiero w II połowie XIX w., po przyznaniu Galicji daleko idącej autonomii. Wówczas to, po raz pierwszy w historii, profesorowie Wróblewski i Olszewski skroplili tu tlen i azot z powietrza. Odkryto zarazek duru brzusznego, prowadzono badania matematyczne. Rozkwit trwał do II wojny światowej, kiedy to hitlerowcy aresztowali i wywieźli do obozów koncentracyjnych znaczną część kadry naukowej, a samą uczelnię zamknęli, grabiąc jej wyposażenie. Odradzający się po wojnie uniwersytet został poddany kolejnym represjom przez komunistów. Odżył dopiero po odwilży politycznej w 1956 r., a znaczący rozwój nastąpił po 1993 r., kiedy to ponownie włączono w jego strukturę wydziały medyczne.

THROUGHOUT ITS EXISTENCE the University has had many names: Studium Generale, Akademia Krakowska, Szkoła Główna Koronna, and finally – Uniwersytet Jagielloński (Jagiellonian University). It has educated prominent scientists and future kings (two of its students were Nicolas Copernicus and Jan III Sobieski). Today, according to the British 'The Times', with its over 40,000 students, it is the Best university in Poland.

For its foundation King Kazimierz Wielki had to receive the permission of the Pope and in 1364, Urban V expressed his approval. Three years later the Studium Generale in Kraków, one of the first in central Europe, was ready for its students. Candidates could study liberal arts, medicine and law. The Pope did not allow the opening of the most prestigious department – theology. The first premises of the university were in Wawel Royal Castle as the King liked to be surrounded by scholars. Unfortunately, this cannot be said of his successor – in the times of Ludwik Węgierski, the school became outmoded and then it was closed.

It was revived in 1400 by Queen Jadwiga Andegaweńska and the donation of a part of her personal fortune to the university. This time, four departments were created, including theology, and its structure and programme were modeled on the university in Paris. Scholars from Kraków soon became known in Europe as specialists in civil and church law. In the second half of the 15th century, mathematicians, alchemists and astronomers were numbered as members of the university. At that time women were not allowed to enter the university. The only woman to break this rule was Nawojka – the daughter of the rector of Gniezno parish school. Disguised as a man, she completed her studies, but when her gender was discovered she had to hide in a nunnery to save herself from being burned at the stake.

The end of the university's greatness came in the 16th century when new trends brought by the Reformation were not accepted. It was saved from complete relegation to an inferior status by Hugo Kołłątaj, who introduced radical changes in the 18th century. The Latin language was replaced by Polish, classes in science and Polish literature were introduced and the school became known as the Main Crown School. Its role, however, was severely limited during the Partitions.

The subsequent revival of Jagiellonian University, as the school was called from 1817, came in the second half of the 19th century, when Galicia was granted greater autonomy. It was during this period, and for the first time in history, that oxygen and nitrogen were liquefied from air by professors Wróblewski and Olszewski. The typhoid bacteria was discovered here and mathematical research was carried out in the university. The university flourished until World War II when the Nazis arrested the majority of the professors and other teachers, murdered them, plundered the equipment and closed the university. An attempt to reopen the university after WWII was suppressed by the Polish communist regime. After the political thaw of 1956 the university began to function again and further development increased after 1993 when medical departments were once again added to its structure.

W

Walka o niepodległość

W XVIII w. Polska miała być na zawsze wymazana z mapy Europy. Gdy po 123 latach odzyskała niepodległość, uznano to nieomal za cud.

AGONIA RZECZYPOSPOLITEJ OBOJGA NARODÓW trwała kilkadziesiąt lat. Po dwóch rozbiorach (1772 i 1793) oraz klęsce powstania pod wodzą Tadeusza Kościuszki (1794) carski gen. A. Suworow zdobył Warszawę i dokonał barbarzyńskiej rzezi ludności Pragi. 24 października 1795 r. Rosja, Austria i Prusy zawarły trzeci układ. Stała się rzecz bez precedensu: na drodze politycznej, praktycznie bez walki, z map zniknęło wielkie, suwerenne państwo. Po ostatecznych przetasowaniach na początku XIX w. Rosja zajęła 82 proc. terytorium Rzeczypospolitej w granicach z 1772 r., Austria 11, a Prusy 7. Niebawem jednak zaborcy mieli się przekonać, że choć wymazali granice Polski, to polskiego ducha niełatwo będzie im zniewolić.

W 1812 r. Polacy wsparli Napoleona w wyprawie na Rosję, nazywanej „drugą wojną polską". Resztki stutysięcznej armii, pod dowództwem Józefa Poniatowskiego, trwały przy cesarzu do końca, mimo że zawiódł on wiele nadziei Polaków. W 1830 r. w Warszawie wybuchło powstanie listopadowe. Podczas Wiosny Ludów w 1848 r. wzniecano kolejne powstania, a Polacy obok Włochów zaczęli uchodzić za najlepszych konspiratorów na świecie. Potwierdziło to powstanie styczniowe w 1863 r., kiedy to zorganizo-

The battle for Independence

In the 18th century Poland was erased from the map of Europe forever. It was considered virtually a miracle when after 123 years the country regained its independence.

wano sprawnie działające Polskie Państwo Podziemne – administrujące, zbierające podatki i dowodzące wojskiem. Ale Polacy zapłacili ogromną cenę za tę próbę „wybicia się na niepodległość". Zapadały wyroki śmierci, dziesiątki tysięcy ludzi wywożono na Sybir, konfiskowano majątki ziemskie, gospodarkę rujnowano kontrybucjami, a kraj bezwzględnie rusyfikowano. Historia dowiodła jednak, że warto było się bić. Rok 1863 uznawany jest za jeden z przełomów w dziejach Polski. Dzięki uwłaszczeniu chłopów, wspólnej walce z kozackimi sotniami cara, przy ogromnym duchowym i materialnym wsparciu Kościoła katolickiego, uformował się nowoczesny naród, a Polacy zdołali zachować tożsamość narodową.

Wybuch I wojny światowej stał się kolejną szansą na odzyskanie wolności. Walki mocarstw i rewolucja bolszewicka w Rosji zostały wykorzystane przez działaczy niepodległościowych, m.in. Józefa Piłsudskiego i Romana Dmowskiego. Powstała Rada Regencyjna, która 7 listopada 1918 r. ogłosiła niepodległość Polski, a 11 listopada, po przekazaniu naczelnego dowództwa Józefowi Piłsudskiemu, Polacy zaczęli przejmować władzę na swym terytorium. W 1937 r. datę 11 listopada ustanowiono Świętem Niepodległości.

Później jednak musieliśmy stoczyć ciężkie boje (wojna polsko-bolszewicka, powstania: wielkopolskie i śląskie), by odebrać swe utracone ziemie. W efekcie powstało 27-milionowe państwo, zajmujące około 390 tys. km² (blisko o połowę mniej niż przed rozbiorami). Mimo wielu różnic wynikających z odmiennej polityki zaborców, udało się je scalić i stworzyć podwaliny nowoczesnego państwa, którego rozwój przerwał wybuch II wojny światowej.

■ Jedna z najbardziej krwawych bitew powstania listopadowego – „Olszynka Grochowska" na płótnie Wojciecha Kossaka (1886)
■ One of the bloodiest battles of the November Uprising – Olszynka Grochowska by Wojciech Kossak (1886)

THE AGONY OF THE POLISH-LITHUANIAN COMMONWEALTH lasted for dozens of years. After two Partitions (1772 and 1793) and the collapse of the Kościuszko Uprising (1794) the Tsar's army under General Suvorov occupied Warsaw committing a barbaric massacre of the inhabitants of Praga. On 24 October 1795, Russia, Austria and Prussia signed a third agreement and something unprecedented in the annals of European history took place: a large sovereign state through political manoeuvring disappeared from the map. At the beginning of the 19th century Russia occupied 82% of the territory of the Commonwealth of its borders in 1772, Austria 11% and Prussia 7%. Soon however, the invaders were to find out that though they had erased the borders of Poland it would not be easy to suppress the spirit of the people.

In 1812 the Poles supported Napoleon, he was on his way to Moscow and defeat, and began the 'second Polish war'. The remnants of a 100,000 army, under the command of priest Józef Poniatowski, followed the Emperor till the end of the Russian campaign although Napoleon had not fully supported the Poles in their struggle. 1830 was the year of the unsuccessful November Uprising in Poland. During the Spring of Nations in 1848, other uprisings broke out and Poles began to be considered, next to the Italians, as the world's best 'freedom fighters'. This was confirmed by the January Uprising in 1863, when an efficient underground Polish state was organized with an administration, taxes and an army. Poles paid an enormous price for their attempts to 'achieve independence'. Death sentences were handed out, tens of thousands of people were exiled to Siberia, properties were confiscated, the economy was ruined by forced contributions and the country was ruthlessly brought under the boot of the Russian empire.

History has proved the battle was worth the sacrifice of so many. 1863 is considered one of the most important years in the history of Poland. Peasants were allowed to own property, the country was united against the Tsar's Cossacks and there was enormous spiritual and financial support from the Catholic Church. Out of this a modern nation was formed and Poles held true to their newfound national identity.

The outbreak of World War I in 1914 was another chance for a bid for greater freedom. The war in western Europe and the Bolshevik revolution in Russia (on 7 August 1918 the revolutionary government nullified the Partition treaties) were exploited by independence activists, Józef Piłsudski and Roman Dmowski. The Regency Council was created and on 7 November 1918 and it announced the independence of Poland. On November 11 it gave the leadership of the country to Józef Piłsudski and Poles started taking over the running of their country. This is a decisive date in Polish history and in 1937, November 11 was established as Independence Day.

But the difficult times were not over and more battles had to be fought (the Polish-Bolshevik war, Wielkopolska Uprising, Silesian Uprising) to regain lost Polish territory. The result was a re-created country of 27 million inhabitants with a territory of 390,000 sq km (almost half of what it had been before the Partitions). Despite the numerous problems resulting from the political aspirations of the different invaders the country was unified and the framework for a modern state was established. In 1939 this modernisation phase was stopped by the outbreak of WWII.

W

Lech Wałęsa

Legendarny przywódca „Solidarności" i laureat pokojowej Nagrody Nobla.

JEST NAJLEPIEJ ZNANYM NA ŚWIECIE ŻYJĄCYM POLAKIEM, elektrykiem po zasadniczej szkole zawodowej, który został prezydentem. Uchodzi za symbol pokojowego dążenia do wolności.

Lech Wałęsa (ur. 1943) od 1967 r. pracował jako elektryk w Stoczni Gdańskiej im. Lenina. Już trzy lata później dał się poznać jako rzutki organizator protestów robotniczych. Po ich krwawym stłumieniu przez władze nie zrezygnował z działalności w opozycji. W 1976 r. zwolniony z pracy w stoczni za krytykę koncesjonowanych związków zawodowych zaczął współpracę z Wolnymi Związkami Zawodowymi Wybrzeża i Komitetem Samoobrony Społecznej KOR. Był wielokrotnie zatrzymywany przez Służbę Bezpieczeństwa. W sierpniu 1980 r. współorganizował strajk w stoczni, a następnie stanął na czele Międzyzakładowego Komitetu Strajkowego. W ostatnim dniu sierpnia, wielkim długopisem z podobizną Jana Pawła II, podpisał z rządem PRL słynne porozumienie, na mocy którego powstały pierwsze legalne wolne związki zawodowe.

Wkrótce Niezależny Samorządny Związek Zawodowy „Solidarność", któremu przewodził, liczył 10 milionów członków. Walka związku i samego Lecha Wałęsy o przebudowę Polski trwała aż do ogłoszenia stanu wojennego 13 grudnia 1981 r., kiedy władze wyprowadziły wojsko na ulice, zdelegalizowały „Solidarność" i inne organizacje opozycyjne wobec komunistów, a przewodniczącego związku, wraz z setkami innych działaczy, aresztowały. Wałęsa przez blisko rok był internowany.

Kolejnych kilka lat spędził w areszcie domowym, pod nadzorem Służby Bezpieczeństwa. Jego dążenia wolnościowe, przy jednoczesnym wyrzeczeniu się użycia siły, przyniosły mu w 1983 r. pokojowego Nobla. Nie mógł jednak osobiście odebrać nagrody – władze PRL nie wydały mu paszportu. Medal w jego imieniu i gratulacje płynące z całego świata przyjęła żona Danuta.

Przez następne lata Wałęsa działał nieprzerwanie w podziemiu, organizując antykomunistyczną opozycję. Po fali letnich strajków w 1988 r., na początku następnego roku władze PRL podjęły rozmowy z „Solidarnością" przy okrągłym stole. Wynikiem zawartego porozumienia były pierwsze wolne wybory do parlamentu, które 4 czerwca 1989 r. wygrała „Solidarność". „Tego dnia skończył się w Polsce komunizm" – ogłosiła w telewizji aktorka Joanna Szczepkowska, głośno wyrażając to, co wydawało się niewiarygodne – komuniści pokojowo oddali władzę!

Fala popularności wyniosła Lecha Wałęsę w grudniu 1990 r. na fotel prezydenta Rzeczypospolitej Polskiej. Jednak pięć lat później przegrał wybory z byłym działaczem partii komunistycznej, Aleksandrem Kwaśniewskim, i wycofał się z czynnej polityki. Założył fundację swojego imienia, zaczął pisać książki, walczył w sądzie z oskarżeniami o współpracę w latach 70. z komunistyczną Służbą Bezpieczeństwa, odebrał doktoraty honorowe kilkunastu uczelni. Jako symbol pokojowego dążenia do wolności w 2002 r. reprezentował Europę podczas ceremonii rozpoczęcia zimowej olimpiady, w 2004 wspierał „Pomarańczową Rewolucję" na Ukrainie, a w 2008 został przyjęty w poczet 12-osobowej „Rady Mędrców" przy Unii Europejskiej.

Lech Wałęsa

The legendary leader of 'Solidarity' and Nobel Peace Prize laureate.

■ Portret Lecha Wałęsy wykonany w 1989 r., rok przed wyborami powszechnymi, po których został prezydentem RP
■ Lech Wałęsa in 1989, one year before winning the general election

LECH WAŁĘSA is one of the most recognized Polish personalities in the world, a trade school qualified electrician, who became a President. To this day he is the symbol of a man, who by peaceful means strove for freedom.

From 1967 Wałęsa worked as an electrician at the Gdańsk Lenin Shipyards. After three years he became an active organizer of worker's protests and even when the authorities suppressed demonstrations he did not resign from opposition to the state. In 1976 when he was dismissed for criticism of the state trade unions he joined the Free Trade Unions of the Coast and the Committee for Social Self-Defence KOR and as a result was repeatedly arrested by the Security Service . In August 1980 he co-organized a strike in the dockyards and subsequently headed the Inter-Enterprise Strike Committee. On the last day of August 1980, with a large pen bearing an image of John Paul II, he and government representatives signed a historic agreement, allowing the first, independent trade unions to be legally established.

In the days that followed, the Independent Self-governing Trade Union 'Solidarity', which he was the leader of, grew to 10 million members. Lech Wałęsa and the Union's struggle to reconstruct Poland lasted until the declaration of martial law on 13 December 1981, when the authorities brought the army out onto the streets. 'Solidarity' and other organizations opposing the communists were banned and its leader with hundreds of other activists was arrested.

Wałęsa was interned for almost a year and spent the next few years under Security Service surveillance and house arrest. His pursuit of freedom for his country, renouncing the use of force, brought him the Nobel Peace Prize in 1983. However, he could not receive the prize in person – the PRL (People's Republic of Poland) – authorities would not give him a passport. His wife, Danuta, accepted the prize and congratulations from around the world, on his behalf.

During the years that followed Wałęsa was active in the underground 'Solidarity' movement, organizing anti-communist opposition. After an outbreak of summer strikes in 1988, at the beginning of 1989 the PRL government began the Round-Table negotiations. The result of the agreements were the first free parliamentary elections, won by 'Solidarity' on 4th June 1989. In a television announcement actress, Joanna Szczepkowska, said, "This day communism in Poland has ended", which at the time seemed unreal – the communists peacefully renouncing their authority?

Lech Wałęsa's popularity elevated him to the Presidency of Poland in December 1990. However, five years later he lost to a former communist party activist, Aleksander Kwaśniewski, and withdrew from politics. He set up a foundation, named after him, and started to write his memoirs and has had to take court action against accusations of collaboration with the communist Security Service in the 1970's. He has received honorary doctorates from several academic and governmental institutions. In 2002 as the symbol of a peaceful struggle for freedom he represented Europe during the opening ceremonies of the Winter Olympics. In 2004 he supported 'the orange revolution' and in 2008 he was accepted into the 12 member committee 'Council of Wise Men' of the European Union.

W

Warszawa

Stolica Polski. Miasto niezwyciężone.

■ Najwyższym biurowcem w stolicy jest Warsaw Trade Tower (208 m). Przewyższa go jedynie Pałac Kultury i Nauki (231 m z iglicą) – najbardziej charakterystyczny budynek miasta

NAJWIĘKSZE I NAJBOGATSZE MIASTO POLSKI zamieszkuje co najmniej 1,7 mln osób. Warszawa jest centrum politycznym, finansowym, kulturalnym i naukowym państwa. Tutaj znajdują się najważniejsze instytucje państwowe, skupionych jest najwięcej małych firm i wielkich korporacji, działa 66 wyższych uczelni. Tutaj odbywają się prestiżowe imprezy kulturalne (m.in. Międzynarodowy Konkurs Pianistyczny im. Fryderyka Chopina czy Warszawski Festiwal Filmowy) oraz największe wernisaże (w Zachęcie, Muzeum Narodowym, Zamku Królewskim i Centrum Sztuki Współczesnej w Zamku Ujazdowskim). Tu także najchętniej przyjeżdżają na koncerty gwiazdy światowego formatu.

Przyjmuje się, że Warszawa jest stolicą Polski od 1596 r. Wtedy to Zygmunt III Waza po pożarze na Wawelu rozpoczął przenoszenie dworu królewskiego z Krakowa, by być bliżej Litwy, Bałtyku i Szwecji, której był wówczas królem. Ale stołeczność ta nigdy nie była potwierdzona żadnym aktem. Formalnie Warszawa jest bowiem stolicą państwa dopiero od 1952 r.

Od czasu powstania w średniowieczu (na przełomie XIII i XIV w.) Warszawa przeżywała okresy dynamicznego rozwoju i spektakularnych upadków. Wielokrotnie najeżdżana, grabiona, doszczętnie niszczona i pozbawiana stołeczności, za każdym razem odradzała się. Była świadkiem najważniejszych wydarzeń w dziejach Rzeczypospolitej. Od 1569 r. odbywały się tu sejmy walne, a od 1573 wolne elekcje, czyli demokratyczne wybory króla. Obradujący na Zamku Królewskim Sejm Wielki uchwalił słynną Konstytucję 3 maja. Warszawa była też siedzibą Rządu Tymczasowego w czasie powstania listopadowego i Rządu Narodowego podczas powstania styczniowego oraz stolicą Polski niepodległej po I wojnie światowej. Powstała z popiołów po II wojnie światowej, kiedy w gruzach legło ponad 80 proc. jej zabudowy, i wyszła zwycięsko z trwającego 50 lat komunizmu, który przyczynił się do zniszczenia architektury miasta.

Warsaw

■ Warsaw's tallest office building is the Trade Tower (208 m). The second tallest building in the city after the Palace of Culture and Science (231 m with spire) – the most distinctive building in Warsaw

The capital of Poland. The invincible city.

Dzisiejszy majestatyczny herb Warszawy najlepiej oddaje jej wojowniczy charakter i niezłomność. Oprócz syrenki (pół kobiety, pół ryby) z tarczą i mieczem ma bowiem wstęgę z napisem *Semper Invicta* (Zawsze Niezwyciężona) oraz Order Virtuti Militari, którym została odznaczona 9 listopada 1939 r.

Miasto ma trzy budowle-wizytówki: Zamek Królewski, Pałac Kultury oraz sejm, a także dwa pomniki-symbole: warszawską syrenkę (jej podobizny znajdują się na rynku Starego Miasta oraz nad Wisłą) oraz Kolumnę Zygmunta stojącą na placu Zamkowym – najstarszy świecki pomnik wzniesiony w latach 1643–1644. Turystów niezmiennie zachwyca Stare i Nowe Miasto, a także pięknie odrestaurowany Trakt Królewski.

W ostatnich latach Warszawa konsekwentnie zmienia swoje oblicze. Z dnia na dzień staje się coraz nowocześniejszym miastem tętniącym życiem. Powstają nowe, eleganckie osiedla i biurowce, prymitywne targowiska ustępują miejsca centrom biznesowo-konferencyjnym i nowoczesnym muzeom. Obiekty zabytkowe odzyskują dawny blask. Kwitnie życie kulturalne, sportowe i towarzyskie. W ramach przygotowań do mistrzostw kontynentu w piłce nożnej EURO 2012, w prawobrzeżnej części miasta wzniesiono (na miejscu Stadionu X-lecia) jedną z najnowocześniejszych aren sportowych w kraju. W budowie jest też jedna z największych polskich świątyń – Opatrzności Bożej.

THE LARGEST AND MOST PROSPEROUS CITY IN POLAND with a population of over 1.7 million. Warsaw is the country's political, cultural and scientific center, with many major state institutions, the highest number of small companies and big corporations and some 66 schools of higher education and universities. Warsaw hosts prestigious cultural events (the International Chopin Piano Competition, the Warsaw Film Festival), major exhibitions (the Zachęta Gallery, the National Museum, the Royal Castle and the Center for Contemporary Art in Ujazdów Castle), and is the favorite city of international stars for their concerts.

It is assumed that Warsaw has been the capital of Poland since 1596, when Zygmunt III Waza moved his royal court from burnt down Wawel Castle in Kraków with the intention of residing closer to Lithuania, the Baltic Sea and Sweden, as he was also their king at that time. However, this was never officially confirmed. And in fact, Warsaw has been the capital of Poland only and officially since 1952.

Warsaw has experienced both dynamic growth and catastrophic decline since the middle ages when the city was established at the turn of the 13th and 14th centuries. The city was repeatedly invaded, plundered, completely raised to the ground, loosing its capital status, yet, after each catastrophe, the city managed to revive itself. It has witnessed the most important events in Polish history. General assemblies from 1569 and onwards and since 1573 – free, democratic elections of kings. It was here, the Royal Castle, that Parliament ratified the Constitution of May 3, 1791. Warsaw was also the seat of the Provisional Government during the November Uprising and the National Government during the January Uprising, as well as the capital city of independent Poland after World War I. It rose from the ashes after World War II, over 80 percent of it destroyed, and withstood 50 years of communism with the deprivation of its population and decrepitude of its buildings.

Today's majestic Warsaw coat of arms accurately sums up Warsaw's valiant and strong character. Along with the image of Syrenka (little mermaid – half-woman, half-fish) wielding a shield and a sword, is the sash: Semper Invicta (Always Invincible) and the Virtuti Militari medal, presented on the 9th November 1939.

The city has three representative buildings: the Royal Castle, the Palace of Culture and Science and the Sejm building (lower house of the Polish Parliament), as well as two symbolic monuments: the Warsaw Syrenka (her statues can be found in the Market Square and on the banks of the Vistula River) and last but not least, the Zygmunt Column – the oldest secular monument in Poland erected in 1643–1644, situated across from the Royal Castle. Visitors to the city are always delighted by the views of the Old Town, the New Town and the recently modernized Royal Route.

In recent years, Warsaw has changed its image. Day by day, the capital of Poland is becoming an increasingly modern and vigorous city. New luxurious office and residential areas are being developed, while the crude marketplaces of the communist era are being replaced by business and conference centers and modern museums. Monuments are regaining their former splendor. Culture, sports and social life thrive. In preparation for UEFA EURO 2012™, Warsaw has built one of the most modern sports arenas in Poland on the right bank of the Vistula (replacing the former 10th-Anniversary Stadium). And on the outskirts of the city, still under construction is one of the biggest churches in Poland – the National Temple of Divine Providence.

W Warszawska Starówka

Jedyny na świecie przykład całkowitej rekonstrukcji miasta w jego historycznych granicach.

PO UPADKU powstania warszawskiego hitlerowcy postanowili stolicę Polski zrównać z ziemią. Systematyczne niszczenie, z grabieniem, wypalaniem domów i ich wysadzaniem najpilniej wykonali na warszawskiej Starówce. Z zabytkowej perły gotyku i baroku ocalały tylko sklepienia piwnic. Wszystko wskazywało na to, że już nigdy się nie odrodzi. Tymczasem upór nowych włodarzy miasta, wizjonerstwo polskich architektów i zaangażowanie (często społeczne!) mieszkańców Warszawy zaowocowały nie tylko odtworzeniem „z niczego" (zniszczenia sięgały 90 proc.) całej dzielnicy, ale i powstaniem dzieła sztuki na miarę światową. Kiedy w pierwszych dniach września 1980 r. warszawska Starówka znalazła się na Liście Światowego Dziedzictwa Kulturalnego i Przyrodniczego UNESCO, trud ten został doceniony słowami: „Jest to jedyny na świecie przykład całkowitej rekonstrukcji zespołu historycznego". Francuscy architekci nie wierzyli, że tak gruntowna odbudowa jest w ogóle możliwa; kiedy jednak André Malraux, pisarz i minister kultury, obejrzał efekty pracy nadwiślańskich konserwatorów, przekonywał swoich rodaków do odbudowy na podobną skalę Awinionu, na razie – bezskutecznie. W Warszawie odtworzona została nie tylko zabudowa rynku, ale całe Stare Miasto w historycznych granicach, wraz z Zamkiem Królewskim, murami obronnymi, kościołami, kamienicami, placami, malowidłami i rzeźbami.

A było co odbudowywać. Miasto powstawało przecież stopniowo – na średniowiecznej warstwie wzniesiono renesansową, a na niej barokową. Trwało to 700 lat. Starówka warszawska zaczynała swą stołeczną karierę jako siedziba książąt mazowieckich, by pod koniec XVI w. przejąć rolę stolicy Rzeczypospolitej Polskiej. Wokół staromiejskiego rynku – 90-metrowego czworokąta z ratuszem pośrodku – wyrosły 42 wąskie, wysokie kamienice należące do najbogatszych kupców i patrycjuszy. Starówka wkrótce jednak stała się dla nich za mała, dlatego w XVIII w. przeprowadzili się do podmiejskich rezydencji. Domy wokół rynku i w jego pobliżu przerobiono na kamienice czynszowe, a na wielkim placu urządzono targowisko. Na początku XIX w. rozebrano ratusz, część murów obronnych i bram. Odrodzenie podupadającej Starówki rozpoczęło się wkrótce po I wojnie światowej. Zlikwidowano wówczas targowisko, ułożono na nowo bruk i przywrócono rynkowi – poprzez odmalowanie polichromii na fasadach odnowionych kamieniczek – reprezentacyjny charakter.

Warsaw Old Town

■ Warszawska Starówka pod koniec II wojny światowej
■ Warsaw Old Town at the end of World War II

This is a unique example of the reconstruction of a city's entire historical centre.

AFTER THE COLLAPSE of the Warsaw Uprising the German Nazis were ordered to raze the city to the ground. The systematic demolition, the plundering and burning of houses was carried out very thoroughly in the Old Town of Warsaw. Only the basements and catacombs of the largest Gothic and Baroque monuments survived.

It seemed for many years that the Old Town would never be rebuilt. However, the new authorities' persisted and the creativity of Polish architects and the commitment of the citizens of Warsaw resulted not only in the recreation of an entire district from the ruins (90% had been destroyed) but also a work of art of world-class renown. In early September 1980 Warsaw Old Town was placed on the UNESCO World Heritage Sites list and the reconstruction effort was esteemed and complimented with the words: "It is the world's only example of a complete reconstruction of a historical site." Certain French architects could not believe that such a thorough recreation was possible. But when the writer and Minister of Culture, Andre Malraux, saw the work of Polish conservators, he was moved to speak to his fellow countrymen about the rebuilding of Avignon in a similar fashion. With no success so far. The Market Square buildings were not the only reconstructed buildings in Warsaw, the entire town within its historical borders had to be rebuilt, along with the Royal Castle, defensive walls, churches, apartment houses, squares, paintings and sculptures.

And there was much to rebuild! The original town had been growing steadily over the centuries – the Medieval level was built on with Renaissance architecture, only to be covered by Baroque. This over a period of 700 years! Warsaw became a town when it was the seat of the Masovian Dukes, to become the real capital of the Republic of Poland in the late 16th century. The Old Market, in the form of a 90-meter quadrangle with the City Hall in its center, was later surrounded by 42 tall and narrow apartment houses owned by the wealthiest merchants and patricians. Before long the Old Town was too small to house all of them and in the 18th century they moved to suburban residences. The apartments surrounding the Old Town were renovated as tenement houses, while the square became a marketplace. In the early 19th century, the City Hall and some of the defensive walls and gates were pulled down. The deteriorating Old Town was revived shortly after World War I. The marketplace was closed and the entire Old Town was paved and with the repainting of the polychromes on the walls of the renewed apartment houses it was given back its representative character. One year before the start of World War II, the Old Town's reconstruction was nearly finished. Unfortunately, the war did not spare the site. The Royal Castle was burnt down in the early days of the September Campaign and the remaining parts of the Old Town shared its fate five years later.

Skeptics claim that since the Old Town was rebuilt from scratch, it cannot be called a monument. But they will be converted by it being pointed out to them that the reconstruction of the town walls has brought back that latter day exceptional atmosphere of the district. And being slightly ostentatious and a little festive, the Old Town Market Square attracts crowds of tourists!

Rok przed wybuchem II wojny światowej restauracja Starówki była praktycznie zakończona. Niestety, wojna nie oszczędziła tego miejsca – Zamek Królewski spłonął na początku kampanii wrześniowej, a reszta Starego Miasta podzieliła jego los pięć lat później.

Sceptycy twierdzą, że Starówka odbudowana od podstaw nie może być już uznana za zabytek. Przekonać ich powinno to, że wraz z wzniesieniem murów udało się także przywrócić unikalną atmosferę miejsca – nieco podniosłą, trochę odświętną – i to ona właśnie przyciąga na staromiejski rynek tłumy odwiedzających!

■ Widok na Zamek Królewski z ulicy Świętojańskiej
■ The Royal Castle seen from Świętojańska Street

Wawel

Wzgórze-pomnik, największa skarbnica polskiej historii i kultury.

■ Nad Wzgórzem Wawelskim górują wieże katedry
■ The Cathedral towers dominate Wawel Hill

NA WAPIENNYM WZGÓRZU NAD WISŁĄ stoi zespół najsławniejszych budowli w kraju, z zamkiem królewskim i katedrą. Przez ponad 500 lat był główną siedzibą władców Polski. Ale nawet po przeniesieniu stolicy do Warszawy w 1609 r. pozostał wzgórzem-symbolem, pomnikiem polskiej historii i kultury. Zgromadzone w nim dzieła sztuki należą do najcenniejszych w kraju. Na zamku królewskim przechowywane są narodowe relikwie, a w katedrze obok władców spoczywają prochy naszych największych bohaterów.

Nazwa Wawel pochodzi zapewne od słowiańskiego słowa „wąwel" oznaczającego górę z wąwozem, jarem. W XIII-wiecznych kronikach terminem tym określano również wyniosłe miejsce otoczone mokradłami. Pierwszy zamek na Wzgórzu Wawelskim wzniesiono już w XI w. Lata największego rozkwitu przypadły na panowanie dynastii Jagiellonów, kiedy to zespół romańskich budowli przebudowano na piękną renesansową rezydencję. Wtedy to powstały charakterystyczne krużganki i arkady wokół zamkowego dziedzińca, a przy katedrze św. św. Wacława i Stanisława wybudowano kaplicę grobową dla króla Zygmunta Starego (zwaną Zygmuntowską) z kopułą pokrytą złotą dachówką. Z tych czasów pochodzi też niezwykle cenna kolekcja arrasów zdobiących wawelskie komnaty.

Wzgórze omijały wojenne zawieruchy, nigdy nie było szturmowane czy burzone. Niszczyły je jednak pożary, a każdy najeźdźca (Szwedzi podczas potopu, Austriacy w czasie zaborów, hitlerowcy w czasie II wojny światowej), czy to z chęci zysku, czy woli zbezczeszczenia symbolu polskiej dumy narodowej, plądrował tutejsze skarby, profanował wiekowe budowle i przebudowywał je na własny użytek.

Wawel przetrwał II wojnę światową, a władze PRL, odwołując się do tysiącletniej historii naszej państwowości, otoczyły zamkowe wzgórze szczególną opieką. Odzyskano wiele zrabowanych w czasie wojny eksponatów. Dzisiaj w katedrze i na zamku znajdują się dwa najważniejsze krakowskie skarbce. Przechowywane są w nich m.in. włócznia św. Maurycego, którą cesarz Otton III podarował w 1000 r. Bolesławowi Chrobremu, oraz regalia, w tym insygnia koronacyjne. Najcenniejszym,

Wawel

A hill which is also a monument containing the treasures of Polish history and culture.

■ Szczerbiec – miecz koronacyjny królów polskich
■ Szczerbiec – the coronation sword used by Polish kings

z historycznego punktu widzenia, eksponatem jest XIII-wieczny Szczerbiec, używany od 1320 r. jako koronacyjny miecz królów polskich. W podziemiach katedry spoczywają polscy władcy, a w nawach bocznych znajdują się sarkofagi – wybitne dzieła sztuki z różnych epok. Złożone są tu też prochy bohaterów narodowych: księcia Józefa Poniatowskiego, Tadeusza Kościuszki, generała Władysława Sikorskiego czy marszałka Józefa Piłsudskiego, a także Adama Mickiewicza i Juliusza Słowackiego.

Na katedralnej wieży bije dziesięć bezcennych dzwonów, wśród nich prawdopodobnie najstarszy zachowany w Polsce, XIII-wieczny Herman oraz najsłynniejszy – dzwon Zygmunta, nazywany tak na cześć fundatora, króla Zygmunta Starego. Waży 12,6 t i bije z okazji najważniejszych świąt i wydarzeń nie tylko naszego narodu, ale i całej Europy.

THE MOST FAMOUS BUILDINGS IN POLAND, the Royal Castle and Cathedral, stand on a limestone hill overlooking the Vistula River. This was the capital of the kings of Poland for over 500 years. Even after the capital was moved to Warsaw in 1609, the Wawel remained the lasting symbol of the country, a monument to Polish history and culture. The collections of the works of art it contains are among the most important and priceless in Poland. Relics of national importance are kept in the Royal Castle and the Cathedral crypt is the burial site of the most notable Polish heroes and rulers.

The name Wawel probably comes from the Slavic word 'wąwel' meaning a hill with a ravine. In 18th century chronicles this term was also used to describe elevated locations surrounded by wetlands. The first castle was raised on Wawel hill in the 11th century. The years of prosperity declined during the times of the Jagiellonian dynasty, when the Roman buildings on the site were remodeled into a Renaissance residence. This is when the characteristic cloisters and arcades surrounding the castle courtyard were constructed and the chapel crypt for King Zygmunt Stary (the Old) covered with gilded tiles, was built near the St. Wacław and Stanisław Cathedral. The outstanding collection of Arras tapestries embellishing the chambers in the Wawel also date to those times.

The hill escaped the turmoil of war; the buildings were never besieged or ransacked. They were partially destroyed by fires and each invader (Swedes during the Deluge, Austrians during the Partitions, Germans during WWII), either out of a desire to acquire its riches or to profane the symbol of Polish nationalism, stole its treasures and altered the historic buildings to serve different purposes.

The Wawel survived WWII and the communist authorities surrounded the castle hill with particular care referring through it to the thousand years of the history of our statehood. Over the years numerous exhibits stolen during WWII have been returned. Today the Cathedral and the Castle contain the two most significant treasures in Kraków. In their collections are: the spear of St Maurice which was given to Bolesław Chrobry by Emperor Otto III in 1000 and the state regalia and the coronation insignia. The 18th century Szczerbiec, the coronation sword used during the crowning ceremonies of most kings of Poland from 1320, is the most important exhibit from a historical point of view. Polish kings lie in the Cathedral crypt and in the side aisles are sarcophagi decorated with masterpieces from various epochs. The ashes of national heroes, Prince Józef Poniatowski, Tadeusz Kościuszko, Gen. Władysław Sikorski, Marshall Józef Piłsudski, Adam Mickiewicz and Juliusz Słowacki are kept here.

Ten bells resound from the cathedral tower, one of them, probably the oldest bell in Poland – Herman, dating back to the 13th century and the most famous one – Zygmunt's Bell so named to commemorate King Zygmunt Stary who had it cast. It weighs 12.6 tons and rings on the most important holidays and events, not only for our nation but also for Europe.

Westerplatte

Obrona Westerplatte była pierwszą bitwą II wojny światowej.

■ Pomnik Obrońców Wybrzeża
■ The Monument to the Coastal Defenders

TEN SKRAWEK ZIEMI, leżący u ujścia Martwej Wisły do Zatoki Gdańskiej, przeszedł do historii rankiem 1 września 1939 r. O 4.48 z niemieckiego pancernika „Schleswig-Holstein" padły strzały na teren polskiej Wojskowej Składnicy Tranzytowej na Westerplatte. Był to sygnał rozpoczynający najbardziej krwawą w dziejach ludzkości wojnę. Broniąca Westerplatte załoga liczyła nieco ponad 200 żołnierzy. Rozlokowani na niewielkim półwyspie mieli do dyspozycji broń ręczną, maszynową i jedną armatę kalibru 75 mm. Ich rozkazy operacyjne zakładały utrzymanie składnicy przez 12 godzin. Ostrzeliwani i bombardowani z lądu, morza i powietrza wytrwali 7 dni. Niemcy nie zdobyli Westerplatte w boju. Dowódca obrony, major Henryk Sucharski, w obliczu wyczerpania zapasów i bezsensowności dalszego oporu, podjął decyzję o kapitulacji. Mimo to obrona Westerplatte stała się symbolem heroizmu polskiego żołnierza.

Na mocy decyzji Ligi Narodów w 1926 r. u wejścia do portu gdańskiego powstała polska placówka wojskowa. Była ona solą w oku dążących do opanowania Wolnego Miasta Gdańska Niemców. Stąd decyzja Hitlera, by formalny atak na Polskę rozpocząć właśnie tutaj. Historycy spierają się o dokładny przebieg zdarzeń i liczbę ofiar. Najczęściej przyjmuje się, że po stronie polskiej zginęło około 20 żołnierzy, a straty niemieckie wyniosły 35-50 zabitych. Jak na zaciekłość walk i lawinę ognia, były to straty stosunkowo niewielkie.

Dramatyczny przebieg obrony Westerplatte do dzisiaj budzi emocje. Dowódca placówki, mjr Sucharski, już 2 września uznał, że postawione przez dowództwo zadanie zostało wykonane z nawiązką. Jednak determinacja jego zastępcy, kapitana Franciszka Dąbrowskiego, oraz załogi spowodowała, że żołnierze walczyli przez kolejne pięć dni i nocy. Polskie Radio codziennie powtarzało komunikat: Westerplatte walczy! Załamywał się front, padła Bydgoszcz, co pozbawiło obrońców nadziei na odsiecz, ale legenda Westerplatte rosła. Major Sucharski, z honorami ze strony niemieckich dowódców, wyprowadził swych żołnierzy z placówki. Wielu z nich przeżyło wojnę. W połowie grudnia 2010 r., w wieku 95 lat, zmarł kapitan Władysław Stopiński. Był jednym z trzech ostatnich żyjących jeszcze obrońców.

Westerplatte

■ Pancernik „Schleswig-Holstein" ostrzeliwuje Westerplatte
■ The battleship Schleswig-Holstein bombarding Westerplatte

The defence of Westerplatte was the opening battle of World War II.

Legendę Westerplatte spopularyzowali także artyści. Konstanty Ildefons Gałczyński już w 1939 r. napisał wiersz zaczynający się do słów: „Kiedy się wypełniły dni / i przyszło zginąć latem, / prosto do nieba czwórkami szli / żołnierze z Westerplatte". Słynny pisarz i korespondent wojenny, Melchior Wańkowicz, wydał w 1957 r. książkę „Westerplatte". A reżyser Stanisław Różewicz w 1967 r. nakręcił film opowiadający o tamtych kilku dniach.

Westerplatte, podobnie jak polski cmentarz pod Monte Cassino, stało się symbolem trudu i ofiary polskiego żołnierza. Co roku o 4.48 odbywa się tu Apel Poległych, a pod zbudowanym w 1966 r. pomnikiem Obrońców Wybrzeża modlił się Jan Paweł II i spotykali przywódcy wielu państw, w tym Niemiec i Rosji. Ekspozycja na terenie Westerplatte odwiedzana jest co roku przez tysiące gości z całego świata.

THIS STRIP OF LAND located at the estuary of the 'dead Vistula' on Gdańsk Bay was written into history on the morning of 1 September 1939. At 4.48 a.m. the German battleship 'Schleswig Holstein' opened fire on the Polish Military Ammunition Depot on Westerplatte. This unprovoked and undeclared act of war was the start of what was to become the bloodiest confrontation in the history of humankind. The Polish contingency on the small peninsula guarding Westerplatte were 200 in number. They were armed with rifles, machine guns and one 75 mm field artillary piece. Their operational orders were to hold the ammunition depot for 12 hours. Under constant bombardment from sea and air and heavy machine gun fire they held out for 7 days. The Germans did not conquer Westerplatte in battle. Major Henryk Sucharski, faced with no ammunition or provisions and the futility of further resistance and loss of lives, ordered the capitulation of Westerplatte. The defence of Westerplatte has become the symbol of the heroism of Polish soldiers.

In 1926 by decision of the League of Nations a Polish military post was established at the entrance to the port of Gdańsk. This was a thorn in the German side, which had plans to take over the Free City Gdańsk and was partially the reason of starting the formal attack on Poland from here. Historians argue about the events during the fighting and the number of killed and wounded. It is believed that 20 Polish soldiers died, while the Germans lost 200-300 soldiers. The German bombardment during the seven days of fighting had been very heavy but losses on the Polish side were relatively small.

The dramatic course of the defence of Westerplatte continues. It is a controversial and emotional subject to this today. The Polish commander, Major Sucharski, considered his task as ordered by his headquarters fulfilled on September 2. However, the determination of his deputy, Captain Franciszek Dąbrowski and his staff persuaded his men to continue the defence over the next five days and nights. Everyday Polish Radio repeated the communiqué: Westerplatte is fighting! The western front under German pressure was collapsing, Bydgoszcz had been taken which destroyed any hope the defenders of Westerplatte had of support, but the legend of Westerplatte grew as each day passed. On the seventh day Major Sucharski led his soldiers out of the ruins of Westerplatte under an honour guard of German soldiers and the German commander. Many of the Polish combatants survived the war. In mid-December 2010, 95-year-old Capitan Władysław Stopiński passed away. He was one of the three living defenders of Westerplatte.

The legend of Westerplatte was popularised by writers. Konstanty Ildefons Gałczyński, as early as 1939 wrote:

'When the day was done
and the time came to die that summer,
straight to heaven they went
four abreast,
the soldiers of Westerplatte'.

In 1957 war correspondent Melchior Wańkowicz published the book 'Westerplatte'. In 1967, director Stanisław Różewicz made a film about the siege.

Westerplatte and the Polish cemetery near Monte Cassino have become the symbol of the heroism of Polish soldiers. Every year on the 1 September at 4.48 a.m. the Appeal of the Fallen is held at Westerplatte. Pope John Paul II prayed in front of the monument to the Coastal Defenders built in 1966 and the leaders of many countries including Germany and Russia have met here. The exhibition in Westerplatte is visited every year by thousands of people from around the world.

Wieliczka

Wpisana na pierwszą listę UNESCO kopalnia soli działa nieprzerwanie od średniowiecza.

WIELICKIE ZŁOŻA powstały około 13,5 mln lat temu. Ślady pierwszych warzelni pozyskujących w okolicach Wieliczki sól z solanek pochodzą z neolitu. W XI-XII w. istniał tu największy w Małopolsce ośrodek warzelniczy nazywany Magnum Sal, czyli Wielka Sól. Najstarszy odkryty szyb górniczy pochodzi z połowy XIII w. Początki eksploatacji białego złota na szeroką skalę wiążą się z budową szybu Goryszowskiego w latach 80. XIII w. Złote lata przypadły zaś na wiek XVI i XVII, kiedy załoga kopalni liczyła około 2 tys. ludzi, a produkcja przekraczała 30 tys. ton rocznie. Łącznie, na obszarze 5,5 km², wydrążono 26 szybów i 180 szybików łączących dziewięć poziomów kopalni położonych na głębokości od 57 do 327 m. Powstało 2350 komór i ponad 240 km chodników. Wydobycie soli kamiennej zakończono w 1996 r., ale wciąż uzyskuje się ją z solanek. Pod ziemią pracuje ponad 300 górników zabezpieczających wyrobiska, systemy wentylacyjne i trasę turystyczną.

W 1976 r. Kopalnia Soli „Wieliczka" została wpisana do rejestru polskich zabytków, a dwa lata później znalazła się na pierwszej Liście Światowego Dziedzictwa Kulturowego i Przyrodniczego UNESCO. Do ochrony najcenniejszych wyrobisk wydzielono strefę zabytkową obejmującą 218 komór i 190 km chodników. Ponad 20 komór udostępniono do zwiedzania na trasie turystycznej, a 17 – w podziemnej ekspozycji Muzeum Żup Krakowskich. Każdego roku solne królestwo odwiedza prawie milion osób.

Najwyższa na trasie turystycznej jest komora Stanisława Staszica (36 m). Za jedną z najpiękniejszych uchodzi komora Erazma Barącza z jezior-

Wieliczka

■ Kaplica św. Kingi znajduje się 101 m pod ziemią. Komora ma 12 m wysokości, 18 szerokości i 54 długości
■ Saint Kinga Chapel located 101 m underground. The chamber is 12 m high, 18 m wide and 54 m long

This salt mine, recently added to the UNESCO World Heritage List has been in continuous production since the Middle Ages.

kiem głębokości 9 m, ale punktem kulminacyjnym jest kaplica św. Kingi. Cały jej wystrój wyrzeźbiono w soli, począwszy od ołtarza z wizerunkiem świętej, a skończywszy na lichtarzach, schodach i posadzce. Kaplica leży na jedynym na świecie podziemnym szlaku pielgrzymkowym „Szczęść Boże" otwartym 6 stycznia 2010 r.

Kilka wieków temu każde zejście pod ziemię było poważną wyprawą. Niepewność, czy przeżyje się kolejny dzień, sprawiała, że górnicy powierzali swój los Opatrzności, zaczynając pracę od mszy w podziemnej kaplicy. Do dziś w solnym labiryncie rozbrzmiewa górnicze pozdrowienie „Szczęść Boże"; zachowało się też około 40 obiektów sakralnych powstałych pomiędzy XVI a XX w., m.in. krzyże, ołtarze i kaplice. 2 kwietnia 2010 r. dołączyła do nich pierwsza na świecie podziemna Golgota.

W solnym mieście można się nie tylko modlić i leczyć (na głębokości 135 m znajduje się sanatorium), ale także... bawić. Wieliczka dysponuje komorami i kaplicami wykorzystywanymi do organizacji bankietów, koncertów i imprez okolicznościowych. Największa z nich – Warszawa – może pomieścić 600 osób, znajduje się na głębokości 122,5 m, jest w niej dostęp do Internetu i działają telefony komórkowe. W zależności od okoliczności pełni funkcję sali koncertowej, boiska piłkarskiego czy tanecznego parkietu. W kopalni skakano już na bungee, mistrz olimpijski w żeglarstwie Mateusz Kusznierewicz pływał na desce windsurfingowej po solnym jeziorku, a Tarnowskie Stowarzyszenie Lotnicze pobiło rekord Guinnessa w podziemnych lotach balonem.

■ Jedna z wielu pamiątek, które można kupić w kopalni – lampa wykonana z soli kamiennej
■ Souvenir. A lamp made from a salt crystal

THE SALT DEPOSITS in Wieliczka were created approximately 13,500,000 years ago. Traces of the first salt-works exploiting the salt-springs around the town date back to the Neolithic period. In the 11th and 12th century, it was the biggest salt producing center in Lesser Poland, known as the Magnum Sal, i.e. the Great Salt. The oldest mine shaft comes from the mid 13th century. The beginnings of the exploitation of 'white gold' on a large scale is connected to the construction of the Gorysz shaft, when around 2,000 miners worked there and the output exceeded 30,000 tons a year. Altogether, an area of 5,5 square kilometers was cut out with 26 large and 180 minor shafts connecting 9 mine-levels located at depths of 57 to 327 meters. As many as 2,350 caves and over 240 kilometers of galleries were created. Rock salt production was discontinued in 1996, but it is still extracted from the salt-springs and today there are some 300 miners working underground, securing the workings, ventilation systems and the touring route.

The Wieliczka Salt Mine was included in the list of Polish natural and cultural places of importance in 1976. After two years it was added to the UNESCO List of World Cultural and Environmental Heritage. In order to protect the most important galleries, a vast zone of 218 caves and 190 kilometers of tunnels was separated from the main workings. Twenty caves were made available as touring routes and 17 were opened for the underground exhibition of the Żupy Krakowskie Museum. Each year, this kingdom of salt is visited by nearly a million people.

The Stanisław Staszic Cave (36 meters high) is the highest on the touring route. The Erazm Barącz Cave, with its small, 9-meter deep lake, is considered one of the most beautiful, but the main part of the visit is the St Kinga Chapel. The Chapel has been cut out of the salt entirely, from the altar with a representation of the saint, to the candlesticks, stairs and floor. The chapel is located on the international and unique underground pilgrimage route called, '*Szczęść Boże*' (God's Blessing) opened on January 6, 2010.

Several centuries ago, each descent underground was a hard and difficult journey. Uncertainty, whether one would survive the day or not, convinced the miners to put their faith in Providence, and they began their work with a Mass in the underground chapel. Today, the salt labyrinth still echoes to the miner salutation, 'God's Blessing'. Some 40 sacral objects created between the 16th and 20th century, including crosses, altars and chapels, have been preserved. On April 2nd, 2010, the first in the world underground Golgotha joined this inventory.

This salty mine is not just for prayer and to improve your health (with a sanatorium at the depth of 135 meters), but also... for enjoyment. Wieliczka has caves and chapels for banquets, concerts and parties. The biggest one, the Warszawa Chamber, can hold 600 people, and is located at a depth of 122,5 meters. This enormous cave has Internet access and cell phone reception. Depending on the circumstances, it serves the purpose of either a concert hall, a football pitch or a dance floor. People can also bungee jump here, the Olympic sailing champion, Mateusz Kusznierewicz wind surfed over the salt lake, and the Tarnów Aviation Association established a new record of underground balooning for the Guinness Book of Records

■ Portret Adama Mickiewicza, na podstawie dagerotypu Michała Szweycera z 1853 r.
■ Portrait of Adam Mickiewicz, based on Michał Szweycer's daguerreotype from 1853

Wieszcze

Poet-patriots

Adam Mickiewicz, Juliusz Słowacki, Cyprian Kamil Norwid – wybitni twórcy epoki romantyzmu. Poeci wierni narodowi.

ICH DOROBEK PRZESZEDŁ DO HISTORII POLSKIEJ LITERATURY w postaci wybitnych dzieł, które do dnia dzisiejszego zachwycają kunsztem poetyckiej frazy, mistrzostwem języka, potęgą wyobraźni i wizjonerstwem. Adam Mickiewicz, Juliusz Słowacki i Cyprian Kamil Norwid swoją twórczością chcieli przede wszystkim służyć Polsce, podzielonej między zaborców i upokorzonej klęską powstania z 1830 r. Ich życiorysy są podobne. Opuściwszy ojczyznę, znaleźli schronienie w Paryżu, gdzie mieszkała liczna polska emigracja. Twórczość łączyli z działalnością publicystyczną i polityczną.

Adam Mickiewicz (1798–1855) urodził się w Nowogródku na Litwie. Jego „Ballady i romanse" opublikowane w 1822 r., w których światu badanemu przez „mędrca szkiełko i oko" przeciwstawił świat uczuć i wierzeń czerpanych z tradycji ludowej, wyznaczają początek romantyzmu w literaturze polskiej. „Konrad Wallenrod" (1828) jest wzorem romantycznego poematu historycznego, „Dziady" (1823–1832) to najdoskonalszy przykład dramatu romantycznego. W części III bohater zmienia się w buntownika przeciw Bogu za jego zbrodnię na narodzie. Wykładnię swoich poglądów o szczególnej roli Polski w walce ludów z tyranią zawarł w „Księgach narodu i pielgrzymstwa polskiego" (1832). Najpiękniejszym i najpopularniejszym jego dziełem jest „Pan Tadeusz" (1834), odtworzył w nim świat szlachty litewskiej w przededniu wojny napoleońskiej z Rosją. Ten narodowy poemat, łączący patos, liryzm, ironię i dowcip, nie ma odpowiednika w żadnej innej literaturze.

Juliusz Słowacki (1809–1849) chciał dorównać Mickiewiczowi, ale za życia nie zdobył takiego uznania. Stosunek do paryskiej emigracji, z którą był skłócony, zawarł w „Anhellim" (1838) i w poemacie dygresyjnym „Beniowski" (1840–1846). Przyczyny klęski powstania listopadowego zanalizował w dramacie „Kordian" (1833). W „Genesis z Ducha. Modlitwa" (1844–1846) dał wykładnię oryginalnych poglądów filozoficznych. Wierzył w nieustanne doskonalenie się ludzkości na drodze pełnej cierpień, ale wiodącej do realizacji boskiego ideału. Jego twórczość została w pełni odkryta dopiero w pierwszych latach XX w.

Również wtedy tzw. modernizm przywrócił literaturze polskiej dorobek Cypriana Kamila Norwida (1821–1883). Poeta był także grafikiem, rzeźbiarzem, malarzem i filozofem, ale żadna z dziedzin nie przyniosła mu pełnej satysfakcji. Zmagał się z niechęcią innych, postępującą głuchotą i biedą. Ostatnie lata życia spędził w paryskim przytułku dla ubogich emigrantów.

Choć był „późnym romantykiem", odrzucił gloryfikację cierpienia i patos bohaterów. Wierzył w postęp i rozwój społeczny, który miał być wyrazem planu bożego. Sztuka była dla niego pracą, tworzącą piękno codziennego życia. Pisał nowele i dramaty, jednak największą siłę zachowuje dziś jego poezja, niełatwa w odbiorze, intelektualna. Najpiękniejsze wiersze zawarł w tomie „Vade-mecum". Znalazły się tam takie arcydzieła jak „Bema pamięci żałobny rapsod" i „Fortepian Chopina".

Adam Mickiewicz, Juliusz Słowacki, Cyprian Kamil Norwid – prominent writers of romanticism and poet-patriots.

THEIR CREATIVE LEGACY has become a part of the history of Polish literature. Their exceptional written work has enthralled many with its poetic originality, language, imagination and visionary awareness. And with their words Adam Mickiewicz, Juliusz Słowacki and Cyprian Kamil Norwid sought to serve Poland which lay partitioned by the occupants and humiliated by the failure of the 1830 Uprising. To a certain extent, the lives of each author are in some ways similar. Leaving their homeland they found shelter in Paris where many Polish emigrants lived and here they combined artistic activity with journalism and politics.

Adam Mickiewicz (1798-1855) was born in Nowogródek, Lithuania. His *Ballads and Romances* published in 1822 treated the conflict with cold, scientific perception interplayed with poignancy through the lens of feelings and emotions evoked by Polish folklore and was the commencement of Polish romanticism. *Konrad Wallendrod* (1828) is a romanticist historic poem *Dziady* (1823-1832) is the ultimate romanticist drama; in part III, the protagonist is transformed to defy God for the agony the nation has had to suffer. His view of the role of Poland in the universal struggle against tyranny is summarized in the *Books of the Pilgrims* (1832). Mickiewicz's greatest work is *Pan Tadeusz* (1834) which presented the world of Lithuanian gentry just before Napoleon's invasion of Russia. This national poem combining pathos, lyricism, irony and humour has no equivalent in any other nation's literature.

Juliusz Słowacki (1809-1849) was not as recognised as Mickiewicz. His attitude towards his fellow emigrants in Paris, with whom he quarreled, was presented in *Anhellii* (1838) and the digressive poem *Bieniowski* (1840-1846). The reasons why the November Uprising failed were analyzed in the drama *Kordian* (1833). In *Genesis from the Spirit* (1844-1846) Słowacki presented a number of his original, philosophical ideas. He believed in humankind's constant self-mastery through suffering, leading to a realization of God's ideal. His talent was not discovered until early in the 20th century.

The 19th century brought with it the era of so-called modernism and rediscovered the heritage of Cyprian Kamil Norwid (1821–1883). The poet was also a graphic artist, sculpture, painter and a philosopher, but none of these artistic expressions had brought him full satisfaction. He struggled with people's unfriendliness, as well as poverty and progressive deafness. He spent his last years in a Paris poorhouse for emigrants.

Although Norwid was a late romanticist, he rejected the glorification of suffering and the pathos of heroism. He believed in progress and social evolution which were illustrations of God's plan. He wrote short stories and dramas, but it was his poetry, although intellectual and not easy to comprehend, which was the most expressive. His greatest poems are included in his anthology of verse *Vade-mecum*, with masterpieces such as *The Funeral Rhapsody in Memory of General Bem* and *Chopin's Piano*.

W Wisła

Ostatnia tak wielka dzika rzeka Europy.

■ Piaszczyste łachy na Mazowszu z lotu ptaka
■ Bird's eye view of Masovian sandbanks

WISŁA, ZWANA KRÓLOWĄ (a za Polski Ludowej – dyrektorową) polskich rzek na wielu odcinkach zachowała naturalny charakter z licznymi łachami piaszczystymi, płyciznami i bystrzami. Jest ostatnią tak wielką, nieuregulowaną rzeką Starego Kontynentu. W jej środkowym biegu planuje się nawet powołanie parku narodowego chroniącego unikalny krajobraz i ostoje ptaków wodnych.

Wisła jest najdłuższą rzeką Polski, w całości leżącą w granicach państwa. Jej źródła znajdują się na wysokości 1106 m n.p.m., na stokach Baraniej Góry w Beskidzie Śląskim, uchodzi zaś do Zatoki Gdańskiej. Oficjalnie ma 1047 km długości, ale koryto niemal każdego roku zmienia kształt. Na wielu odcinkach rzeka wciąż jest bowiem dzika i nieprzewidywalna.

Rzeka na przestrzeni wieków spełniała różne funkcje. Wraz z Odrą i Notecią chroniła przed najazdami wnętrze piastowskiego państwa. Od średniowiecza na stromych, nadwiślańskich zboczach stawiano zamki i grodziska, wykorzystując naturalne walory obronne terenu. W XVI i XVII w. kwitły nad nią ośrodki handlowe i największe polskie miasta, na jej brzegach wyrosły spichlerze, w tym najsłynniejsze i najpiękniejsze w Kazimierzu Dolnym.

Szkuty, byki, dubasy, dubaski, kozy i kóski, lichtany, galary, promy, promyki i tratwy – to tylko niektóre spośród jednostek pływających w XVIII w. po Wiśle. Już wtedy rzeka odgrywała też niemałą rolę energetyczną, napędzając liczne młyny wodne, tzw. bździele. Ale już w XVIII w. warunki hydrograficzne zaczęły się pogarszać. Występowała ogromna zmienność poziomu wody: obniżała się ona okresowo do stopnia uniemożliwiającego żeglugę, to znów wzrastała, powodując powodzie. Mówiono, że Wisła niczym Bóg – jednym daje, drugim zabiera. Zabory dodatkowo zakłóciły naturalny bieg rzeki. Bo kiedy Prusy i Austria umacniały, prostowały i regulowały swoje odcinki Wisły, na obszarze

The Vistula

■ Wyspy na Wiśle zamieszkiwane są przez ogromne kolonie ptaków, głównie mew i rybitw
■ The islands on the Vistula are home to huge colonies of birds, mainly seagulls and terns

The last great, untamed river in Europe.

zaboru rosyjskiego (środkowy bieg) pozostawiona samej sobie rzeka dziczała. Ale w tym czasie przypadła jej w udziale nowa, niecodzienna funkcja – była rzeką-symbolem. Podzielona między trzy zabory, stała na straży jedności kraju i przetrwania narodu. Dzisiaj, kiedy cała leży w granicach III Rzeczypospolitej, a żegluga na niej niemal całkowicie zamarła, pozostały jej dwie główne funkcje: zaopatrywanie w wodę oraz energię.

Najcenniejszy z przyrodniczego punktu widzenia jest środkowy odcinek rzeki, ciągnący się od Puław do Płocka (około 210 km). Rzeka ma tutaj od 600 do 1200 m szerokości, a dodatkowo każdej wiosny rozlewa się, zatapiając łąki, pola, a nawet... wsie i miasta. Dzięki temu jednak powstaje wyjątkowy ekosystem. Dotychczas utworzono tu 14 rezerwatów przyrody. Dolinę uznano też za Specjalny Obszar Ochrony Ptaków w programie Natura 2000. Gnieździ się tu prawie 160 gatunków, wśród nich wiele rzadkich bądź zagrożonych wyginięciem. Ich ogromne kolonie kryją się przed drapieżnikami na wiślanych wyspach. Oprócz licznych mew i rybitw mieszkają tu m.in. sieweczki obrożne i rzeczne oraz brodźce piskliwe.

O ochronę rzeki i zachowanie jej w jak najlepszym stanie dla przyszłych pokoleń zabiega znany podróżnik Marek Kamiński, który dwukrotnie spłynął rzeką (latem 2009 r. i zimą 2010 r.) w Ekspedycji Wisła. Królowa polskich rzek ma też swoje muzeum mieszczące się w Tczewie.

THE VISTULA, KNOWN AS THE QUEEN OF THE POLISH RIVERS (at the time of the communist regime – the Directress) has to a great extent sustained its historical, so far unaltered shape. Many sand bars, shallows and rapids have been preserved in this last, vast unregulated river of the Old Continent. There are plans to create a national park in the central parts of the river as a unique natural landscape and home for water birds.

The Vistula is the longest river lying within the boundaries of Poland. Its sources are located on the slopes of Barania Gora in the Silesian Beskids at a height of 1106 meters and the river crosses the country south to north to the Bay of Gdansk. The Vistula is officially 1047 km long, but its course changes every year, as the river is still untamed and unpredictable.

Over time the river, together with the Odra and Notec, has fulfilled various functions of which one was to protect the Piast state from invaders. From Medieval times on castles and towns were built on the steep hillsides near the Vistula to utilize the natural defensive importance of such locations.

The greatest Polish towns and trade centers situated by it experienced their golden age in the 16th and the 17th century and many granaries were built on its shores - the best known and the grandest were those in Kazimierz Dolny.

There were so many types of boats and ships sailing on the Vistula in the 18th century that it is impossible to name them all here. Apart from being a waterway, the river fulfilled a significant role as a source of energy – powering water mills called 'bździele'. But as early as the 18th century the hydrographic conditions of the river began to deteriorate – the water level shifted constantly, to a degree that it oscillated between being too low to sail on and then so high that the river flooded its banks. People used to say that the Vistula is similar to God in that it takes away from some people and gives to others. The natural flow of the river was also transformed during the Partitions - because whilst Prussia and Austria straightened, regulated and reinforced their parts of the Vistula, the central part of the river on Russian territory was left untamed. It was then that the river began to have a new, important function as a river-symbol – divided between three Partitions it safeguarded the unity and survival of the nation. Today, as it flows within the boundaries of the country and is no longer sailed upon, it sustains two primary functions: a source of water and energy.

From the environmental point of view, the central part of the river stretching from Pulawy to Plock (about 210 km) is of the greatest importance. In this region the river is from 600 m to 1200 m wide, sometimes flooding meadows, fields, and even villages and towns. This flooding, however, creates a unique ecosystem – so far fourteen nature reserves have been located in this region. The lowland region was also selected as a Special Area of Bird Protection within the Natura 2000 program. About 160 species nest here - among them many species which are either rare or endangered. Their colonies use the islets on the river as shelter from predators. The species variety is extensive - seagulls and terns nest here, as well as ringed plovers, little ringed plovers and common sandpipers.

The traveller, Marek Kamiński, has been acknowledged for his efforts to protect the river and safeguard it for future generations. In fact, he canoed down the Vistula twice – in the summer of 2009 and in the winter of 2010. For more information about this magnificent river visit, The Queen of the Polish Rivers Museum in Tczew.

Aleksander **Wolszczan** i łowcy planet

Astronom-wizjoner, który jako pierwszy odkrył planety spoza Układu Słonecznego.

KIEDY ALEKSANDER WOLSZCZAN rozpoczynał astronomiczną karierę, w kosmosie znano tylko dziewięć planet Układu Słonecznego. Dzięki zapoczątkowanym przez niego pracom do dnia dzisiejszego odnaleziono ich prawie 500 i wciąż odkrywane są nowe. „Od dawna nurtowało mnie pytanie, dlaczego wokół innych gwiazd planety nie miałyby krążyć tak samo, jak wokół naszego Słońca? – stwierdził w jednym z wywiadów astronom. – Czy nasz układ planetarny jest unikalny we Wszechświecie, a może nie potrafimy jeszcze szukać planet?". Odnalezienie planety krążącej wokół odległej gwiazdy porównuje się czasem do odszukania igły w stogu siana. To drugie bywa jednak o wiele łatwiejsze. Blask światła gwiazdy odbity od powierzchni towarzyszącej jej planety jest bardzo słaby. Wypatrywanie go przypomina próbę zauważenia chrząszcza świetlika krążącego w pobliżu potężnego reflektora, i to z odległości 5 tys. kilometrów!

Zamiast więc wpatrywać się w nikłe refleksy odległych ciał niebieskich, Wolszczan, mając do dyspozycji obserwatorium astronomiczne i ośrodek obliczeniowy Uniwersytetu Stanu Pensylwania, zaczął analizować delikatne wahania w ruchach gwiazd. Założył, że towarzyszące im planety – z uwagi na grawitację – przyczynią się do okresowego „bujania" gwiazd. „Kiedy na ekranie pojawiły się wyniki obliczeń, zrozumiałem, że odkryłem system planetarny. Nie mogłem się ruszyć z fotela" – wyznał.

Świat naukowy szybko docenił Wolszczana, który, jak się później okazało, w 1990 r. odkrył za jednym zamachem nie jedną, ale trzy planety krążące wokół gwiazdy nazwanej PSR B1257+12. Niestety, nie da się na nich zamieszkać – w centrum układu znajduje się bowiem w niczym nieprzypominająca naszego Słońca wypalona gwiazda neutronowa, tzw. pulsar, który bombarduje je zabójczym promieniowaniem. W 2005 r. w tym samym układzie, wraz z Maciejem Konackim, natrafił na jeszcze jedną planetę.

Wolszczan przetarł naukowy szlak dla całego pokolenia łowców planet. Trzy lata po jego odkryciu dwaj Szwajcarzy napotkali pierwszą planetę nieco podobną do naszej Ziemi. Z kolei w 2002 r. grupa kierowana przez Andrzeja Udalskiego z Uniwersytetu Warszawskiego, w skład której wchodził Bohdan Paczyński z Uniwersytetu Princeton, posłużyła się nową metodą zwaną masowym połowem planet. Przy użyciu szerokokątnej kamery cyfrowej własnej konstrukcji astronomowie prowadzili jednocześnie obserwację wielu tysięcy gwiazd i sprawdzali, która z nich podlega regularnym zaćmieniom, powodowanym przez towarzyszące im planety. Do Polaków uśmiechnęło się szczęście, za jednym razem złowili aż 140 takich obiektów. Kolejnym krokiem zespołu Udalskiego (we współpracy z grupą z Japonii i Nowej Zelandii) było wykorzystanie do poszukiwania planet tzw. mikrosoczewkowania grawitacyjnego. Polega ono na tym, że odległa galaktyka ugina światło docierające od jeszcze dalszej gwiazdy i działa jak wielki teleskop. Dzięki temu można dostrzec we Wszechświecie obiekty dotąd całkowicie niedostępne.

Aleksander Wolszczan and the planet hunters

Visionary astronomer and the first man to discover a planet situated outside our Solar System.

WHEN ALEKSANDER WOLSZCZAN began his career in astronomy, only 9 Solar System planets where known to exist. As a result of his early work, nearly 500 have been found up until now, and new ones are still being discovered. "It bothered me for a long time, why were there no satellites circling around others stars, just as they do around the Sun?" the astronomer said in one interview. "Is our Solar System unique in the Cosmos, or being unable to find planets our fault?" Finding a planet circling around a distant star is sometimes compared to finding a needle in a haystack. The latter is often much easier though. A star's luminosity, reflected from a nearby planet's surface, is very faint. Looking for it is like attempting to discern a firefly flying around a powerful light reflector from a distance of 5,000 kilometers!

With an astronomical observatory and the Pennsylvania State University Computation Center at his disposal instead of looking out for faint reflections of remote celestial bodies Wolszczan started analyzing subtle oscillations in star movement. He assumed that the surrounding planets, under the influence of gravity, would cause the stars to periodically 'swing'. "When the results appeared on the screen, I realized I had discovered a planetary system. I was stunned," he declared.

The scientific world quickly recognized Wolszczan, who, as it later turned out, discovered in 1990 not just one, but three planets circulating around the star PSR B1257+12. Unfortunately, they are all uninhabitable, as there is a collapsed neutron star in the very center of the system, a so-called pulsar which does not resemble our Sun at all and bombards the planets around it with lethal radiation. In 2005, with the help of Maciej Konacki, he 'stumbled' upon another planet in the very same system.

Wolszczan blazed a trail in science for an entire generation of planet hunters. Three years after his discovery, two Swiss scientists discovered the first planet slightly resembling the Earth. In 2002, a group headed by Andrzej Udalski from the University of Warsaw and Bohdan Paczyński from the University of Princeton, made use of a new method called the mass planet hunt. Using a home-made hexagonal digital camera the astronomers performed a simultaneous observation of thousands of stars and examined each one of them to see which one was regularly eclipsed by surrounding planets. The Poles were lucky; they were able to observe as many as 140 stellar objects at the same time. Another step taken by Udalski's team (in collaboration with a research group from Japan and New Zealand) was introducing the gravitational microlensing effect into planet hunting. Gravitational microlensing is an astronomical phenomenon occurring when a remote star's gravitational field acts as a lens, deflecting the path of light passing through it. As a result, distant, remote parts of other Solar Systems, and planets there, have been detected.

- Aleksander Wolszczan w obserwatorium astronomicznym Politechniki Szczecińskiej
- Aleksander Wolszczan in the astronomical observatory of the Szczecin University of Technology

Ok22 31

Wolsztyn

Jedyna w Europie czynna parowozownia regularnie obsługująca pociągi osobowe.

KILKUNASTOTYSIĘCZNE MIASTO w Wielkopolsce jest dziś ostatnim zakątkiem w Europie, z którego można wyruszyć w romantyczną podróż parowozem, wspominając czasy, kiedy wagony przypominały eleganckie salony, a lokomotywy – dzieła sztuki i techniki. Najstarszy wolsztyński parowóz pochodzi z 1917 r. i wciąż jest na chodzie! Ok1-359 to niemiecka konstrukcja, która grała u Polańskiego w oscarowym „Pianiście" oraz w serialu „Pogranicze w ogniu". Młodsza od niej o 12 lat Ok22-31 to najstarsza maszyna polskiej produkcji. Prawdziwą perłą wśród lokomotyw jest Pm36-2, zwana „Piękną Heleną". Zbudowano ją w 1937 r. w zakładach w Chrzanowie i od razu szturmem zdobyła Paryż – w tym samym roku na targach techniki w stolicy szyku przyznano jej konstruktorom złoty medal. Ten 120-tonowy parowóz potrafił osiągać, zawrotną jak na owe czasy, prędkość 130 km/godz. I potrafi do dnia dzisiejszego!

Początki kolei w Wolsztynie sięgają końca XIX w., kiedy to rząd pruski podjął decyzję o rozbudowie i zagęszczeniu istniejącej w kraju sieci kolejowej. Pierwsze tory dotarły do Wolsztyna w 1886 r., a 10 lat później wraz z zainstalowaniem drugiej nitki torów miasto stało się ważnym węzłem komunikacyjnym. W 1907 r. oddano do użytku parowozownię ze stanowiskami do obsługi czterech parowozów. Ruch na stacji był na tyle duży, że rozbudowano zajezdnię, aby mogła obsługiwać drugie tyle lokomotyw. Wojenne zawieruchy były dla niej łaskawe, a po II wojnie światowej, kiedy Wolsztyn znalazł się w granicach Polski, parowozownię unowocześniono – obrotnicę służącą do ustawiania lokomotyw przystosowano do obsługi najdłuższych, bo aż 20-metrowych maszyn.

Choć parowozy dawno już zostały wyparte przez pociągi elektryczne, w Wolsztynie do dnia dzisiejszego zachowało się około 30 buchających parą historycznych maszyn. Codziennie kursują na lokalnej trasie do Poznania, prowadzą też składy okolicznościowe oraz pociągi retro, m.in. do Jarocina i Gorzowa Wielkopolskiego. To właśnie wtedy najmocniej odżywa XIX-wieczny duch kolejnictwa. Wolsztyńska parowozownia przyciąga miłośników kolei z całego świata (najwięcej jest wśród nich Brytyjczyków). Zwłaszcza że można tu nie tylko przejechać się składem ciągniętym przez wiekowy parowóz, ale także zwiedzić izbę muzealną albo zatrzymać się na nocleg w parowozowni, a po odpowiednim przeszkoleniu – samemu zasiąść za sterami buchającej maszynerii i poprowadzić pociąg pod okiem doświadczonych maszynistów. Najgorętsza atmosfera w Wolsztynie robi się jednak pod koniec kwietnia, kiedy to odbywa się doroczna Parada Parowozów, a wraz z nią konkurs Miss Świata Parowozów, czyli „wybór najpiękniejszej dziewczyny na tle dostojnych parowozów" – jak reklamują imprezę jej organizatorzy.

■ Parada Parowozów w Wolsztynie odbywa się każdego roku podczas długiego majowego weekendu

■ A steam engine parade takes place in Wolsztyn every year in May

Wolsztyn

The only railway roundhouse in Europe maintaining scheduled passenger services.

WOLSZTYN with its several thousand inhabitants is a town in the Greater Poland region and the last place in Europe from where you can set off on a romantic steam train journey, re-living those olden days when carriages resembled elegant salons and locomotives looked like masterpieces of art and technology. The oldest steam engine in Wolsztyn, Ok1-359, is from 1917 and is still in full working order! Ok1-359 was designed by German engineers and had a recent role in Roman Polanski's Oscar-winning film *The Pianist* and also took part in the TV series *Borderland on Fire*. The twelve-years younger Ok22-31 is the first machine of Polish production but the crown jewel of the collection is Pm36-2, known as Beautiful Helen. Built in 1937 in Chrzanów she took Paris by storm and in that same year she won a gold medal for her constructors at the Exposition of Art and Technology in the capital of *chic*. The 120-ton steam engine could reach speeds of 130km/h which at that time was incredibly fast – and she can still do it today!

Wolsztyn saw the introduction of the railways in the late nineteenth century when the Prussian government launched a programme for the expansion of the national railway network. The first tracks were laid in 1886 and when a decade later the network was expanded by another line, the town became an important interchange point. In 1907 a new roundhouse, with terminals handling up to four steam trains, was inaugurated and put to use. Traffic in Wolsztyn increased so much that the railway depot was extended for the maintenance of twice as many locomotives. The roundhouse survived the turmoil of war and when Wolsztyn was annexed by Poland after World War II, the building was modernized: the old turntable, used for turning locomotives, was adapted for moving the longer (20-metre) machines.

Although steam engines have long been replaced by electric trains, Wolsztyn continues to maintain around 30 historic machines of this kind. Every day the trains are part of the local transportation to Poznań; they also provide occasional rail services with vintage trains like those headed for Jarocin and Gorzów Wielkopolski. It is at times like these that the nineteenth-century railway spirit is revived. The roundhouse in Wolsztyn attracts train enthusiasts from all over the world (with many from Britain). The steam train journey is the highlight of the town but tourists may also visit a museum and stay for the night in the roundhouse. In addition, visitors have the opportunity to get behind the 'wheel' of a steam engine and drive the train under the eye of experienced drivers, although it is necessary to take part in a footplate course first.

Towards the end of April there is much excitement in Wolsztyn during the annual Steam Locomotive Parade. The parade is accompanied by the Miss World of Steam Engines beauty contest in which, as the organizers declare, the girls present their charms against the background of dignified steam locomotives.

W

■ Większość zagranicznych turystów na pytanie o polską potrawę, którą najlepiej pamiętają, zaraz po bigosie i pierogach wymieniają wódkę
■ Asked for the most memorable Polish foods, most foreign visitors list: bigos, pierogi and vodka

Wódka i inne alkohole

Vodka and other alcoholic beverages

Nasz kraj słynie w świecie ze znakomitych wódek.

Poland is famous around the world for its excellent vodkas.

POLSKA KOJARZY SIĘ Z DOBRĄ WÓDKĄ, tak jak Italia z makaronem, Węgry z papryką czy Czechy z piwem. Wśród 30 najlepiej sprzedających się na świecie gatunków aż sześć pochodzi z kraju nad Wisłą (dane z pierwszej dekady XXI w.). Wyborowa, Żubrówka czy Żołądkowa Gorzka to marki rozpoznawalne w większości państw globu. Można je znaleźć na każdym lotnisku, w ekskluzywnych sklepach zajmują najwyższe półki obok gatunkowych whisky, koniaków czy szampanów. Serwowane są podczas przyjęć w ambasadach, używane przez najlepszych barmanów, doceniane przez koneserów.

Choć pierwszych destylacji dokonano zapewne w basenie Morza Śródziemnego 1500 lat temu, a Arabowie udoskonalili ten proces i powstającym w jego wyniku produktom nadali znaną dziś nazwę (*al koh'l*), to jednak dopiero we wczesnym średniowieczu, w Europie Środkowo-Wschodniej, zaczęto wytwarzać wódkę na wielką skalę. W Polsce wzmiankowano o niej już w 1405 r. Kolejne dwa wieki to czas udoskonalania procesu potrójnej destylacji, na bazie którego powstaje polska okowita (od łacińskiego *aqua vitae*). W tym czasie wyparła ona piwo wytwarzane u nas od najdawniejszych czasów i będące przez wieki narodowym alkoholem. Pojawiły się wówczas liczne gorzelnie, a prawo do produkcji zastrzegła sobie szlachta. Okowitę, czyli spirytus uzyskiwany w wyniku fermentacji, mający około 70-80 proc., rozcieńczano wtedy wodą, w wyniku czego powstawała tzw. wódka szynkowa (40-procentowy alkohol) – protoplastka dzisiejszych wódek czystych. Zyskała niemałą popularność i do dziś jest powszechnie ceniona za jakość.

Uprzemysłowienie produkcji wódki na szczęście nie wpłynęło negatywnie na jej jakość. Od XIX w., gdy na ziemiach polskich powstały pierwsze fabryki, udało się wypracować wiele rodzajów i gatunków wódek najwyższej jakości. Dziś wytwarza się wódki czyste (składające się z rektyfikowanego spirytusu, destylowanego ze zboża lub ziemniaków, rozcieńczonego wodą do mniej więcej 40 proc.) oraz gatunkowe wódki aromatyzowane owocami, ziołami lub na przykład miodem. Te ostatnie mogą być słodkie, półsłodkie albo wytrawne; spożywa się je raczej w niewielkich ilościach – jako aperitif lub na deser, ale także używa się ich do sporządzania drinków. Najlepiej znaną polską wódką gatunkową jest Żubrówka, aromatyzowana trawą żubrową. Wódki czyste, najbardziej popularne i znane, doskonale smakują pite w niewielkich kieliszkach podczas biesiad i uroczystych obiadów.

Jednak Polska znana jest na świecie nie tylko z wódek. Powszechnie cenione są nasze miody pitne, a także dobre piwa, pochodzące głównie z niewielkich browarów, w których jakość nie ucierpiała w walce o ilość.

POLAND IS ASSOCIATED WITH EXCELLENT VODKA, just as Italy is with pasta, Hungary with paprika and the Czech Republic with beer. Among the 30 best-selling kinds of vodka in the world, 6 come from Poland (according to data from the previous decade). Wyborowa, Żubrówka and Żołądkowa Gorzka are recognizable brands around the world. They can be found at every airport and high-class shops always placed on the top shelves, next to quality whiskeys, cognacs and champagnes. They are served at embassy receptions, used by the best bartenders and greatly appreciated by connoisseurs.

Although the first distillations were performed probably in the Mediterranean basin 1,500 years ago, and it was the Arabs who later improved the process and gave the product its well known name (al koh'l), it was only in the early Middle Ages that vodka production began on a large scale in Central-Eastern Europe. The first mention of vodka in Poland comes from 1405. Two subsequent centuries had to pass for the mastering of the triple distillation process which produced the so-called, 'okowita' (Latin: aqua vitae). In those days, vodka slowly replaced beer which had been produced in Poland for many years and was considered the national alcohol. Distilleries were built and production rights were reserved for the nobility. Okowita, which was a 70-80% spirit made by fermentation, was diluted with water to become the so-called *wódka szynkowa* (of 40% strength), an example of today's clear vodkas. It gained considerable popularity and is highly regarded for its quality to this day.

Fortunately, industrializing vodka production did not depreciate its quality. During the 19th century, when the first distilleries were opened in the lands of Poland, manufacturers created many kinds of top quality vodkas. Today, clear vodkas are produced (from a rectified spirit distilled from cereal or potatoes, diluted with water to approximately 40%) as well as high quality vodkas flavoured with fruit, herbs or honey. The latter might be sweet, medium-sweet or dry. They are consumed in relatively small amounts, as an aperitif, with dessert or mixed into cocktails. The most widely known Polish vodka is Żubrówka, flavoured with 'bison' grass. Most of the popular and well-known clear vodkas have a clean pure taste when drunk from small glasses during banquets and formal dinners.

Poland, however, is internationally known not only for its superb vodkas. Meads are also highly regarded, as much as fine beers from small breweries, where quality has not lost to the requirements of quantity.

Z Zakopane

Zimowa stolica Polski.

■ Ulica Krupówki to jeden z dwóch najsłynniejszych deptaków w Polsce
■ Krupówki Street is one of the most famous Polish promenades

DO NIESPEŁNA 30-TYSIĘCZNEGO MIASTECZKA, położonego w kotlinie między Gubałówką a masywem Tatr, każdego roku przyjeżdża około 3 mln osób. Rekord padł w latach 90. XX w., kiedy jednego roku tatrzański kurort odwiedziło 5 mln turystów (średnio prawie 14 tys. dziennie). Przybywają, by powędrować górskimi szlakami, wypić herbatę z prądem nad Morskim Okiem, wjechać kolejką na Kasprowy, poszusować na nartach, poopalać się na stokach Gubałówki czy tylko przespacerować się Krupówkami.

I choć niemal wszyscy (oprócz górali oczywiście) narzekają na tłok, trudno byłoby sobie wyobrazić Zakopane i Krupówki bez wielojęzycznego tłumu. W XIX w. o głównej arterii miasta mawiano „Droga Grzeszników". Wędrowali nią robotnicy zmierzający do starego kościoła, by wyznać swe winy i odebrać pokutę. Dziś najsłynniejszy (obok sopockiego) deptak w Polsce przepełniony jest sklepami, knajpami, kawiarniami, dyskotekami i stoiskami pełnymi pamiątek. Goreteksy w parze z płaszczykami, wysokie obcasy z traperkami. Futra z norek, rękawiczki z Norwegii, czapki ze Szwajcarii, torebki ze skóry. Prawdziwa rewia mody wszelakiego sortu.

Najwyżej położone miasto w Polsce (średnio ponad 900 m n.p.m.) początkowo zamieszkiwali hamernicy (hutnicy) i hawiarze (górnicy), a w Kuźnicach istniała huta żelaza. Pierwsi kuracjusze leczący choroby płuc zaczęli zjeżdżać na przełomie XVIII i XIX w., ale prawdziwą popularność miasto zawdzięcza doktorowi nauk medycznych, Tytusowi Chałubińskiemu, który po 1873 r. rozpropagował Zakopane jako uzdrowisko. W jego ślady poszła ówczesna bohema porwana wdziękiem, dobrodusznością i jurnością tutejszego ludu, sławiąca jego zalety w prozie i poezji.

Dziś górale jawią się nieco mniej romantycznie. Poszli z duchem kapitalistycznych czasów, powsiadali do aut, pobudowali pensjonaty, ze zbójników zrobili się dyrektorami i biznesmenami, niezmiennie łasymi na dudki, czyli pieniądze. I choć zarzuca się im cepeliadę oraz kupczenie folklorem, to właśnie góralskim tradycjom Zakopane zawdzięcza swoją odrębność oraz niepowtarzalny koloryt. A także Tatrom – najpiękniejszym z najmniejszych gór świata – i Stanisławowi Witkiewiczowi, który w XIX w. zafascynowany góralszczyzną stworzył zakopiański styl narodowy, oparty na ciesiel-

Zakopane

■ Zabytkowa kaplica w Jaszczurówce
■ Historic chapel in the Jaszczurówka district

The winter capital of Poland.

skich tradycjach i zdobniczych wzorach z Podhala. Drewniane domy z bali fascynują równocześnie prostotą i bogatą ornamentyką.

Sztandarowymi dziełami Witkiewicza są kościół w Jaszczurówce oraz willa Koliba, pierwszy budynek w stylu zakopiańskim, wzniesiony w 1892 r. Dzisiaj mieści się w nim Muzeum Stylu Zakopiańskiego. W Zakopanem i okolicach ocalało znacznie więcej willi projektowanych przez Witkiewicza, m.in. Oksza (ul. Zamoyskiego 25), Dom pod Jedlami (Koziniec 1) czy kaplica Albertynek na Kalatówkach.

Na początku XX w. zakopiańskie chałupy stawiano też w centralnej Polsce, na Śląsku, a nawet w Ameryce. Dziś, po latach zapomnienia, znów wracają do łask. Współczesne domy w coraz większym stopniu nawiązują do budownictwa ludowego i stylu zakopiańskiego, a najważniejszą cechą jest próba wkomponowania ich w górski krajobraz i dostosowanie do tutejszego klimatu.

EACH YEAR APPROXIMATELY THREE MILLION PEOPLE visit this small town inhabited by less than 30 thousand souls situated in a valley between Gubałówka and the Tatras Massif. A record number of 5 million tourists visited this resort over one year in the 1990's. People come to walk the mountain trails, drink intoxicating tea at Morskie Oko, take the cable car up to Kasprowy Wierch, ski down the mountains, sunbathe on Gubałówka hillsides or just take a walk on Krupówki Street.

Almost everyone (except for the Highlanders, of course) complains about the crush of tourists in Zakopane, but it would be difficult to imagine this small town and its famous Krupówki Street today without its multi-lingual crowd. In the 19th century the main artery of the town was called 'Sinners Street' and back then it was walked by workers who were going to an old church to confess and receive penance. Today the most famous promenade in Poland (aside from the one in Sopot) is full of shops, bars, cafés, discotheques and souvenir stores. Gore-Tex clothing can be found here alongside little coats, high heels, trapper boots and if needed, mink coats, Norwegian gloves, Swiss caps, leather bags – a real fashion revue with all sorts of goodies to buy.

Zakopane, the highest town in Poland (above 900 m), was first inhabited by steelworkers and mineworkers (Highlanders) for the steel mill located in Kuźnice. The first patients with lung diseases arrived here at the turn of the 18th and 19th century, but it was Doctor Tytus Chałubiński, after 1873, who brought to Zakopane health resort its true popularity. He opened the route to a certain Bohemian style of those times. Artists were so charmed by the grace, good nature and prowess of the regional inhabitants that they commemorated them in their prose and poetry.

Today the Highland people have lost much of their romanticism. They have followed the rush of capitalism, bought cars, built boarding houses, turned from brigands to directors and businessmen, although 'they have a keen understanding of the value of money'. They are also often accused of commercializing their unique folklore, but it is their traditions – as well as that of the Tatras, the smallest and the most beautiful mountains in the world – that makes Zakopane such a distinct and colourful place. The 19th century artist Stanislaw Witkiewicz also contributed to its popularity by creating the Zakopane style based on the work of local carpenters and decorative patterns from Podhale. He was greatly inspired by Highland traditions and the houses built with wooden logs fascinated him, and visitors today, with their simplicity and rich ornamentation. Witkiewicz's important constructons are the church in Jaszczurowka and the Koliba mansion – today the Zakopane style architecture museum - this was the first built in that style in 1892. Many more mansions designed by Witkiewicz exist to this day in Zakopane: Oksza (25 Zamoyski Street), the House by the Firs (1 Koziniec) and the Albertine Order chapel on Kalatówki.

At the beginning of the 20th century, Zakopane-styled houses were built in central Poland, in Śląsk and even in America and today, after years of being forgotten, they have become popular again. Increasingly contemporary constructions here allude to a type of folkloric architecture and the Zakopane style with an attempt to situate it in the mountain landscape and fit it into the Zakopane 'climate' which is its most characteristic feature.

Z Ludwik Zamenhof

Genialny lingwista, twórca najpopularniejszego na świecie sztucznego języka – esperanto.

LUDWIK ZAMENHOF (1859–1917) pochodził z wielonarodowego i wielojęzycznego Białegostoku. Jego rodzina miała korzenie żydowskie, a koledzy rozmawiali w jidysz, po polsku, rosyjsku, ukraińsku, białorusku, litewsku i niemiecku. On sam czerpał z tej atmosfery pełnymi garściami – mając zaledwie 14 lat, biegle władał już kilkoma językami. Głód wiedzy wyniósł z domu. Podsycał go w nim dziadek – nauczyciel języków obcych – i ojciec, który uczył geografii oraz francuskiego i niemieckiego. Młody Ludwik obserwował białostocki tygiel i uznał, że przyczyną nieporozumień i sporów jest bariera językowa. Mając zaledwie 10 lat, opublikował poruszający tę tematykę dramat „Wieża Babel, czyli tragedia białostocka w pięciu aktach". Wtedy też zaczął marzyć o stworzeniu własnego sztucznego języka, którym mówiliby wszyscy na świecie.

Dokonał tego kilka lat później, kiedy rodzina przeniosła się do Warszawy, a on sam uczęszczał do stołecznego gimnazjum. Proste założenia językowe, m.in. nieskomplikowane reguły gramatyki nieuznające wyjątków i rdzenie wyrazów zaczerpnięte z języków romańskich, miały zagwarantować nowemu językowi duże powodzenie. Niestety, nie zdobył popularności nawet w jego domu rodzinnym – ojciec przekonany, że tworzenie sztucznego języka jest stratą czasu, posłał Zamenhofa na studia medyczne do Moskwy, a kiedy tam zapanowała histeria antysemicka, przeniósł go do Wiednia. Na powracającego znad Dunaju młodego okulistę czekał w domu podręcznik wolapiku, syntetycznego języka opracowanego przez niemieckiego księdza. Ojciec uważał, że wiadomość o istniejącym już sztucznym języku sprowadzi syna na ziemię. Ludwik nie zniechęcił się jednak i po kilku latach pracy w warszawskim szpitalu w 1887 r. zrezygnował z zawodu lekarza i dzięki hojności teścia opublikował pod pseudonimem Dr Esperanto („mający nadzieję") podręcznik do nauki nowego języka.

Prostota i użyteczność esperanto, jak z czasem zaczęto go nazywać, przyniosły autorowi w 1905 r. Legię Honorową. Paryż witał go rozświetloną Wieżą Eiffla, kiedy zmierzał na I Światowy Kongres Esperanto w Boulogne-Sur-Mar we Francji. Na esperanto przekładano literaturę polską („Pan Tadeusz" Adama Mickiewicza), rosyjską („Zamieć" Aleksandra Puszkina) czy Stary Testament. Do dnia dzisiejszego wydano około 30 tys. tytułów.

Zamenhof próbował także stworzyć jedną uniwersalną religię. Był przekonany, że to położy kres wszelkim podziałom i prześladowaniom. Jego pomysł nie znalazł jednak większego poparcia. W 1913 r. nazwisko Zamenhofa pojawiło się wśród kandydatów do Nagrody Nobla. Niestety, nie doczekał jej przyznania – zmarł w Warszawie w 1917 r. Stworzone przez niego esperanto stało się najbardziej popularnym sztucznym językiem świata – dzisiaj posługuje się nim około miliona ludzi. I choć sztuczny język dawno przegrał już ze współczesnym światowym językiem – angielskim – wciąż ma niemałe grono zwolenników regularnie spotykających się na corocznych kongresach.

Ludwik Zamenhof

■ Ludwik Łazarz Zamenhof – Ludoviko Lazaro Zamenhof w esperanto
■ Ludwik Łazarz Zamenhof – Ludoviko Lazaro Zamenhof in Esperanto

A linguistic genius, the inventor of the most widely used constructed language in the world – Esperanto.

W 2009 r., w 150. rocznicę urodzin genialnego lingwisty, kongres odbył się w jego rodzinnym mieście – Białymstoku, gdzie znajduje się Centrum im. Ludwika Zamenhofa.

LUDWIK ZAMENHOF (1859–1917) was born in multi-ethnic and multi-language Białystok. His family was of Jewish origins and his friends spoke Yiddish, Polish, Russian, Ukrainian, Belorussian, Latvian and German. Zamenhof was able to benefit from this situation and at the age of just 14 he spoke several languages fluently. His hunger for knowledge came from his family, from his grandfather – a teacher of foreign languages and his father who taught him Geography, French and German. Living in this melting pot of languages in Białystok young Ludwik soon became convinced that the reason behind many conflicts was the language barrier. When he was only 10, he published a play entitled, *The Tower of Babel or the Tragedy in Five Acts*, on this premise. It was then that he started dreaming of constructing his own language which could be spoken all over the world.

This dream was realised a few years later when his family moved to Warsaw and he started attending secondary school. Very simple principles such as uncomplicated grammar rules with no exceptions and word roots taken from Roman languages were supposed to guarantee the success of this new language. Unfortunately the idea was not very popular even in his family home. Zamenhof's father, convinced that inventing an artificial language was a waste of time, sent Ludwik to study medicine in Moscow. When anti-Semitic hysteria swept Moscow, Zamenhof was moved by his father to Vienna. When he came home from across the Danube, a textbook of Volapuk, a constructed language developed by a German priest, was waiting for the young ophthalmologist. Zamenhof's father believed that news of the existence of an artificial language already in existence would bring his son down to earth. However, Ludwik was not so easily put off in his mission. In 1887, after several years of working in a hospital in Warsaw, Zamenhof resigned from the medical profession and thanks to the generosity of his father-in-law he was able to publish a textbook of the new language under the pseudonym Dr Esperanto (Dr Hopeful).

The simplicity and usefulness of Esperanto, as it came to be known, brought to its author the Legion of Honour in 1905. When on his way to Boulogne-sur-Mar for the first World Congress of Esperanto the illuminated Eiffel tower welcomed him to Paris. Work translated into Esperanto include Polish and Russian literature (Adam Mickiewicz's Pan Tadeusz and Puszkin's The Blizzard) and the Old Testament. Today there are 30 000 books published in Esperanto.

Zamenhof also tried to create one universal religion. He firmly believed that this would put an end to persecution and religious discord. However, this idea was not widely supported. In 1913 Zamenhof was among candidates for the Nobel Prize. Unfortunately he did not live long enough to receive it. He died in Warsaw in 1917. Zamenhof's invention – Esperanto, has become the most popular constructed language in the world. Up to 1 million people speak Esperanto worldwide. Although Esperanto lost to English as the modern *lingua franca* many years ago, it still has a number of enthusiasts who meet each year at the Congress. In 2009, celebrating the 150th anniversary of Zamenhof's birth, the Esperanto Congress took place in his home town, Białystok, where the Ludwik Zamenhof Centre is located.

■ Karta pocztowa esperantystów
■ Esperanto post card

■ Ratusz na zamojskim rynku
■ Town Hall in Zamość market square

Zamość

Zamość

Renesansowe miasto idealne.

NAZYWA SIĘ GO „PERŁĄ RENESANSU", „Padwą Północy" lub „Miastem Arkad". To najbardziej włoskie miasto poza granicami Italii. Układ urbanistyczny centrum Zamościa pozostał niezmieniony od powstania w XVI w. Śródmieście wraz z zespołem około 120 obiektów zaliczono do zabytków o najwyższej wartości artystyczno-historycznej w skali światowej i w 1992 r. jako pomnik historii wpisano na Listę Światowego Dziedzictwa UNESCO. Czytelnicy dziennika „Rzeczpospolita" uhonorowali miasto tytułem jednego z „siedmiu cudów Polski".

Zamość powstał z woli i pieniędzy jednego człowieka – kanclerza i hetmana wielkiego koronnego Jana Zamoyskiego – oraz według projektu jednego architekta – Włocha Bernardo Morando. Jego twórca dostał niepowtarzalną szansę wybudowania miasta od podstaw, doskonałego architektonicznie, jednorodnego w stylu, w sposób harmonijny łączącego funkcje gospodarcze, naukowe, kulturowe i obronne. Zgodnie z humanistycznym przekonaniem o doskonałości ludzkiego ciała stworzył je na obraz i podobieństwo człowieka. Głową i mózgiem uczynił najbardziej okazałą w tamtych czasach budowlę – pałac Zamoyskich, kręgosłupem – główną ulicę Grodzką, a sercem – ratusz. Potężne bastiony niczym dłonie i stopy służyły do wsparcia i obrony. Kolegiacie i Akademii Zamojskiej przypadła rola płuc.

Nawet kształt pojedynczych obiektów nie był dziełem przypadku. Kolegiata jest dokładnie 15 razy mniejsza od miasta i może pomieścić 3 tys. osób – tyle ile miało liczyć idealne miasto. Morando zaprojektował też dwie kamienice: Tellaniego w południowej pierzei oraz swoją własną – w zachodniej, na których wszyscy właściciele musieli się wzorować. W ten sposób powstał dopracowany do ostatniego szczegółu, unikalny organizm miejski. Do dziś symetria, ład przestrzenny i arkady na parterze kamienic przywodzą na myśl południowoeuropejskie miasta idealne, m.in. renesansowe miejscowości we Włoszech (Sabbioneta i Pienza) czy barokowe w Portugalii (Vila Real de Santo Antonio).

Nowo powstałe miasto chętnie przyjmowało przybyszów z innych krajów i innych wyznań – pierwsi po obywatelach Rzeczypospolitej przywilej osiedlania się i wzniesienia świątyni otrzymali Ormianie z Turcji i Armenii, a wkrótce po nich Żydzi sefardyjscy. W 1591 r. w mieście sporządzono spis powszechny, wedle którego Zamość zamieszkiwali: Polacy, Rusini, Ormianie, Grecy, Niemcy, Węgrzy, Włosi, Żydzi, Szkoci. Ludność miasta liczyła wówczas około tysiąca osób.

Zamojska Starówka ma zaledwie 600 m długości i 400 szerokości. Są tu trzy rynki: Wielki pełniący funkcje reprezentacyjne oraz Solny i Wodny, na których odbywały się jarmarki. Rynek Wielki (o rozmiarach 100 x 100 m), jeden z najwspanialszych XVI-wiecznych placów Europy, otaczają kolorowe kamienice z podcieniami. Najpiękniejsze, orientalne dekoracje mają fasady domów ormiańskich. Poczesne miejsce na rynku zajmuje ratusz. Kiedyś niepozorny i jednopiętrowy (by nie konkurować z rezydencją Zamoyskich), dzisiaj prezentuje się niezwykle okazale – ma wieżę wysoką na 52 m i szerokie schody od frontu.

A model Renaissance town.

ZAMOŚĆ IS CALLED A 'PEARL OF THE RENAISSANCE', 'Northern Padua' or the 'Town of Arcades'. This is the most Italian in aspect town outside of Italy. The architecture of the centre of Zamość has survived unchanged since it was built in the 16th century. Central Zamość with some 120 buildings is counted among the sites with the greatest historical value world wide and in 1992 it was added to the UNESCO World Heritage List. Readers of 'Rzeczpospolita' honoured it with the title of one of the seven 'Polish Wonders'.

Zamość was created at the initiative and with the money of one man – the Chancellor and Grand Crown Hetman, Jan Zamoyski, according to a design by one architect – Italian, Bernardo Morando. Its creator received a unique chance to build a town 'from scratch', a town architecturally perfect, homogenous in style, harmoniously combining administrative, academic, cultural and defensive functions. According to the humanist belief about the perfection of the human body, he created it in the image and likeness of Man. The head and brain was the most lavish building of those times – the Zamoyski palace, the spine – the main street Grodzka and the heart – the town hall. Massive bastions, as hands and feet, were used as support and protection. The Collegiate and the Zamoyski Academy had the role of lungs.

Even the shape of particular buildings was not accidental. The Collegiate is exactly 15 times smaller than the town and can hold 3,000 people – as many as an ideal town was supposed to have inhabitants. Morando also designed two buildings: Tellani's on the southern facade and his own – in the western facade, on which all house owners had to model their buildings. This is how the unique, planned to the last detail, municipal buildings were created. Today, the symmetry, specific order and arcades of the building's ground floors, bring to mind southern European towns, Renaissance towns in Italy (Sabbioneta and Pienza) and Baroque towns in Portugal (Vila Real de Santo Antonio).

The newly developed town welcomed newcomers from other countries and of other faiths – the first people, after the citizens of the Commonwealth, to receive the privilege of settling and building their temples were the Armenians from Turkey and Armenia, followed soon by – Sephardic Jews. In 1591 a census was carried out according to which Zamość was inhabited by Poles, Ruses, Armenians, Greeks, Germans, Hungarians, Jews and Scots. At that time the town had a population of 1,000 people.

The Old Town in Zamość is only 600 m long and 400 m wide. It has three squares: Wielki (Grand) which has a representative function, Solny (Salt) and Wodny (Water) where markets were held. The Grand Square (100 m by 100 m), one of the most beautiful 16th century squares in Europe, is surrounded by colourful buildings with arcades. The Armenian buildings also have very beautiful, oriental facades. The Town Hall is conspicuous and was once unremarkable and one-storey (not to compete with the Zamoyski residence). Today with additions through the centuries it seems rather incongruous – with its 52 m high tower and vast stairway at the front.

Z

Złoty polski

Polski środek płatniczy potocznie nazywany „złotówką".

■ Współczesne złotówki. Jeden złoty dzieli się na sto groszy
■ One zloty equals 100 groszy

POLSKI ZŁOTY pojawiał się i znikał na przestrzeni dziejów, podobnie jak samo państwo. Zmieniała się jego wartość i wygląd. Tylko w ciągu ostatniego wieku na banknotach umieszczano na przemian portrety ludzi pracy, wielkich Polaków, polskich królów. Zapewne za kilka lat pożegnamy się z naszą walutą. I choć ekonomiczne przesłanki wskazują na to, że wprowadzenie euro będzie korzystne dla państwa, to nawet najwięksi eurozwolennicy myślą o tym z łezką w oku. Polacy czują się bowiem przywiązani do swojej waluty, którą potocznie nazywają „złotówką". Nazwę tę stosuje się również do monety jednozłotowej.

Na początku były srebrne denary (już w X w.) i polskie grosze (16 denarów), a także pieniądz ze złota i miedzi zwany złotym czerwonym (a także dukatem lub florenem; początkowo o wartości 32 groszy). Złoty polski pojawił się jako pieniądz obrachunkowy około 1480 r. Monetą obiegową były wówczas srebrne grosze – 1 złoty odpowiadał wartości 30 groszy. W XVI w. wszedł do obiegu talar – duża srebrna moneta, równa wartości złotego dukata.

Złoty jako moneta pojawił się w 1663 r. za panowania króla Jana II Kazimierza Wazy. Bił je dzierżawca królewskiej mennicy Andrzej Tymf. Była to srebrna moneta o obniżonej wartości i zawartości 3,36 g srebra, nazywana tynfem lub tymfem (z tego okresu pochodzi popularne powiedzenie: „Dobry żart, tynfa wart"). Po rozbiorach zaborcy narzucili własny system monetarny. W Warszawie płacono więc w rublach, w Poznaniu w markach, a w Krakowie w guldenach, które pod koniec XIX w. zastąpiły korony. Dopiero w czasie insurekcji kościuszkowskiej pojawiły się pierwsze pieniądze papierowe z napisem „złoty polski".

Po odzyskaniu niepodległości w 1918 r. powrócono do złotego, choć jeszcze przez kilka lat utrzymała się marka polska, której znaleziono w kasach państwowych aż 360 mln. W 1923 r. inflacja przybrała tak katastrofalne rozmiary, że reforma stała się koniecznością. Dokonał jej rząd Władysława Grabskiego, wprowadzając w kwietniu 1924 r. polski złoty. Jego pojawienie się, po okresie prób destabilizacji, okazało się wielkim sukcesem Polski, a złoty był jednym z najbardziej pożądanych pieniędzy w Europie, mającym pokrycie w złocie. W 1925 r. jeden dolar wart był 5,18 złotego.

W czasie II wojny światowej na terenie Generalnej Guberni obowiązywały banknoty złotowe, popularnie nazywane młynarkami (od Feliksa Młynarskiego stojącego na czele banku). Powojenny złoty Polskiej Rzeczypospolitej Ludowej był tylko cieniem swojej dawnej świetności.

The Polish zloty

The Polish medium of payment commonly called 'złotówka'.

■ Banknot jednozłotowy z 1944 r.
■ One zloty banknote from 1944

Nie był brany pod uwagę w szerokiej wymianie handlowej ze światem kapitalistycznym. 28 października 1950 r. władze przeprowadziły denominację, na skutek której nastąpiła konfiskata 2/3 oszczędności ludności. Do końca lat 70. banknotem o najwyższym nominale było 2 tys. złotych. W latach 80. przybywały kolejne banknoty: 5 000, 10 000, 100 000. W 1989 r. Polacy mieli kieszenie wypchane pieniędzmi, za które niczego nie można było kupić. Walka z inflacją stała się najważniejszym celem programu Leszka Balcerowicza.

Dopiero denominacja przeprowadzona w 1994 r. (1 nowy złoty za 10 000 starych) i ogromne zmiany gospodarcze w Polsce doprowadziły do powrotu złotego jako mocnego środka płatniczego, którego kurs na początku 2011 r. wynosił w stosunku do dolara około 3 zł, a do euro – 4 zł.

OVER THE COURSE of history the Polish zloty has appeared and disappeared several times, much as the country itself. Both its value and its appearance changed. Only in the last century, have portraits of great Poles and Polish kings been printed on banknotes, alternating with men at work. Without a doubt, in a few years we will bid farewell to our currency and although the economic argument indicates that the introduction of the Euro will be beneficial to the country, even leading Euro-sympathizers have tears in their eyes when they think about the forthcoming changeover. This is because Poles feel attached to their currency, which they call colloquially, 'zlotowka'. This name also applies to the one-zloty coin.

Polish 'monies' can be said to have begun with the silver denarii (as early as the tenth century) and the Polish groszy (16 denarii), and a gold and copper coin called the red zloty (other names: ducat or florin; its initial value was 32 groszy). The Polish zloty appeared as accountable currency around 1480. The currency at the time was the silver grosz and 1 zloty equaled 30 groszy. In the 16th century, the talar came into circulation – a big, silver coin, equal in value to the golden ducat.

The zloty appeared as a coin in 1663, during the reign of John II Casimir Vasa. It was minted by the administrator of the royal mint, Andrzej Tymf. It was a silver coin, with a decreased value containing 3,36 grams of silver, called *tynf* or *tymf* (a popular saying at the time was: "A good joke, worth a tynf indeed"). After the Partitions, the occupants imposed their own monetary system and in Warsaw the currency became the ruble, in Poznan the mark and in Krakow the guilder, which was replaced by the krone by the end of the 19th century. It wasn't until the Kosciuszko Uprising that the first paper money with the inscription 'Polish zloty" appeared.

After Poland regained independence in 1918, the zloty was restored, although for a few years the Polish mark remained in circulation, of which 360 billion was in the public sector. By 1923 inflation had grown to such a calamitous extent that a reform was necessary and this was made by the Cabinet of Władysław Grabski by introducing the Polish zloty in April 1924. Its appearance, after attempts at destabilization, turned out to be a great success in Poland and the gold-backed zloty became one of the most sought after currencies in Europe. In 1925, one dollar was worth 5,18 zloty.

During World War II, one-zloty banknotes were the operative currency in the General Government territory. They were commonly called *młynarki* (from Feliks Młynarski, the head of the bank). The post-war zloty of the People's Republic of Poland was but a shadow of its former glory and it had no value in international trade and exchange with the capitalist world. On the 28th October 1950 the government devalued the zloty which resulted in the loss of 2/3 of the population's savings. By the end of the 1970's the largest denomination banknote was 2000 zlotys. In the 1980's, additional banknotes appeared: 5000, 10000, 100000. By 1989 Poles had pockets stuffed with money which couldn't buy anything and the war against inflation became the primary objective of Leszek Balcerowicz's program, but it was the devaluation conducted in 1994 (1 new zloty for 10000 old ones) and tremendous economic changes in Poland which returned the zloty as a firm medium of exchange. At the beginning of 2011 the rate of exchange to the dollar was around 3 zlotys, and to the Euro – 4 zlotys.

■ Król polskich kniei
■ The King of the Polish forests

Żubr

Polska jest ojczyzną około 1/4 populacji największego ssaka Europy. To u nas na przełomie XIV i XV w. wprowadzono pierwszy system ochrony tego zwierzęcia.

W PRZECIWIEŃSTWIE DO PÓŁNOCNOAMERYKAŃSKICH KREWNYCH – BIZONÓW, które żyją na otwartych przestrzeniach trawiastych prerii, europejskie żubry chętnie kryją się w gęstych lasach. Nic więc dziwnego, że te ogromne ssaki upodobały sobie dzikie polskie puszcze: Białowieską, Borecką, Knyszyńską, Piską, Romincką, oraz bieszczadzkie lasy. Poza Polską żubry występują tylko na Białorusi, Litwie, Ukrainie i w Rosji.

Żubr jest największym na kontynencie europejskim zwierzęciem żyjącym na wolności. Samiec dorasta do 2 m wysokości w kłębie i waży do tysiąca kilogramów. Niewiele niższa samica jest zazwyczaj o połowę od niego lżejsza. Zwierzęta mają potężny przód, który dzięki gęstej w tej części ciała sierści wygląda na jeszcze masywniejszy, oraz stosunkowo delikatny tył. Żywią się trawami, ziołami, liśćmi krzewów, korą młodych drzew i żołędziami, o które w czasie mroźnej zimy potrafią krwawo rywalizować z dzikami. Chętnie żyją w stadach liczących po kilkanaście sztuk, tylko na czas rui łączą się w kilkakrotnie większe grupy. Najstarsze osobniki dożywają 35 lat.

Z zapisków polskich kronikarzy dowiadujemy się, że w średniowieczu bardzo liczne stada żubrów mieszkały w puszczach. Lasy należały jednak do królów, którzy wraz ze swoją świtą urządzali w nich polowania. Żubry były szczególnie cenione przez myśliwych ze względu na smaczne mięso. Prawdopodobnie pierwszy system ich ochrony wprowadził Władysław Jagiełło (władca Polski w latach 1386–1434), który zorganizował sieć strażników puszcz, zwanych „osocznikami" – do ich obowiązków należało m.in. dbanie o populację żubra. Zwierzęta były chronione jednak nie tylko ze względu na mięso, którym wykarmiano armię, ale także dla rozsławienia królestwa – na organizowane w puszczy polowania przywożono dyplomatów, głowy państw i kościelnych dostojników. Zrelaksowani po udanych łowach oficjele byli bardziej skłonni do kompromisów i łatwiejsi w negocjacjach z polskimi politykami.

System ochrony żubra znacznie przeżył swojego autora i przez kolejnych królów był pielęgnowany i ulepszany. Jednak mimo wprowadzenia przez Zygmunta Augusta całkowitego zakazu polowań na te zwierzęta ich populacja ciągle malała. W Puszczy Białowieskiej, gdzie żubrom powodziło się najlepiej, do początku XX w. dożyło tylko 727 tych majestatycznych ssaków. Kres egzystencji całego gatunku przyniosła I wojna światowa – bezprawie, które zapanowało w trakcie przemarszu obcych armii, spowodowało, że do 1919 r. żubry zostały wybite do ostatniej sztuki.

Prace nad reintrodukcją gatunku prowadzone były od 1923 r. Do odtworzenia populacji posłużyły osobniki, które przetrwały w ogrodach zoologicznych na całym świecie. Do przywracania gatunku posłużyło zaledwie 12 sztuk, pozostałe bowiem powstały przez krzyżowanie z bizonami lub żubrami kaukaskimi. Triumfalny powrót żubra nastąpił w latach 50. XX w. Dziś w całej Polsce żyje na wolności ponad 650 sztuk.

Bison

Poland is home to about one-fourth of the population of the largest terrestrial animals in the world. Protecting this animal was first thought of in Poland at the turn of the 14th and 15th century.

UNLIKE THEIR NORTHERN AMERICAN COUSINS – BUFFALO, which live in the open spaces of the grassy prairies – European bison are happier in dense forests. It is no wonder then, that these large mammals prefer Polish forests: Białowieża, Borecka, Knyszyńska, Piska, Romincka forests, as well as forests in the Bieszczady Mountains. Outside of Poland bison live only in Belarus, Lithuania, Ukraine and Russia.

The bison is the largest animal living free on the European Continent. The male grows to two metres at its withers and weighs up to one thousand kilos. The female is not much shorter but she usually weighs half as much. The animals have a massive torso, which with the thick covering of fur looks even larger, but much smaller hindquarters. They eat grass, herbs, bush leaves, the bark of young trees and acorns for which they have to fight sometimes in bloody clashes with wild boars during the freezing winter months. Bison prefer to live in herds of a little over ten animals and in the mating season join up into larger groups. The oldest animals live up to 35 years of age.

The writings of Polish chroniclers in the Medieval Ages, mention numerous herds of bison roaming the Polish forests. At that time the forests belonged to the king, who together with his court organized great hunts there. The first system of bison protection was probably introduced by King Władysław Jagiełło (reign 1386–1434), who put together a company of forest guards called 'osocznicy' – and among their duties was the guardianship of the bison population. The animals were protected not only for their meat which fed the army, but also for the notoriety of the Kingdom – diplomats, heads of states and churches were invited to the hunts in the forest. Officials, relaxed after a successful hunt, were more prone to compromise and easier in negotiations with Polish politicians. The bison protection arrangement outlived its original creators and was continued and improved by successive kings. Yet, in spite of King Zygmunt August (reign 1548–1569) introducing a complete ban on hunting bison, the population continued to decrease. In Białowieża Forest, where the animals were the most numerous, there were only 727 of those majestic mammals living at the beginning of the 20th century. World War II brought an end to the entire species – the lawlessness of foreign armies in these regions killed off the last of the bison in 1919.

Reintroducing the species has been going on since 1923 and the animals are breeding successfully today. Bison which had survived in zoos around the world were used to recreate the species. Only 12 animals were used, others were crossed with American buffalo or Caucasian bison. The triumphal return of the bison took place in the 1950's. At present over 650 bison live in freedom in Poland.

Ż Żydzi

Przez wiele wieków Polska była azylem i ojczyzną narodu wybranego. Dzisiaj ponad połowa wszystkich Żydów w diasporze ma polskie korzenie.

NA TYSIĄCLETNIĄ HISTORIĘ współistnienia dwóch narodów, polskiego i żydowskiego, składają się okresy wzajemnej akceptacji i tolerancji oraz krwawe konflikty; na przemian brak zrozumienia, to znów harmonijna współpraca i solidarna walka przeciw wspólnym wrogom. Przez długie wieki wygnani i prześladowani Żydzi znajdowali na ziemiach polskich azyl, a nawet opiekę i ochronę władców, którzy nadawali im niespotykane w innych częściach świata przywileje (jak choćby słynny statut kaliski z 1264 r.). Żydowską nazwę naszego kraju „Polin" tłumaczy się jako „tu odpocznij" (z hebrajskiego: *po* – tutaj i *lanuah* – odpoczywać).

W 1939 r. w Polsce żyło 3,5 miliona Żydów, czyli 10 proc. ogółu ludności. Było to największe skupisko Żydów w ówczesnej Europie i drugie co do wielkości na świecie – po USA. W wyniku hitlerowskiej eksterminacji podczas II wojny światowej oraz późniejszych emigracji (m.in. na skutek polityki komunistycznych władz) niewielu Żydów pozostało w Polsce. Jak pisał Antoni Słonimski, polski poeta o żydowskich korzeniach: „już nie ma tych miasteczek, gdzie szewc był poetą, zegarmistrz filozofem, fryzjer trubadurem". I choć w wielowiekowej historii wzajemnych stosunków są też ciemne plamy, to jednak Polaków jest zdecydowanie najwięcej wśród „Sprawiedliwych wśród Narodów Świata" – odznaczenia przyznawanego osobom ratującym życie Żydów w czasie II wojny światowej. A Hitlerowski Obóz Nazistowski Auschwitz-Birkenau w Oświęcimiu oraz inne miejsca kaźni to nie tylko cele izraelskich pielgrzymek, ale i otoczone czcią polskie miejsca pamięci.

The Jewish people

■ Każdego roku chasydzi z całego świata spotykają się przy grobie cadyka Biedermana w Lelowie

■ Every year, Hassids from all around the world meet in Lelów at the grave of Tzadik Biederman

For centuries, Poland has been the asylum and homeland of the Chosen People. Over half of the Jewish Diaspora originates from Poland.

Dzisiaj Żydzi stanowią zaledwie 1-2 proc. społeczeństwa. Skupiają się w kilku gminach wyznaniowych i licznych organizacjach aktywnie działających na rzecz ochrony, odzyskania i rewitalizacji żydowskiego mienia. Funkcję Naczelnego Rabina RP pełni Michael Schudrich.

Świadectwem żydowskiej przeszłości są rozsiane w polskim krajobrazie zabytki kultury materialnej – synagogi, domy modlitwy, kirkuty czy mykwy, a także żydowskie miasteczka, jak Tykocin, Leżajsk, Lelów, Szczebrzeszyn, Przysucha, Kazimierz, w których do dnia dzisiejszego czuć dawną atmosferę sztetł. W Krakowie znajduje się najlepiej zachowana dzielnica żydowska w Europie z zabudową z XV-XVIII w. Na Krakowskim Kazimierzu stoi aż siedem dużych synagog i co roku odbywa się Festiwal Kultury Żydowskiej. Podobny festiwal, pod nazwą Warszawa Singera, odbywa się w stolicy. W Warszawie znajduje się Państwowy Teatr Żydowski im. Estery Racheli Kamińskiej wystawiający przedstawienia w jidysz. Znaczącą placówką działającą pod egidą Ministerstwa Kultury i Sztuki jest Żydowski Instytut Historyczny (ŻIH), który od 1994 r. posiada status instytutu naukowo-badawczego.

Polska chlubi się pięcioma laureatami Nagrody Nobla. Wśród nich jest Maria Skłodowska-Curie, która zdobyła tę nagrodę jako obywatelka francuska polskiego pochodzenia. Tymczasem z ponad 120 żydowskich laureatów co najmniej kilkunastu pochodzi z Polski. Należą do nich m.in. Szymon Peres – laureat pokojowej Nagrody Nobla czy urodzony w Leoncinie pod Radzyminem wybitny pisarz Isaac Bashevis Singer.

Z Polski pochodził pierwszy premier powstałego w 1948 r. państwa Izrael – Dawid Ben-Gurion, czyli urodzony w Płońsku w 1886 r. Dawid Grin. W Łodzi urodził się jeden z najsłynniejszych współczesnych architektów – Daniel Libeskind, laureat prestiżowego konkursu na zabudowę terenu po zburzonym WTC w Nowym Jorku. Wielu cenionych Polaków, jak choćby Bruno Schulz, Julian Tuwim, Bolesław Leśmian, miało żydowskie pochodzenie.

ONE THOUSAND YEARS of Polish and Jewish coexistence is interspersed with periods of mutual acceptance and bloody conflicts, misunderstandings, and then harmonious cooperation united in battle against the common foe. For many centuries the banished and persecuted Jews found asylum in Poland and even the protection of the rulers who granted them privileges to an extent unheard of in other European countries (see the Statute of Kalisz of 1264). The Jewish name of the country, Polin, can be translated as 'rest here' (Hebrew: *po* – here, *lanuah* – to rest).

In 1939, there were 3.5 million Jews in Poland, 10 percent of the population. It was the largest population of Jews in Europe and the second largest in the world (after USA). The Holocaust of World War II and further emigration (the consequence of communist politics), left only a few thousand Jews in Poland. As the Polish writer of Jewish origin, Antoni Słonimski, wrote: 'there are no such towns anymore, where a shoemaker is a poet, a watchmaker a philosopher and a hairdresser a troubadour.' And although the long-lasting history of mutual relations is marked by dark events Poles prevail among the Righteous among the Nations honoured for saving Jewish lives during World War II. The Nazi Concentration Camp Auschwitz-Birkenau and other places of execution are not the only destination of Jewish pilgrimages; there are other shrines and memorials around the country.

Today, the Jewish population makes up barely 1–2 percent of Polish society. They can be found in several religious groups and organizations actively working for the restitution of Jewish property. The Chief Rabi of Poland is Michael Schudrich.

Evidence of the Jewish past lies in many places in Poland – synagogues, prayer houses, cemeteries, mikvah and the Jewish towns Tykocin, Leżajsk, Lelów, Szczebrzeszyn, Przysucha and Kazimierz, where the ancient traditional Shtetl atmosphere can still be felt. The Jewish district of Kazimierz in Kraków has architecture from 15th–18th century and seven large synagogues. Every year it hosts the Jewish Cultural Festival with a similar festival, The Warsaw of Issac Singer, in Warsaw. The capital of Poland also has the Estera Rachela Kamińska State Jewish Theatre, presenting shows in Yiddish. A major centre under the aegis of the Ministry of Culture and Arts is the Jewish Historical Institute, active as a research institute since 1994.

Poles are proud of their Noble Prize winners. One was Maria Skłodowska-Curie who won the prize as a French citizen of Polish origin. Out of over 120 Jewish laureates, several come from Poland, including the winner of the Nobel Peace Prize, Szymon Perez and the prominent writer born in Leoncin (near Radzymin) Isaac Bashevis Singer.

The first prime minister of the State of Israel, formed in 1948, Dawid Ben-Gurion also comes from Poland (born in Płońsk as Dawid Grin in 1886). Daniel Libeskind, the eminent contemporary architect, is from Łódź. He is the winner of the prestigious competition for a building on the WTC site in New York. Many highly regarded Poles such as Bruno Schulz, Julian Tuwim, and Bolesław Leśmian were also of Jewish origin.

Najważniejsze postaci, miejsca, wydarzenia i pojęcia

The most important people, places and events

Zdjęcia / Photos:
Cezary Andrejczuk (s. 140), Robert Dejtrowski (s. 193), Jacenty Dędek (s. 62, 210), Tomasz Gębuś (s. 164), Piotr Januszewski (s. 17, 44, 102, 144, 186, 196), Grzegorz i Tomasz Kłosowscy (s. 19, 208), Renata i Marek Kosińscy (s. 138), Beata i Mariusz Kowalewscy (s. 198), Grzegorz Leśniewski (s. 18), Tomasz Ogrodowczyk (s. 20), Artur Pawłowski (s. 150, 204), Krystyna i Aleksander Rabijowie (s. 141, 145, 150), Piotr Skórnicki (s. 122), Katarzyna Sołtyk (s. 45, 68, 170), Tomasz Stępień/ KUMULUS (s. 192), Piotr Wierzbowski (s. 182), Jan Włodarczyk (s. 16, 25, 100, 137, 154, 155, 165, 168, 183, 188, 200), Krzysztof Wojciewski (s. 98);

oraz:
Agencja Corbis: s. 30, 178 (Bernard Bisson); **Agencja EastNews:** s. 28, 36 (JHM), 38 (Paweł Skorzewski), 40 (Piotr Bławicki), 42 (Danuta Łomaczewska), 42 (Piechocki/Reporter), 54, 57 (Muzeum Niepodległości), 58 (Maximilian Stock), 60, 61, 64 (Robert Zalewski), 66 (Grzegorz Kozakiewicz), 70 (Druszcz/Polityka/ Reporter), 72, 74, 75, 78 (Andrzej Zbraniecki), 82 (Henyzewski/Reporter), 84 (Muzeum Niepodległości), 104 (Pempel/Reporter), 112 (Roger Viollet), 114, 115, 116 (Prus), 118 (Piotr Blawicki), 120 (AFP), 121, 126, 127 (Iwańczuk/ Reporter), 128 (Danuta Łomaczewska), 130 (Roger Viollet), 131 (Muzeum Literatury), 130 (Druszcz/Reporter), 148 (Maszewski/Reporter), 152, 153, 157, 158, 160, 162, 166 (Domiński/Reporter), 175 (Dędek/Reporter), 180 (Zych/Reporter), 187 (Marek Zajdler), 190 (Muzeum Literatury), 194 (Tolyz/Reporter), 202; **Agencja Forum:** s. 12 (Andrzej Sidor), 14 (Janusz Sobolewski), 24 (Michał Tuliński), 33 (FoKa), 38, 52 (archiwum Jerzego Kukuczki), 53 (Wojciech Kukuczka), 76 i 90 (Marek Skorupski), 92 (Pokrycki/Reporter), 93, 106 (Daniel Pach), 107 (Grzegorz Jakubowski), 108 (Piotr Małecki), 110 (Konrad Kalbarczyk), 124 (Marek Kudelski), 134 (Erazm Ciołek), 142 (Kosc/Reporter), 146 (Marek Skorupski), 160 (Krzysztof Kossobudzki), 163 (Persson Johan/ArenalPal), 166 (Maciej Skawiński), 174 i 176 (Marek Skorupski), 203 (Piotr Mecik); **Biblioteka Publiczna Miasta Rydułtowy:** s. 56; **Fotolia:** s. 15, 26, 28, 29, 34, 35, 46, 48, 49, 86, 88, 94, 109, 123, 172, 184, 206, 207; **Muzeum Narodowe w Warszawie:** s. 32, 50, 96, 129; **Muzeum Powstania Warszawskiego:** s. 136 (Eugeniusz Lokajski „Brok"); **Narodowe Archiwum Cyfrowe:** s. 22, 23; **Narodowy Instytut Fryderyka Chopina (MFC):** s. 30; **Polska Agencja Prasowa:** s. 156 (Tomasz Gzell); **Wikimedia Commons:** s. 25, 80, 85, 147.

Współwydawcy książki „Polskie symbole":

MULTICO Oficyna Wydawnicza sp. z o.o.
ul. Kazimierzowska 14
02-589 Warszawa

ISBN 978-83-7073-968-3

Fundacja Kocham Polskę
ul. Puławska 41 lok. 19
02-508 Warszawa

ISBN 978-83-7781-000-2

Co robimy, gdzie jesteśmy?

MULTICO Oficyna Wydawnicza sp. z o.o. powstała w 1991 roku. To już 20 lat. Dotychczas ukazało się blisko 1000 tytułów. Nasze książki pomagają poznawać przyrodę, realizować pasje, uprawiać sport i aktywnie spędzać czas. Piszemy też o tradycyjnej polskiej kuchni, czerpiącej z bogactwa naturalnych produktów. To w naszej Oficynie powstają najpiękniejsze albumy o Polsce. Nie zapominamy też o najmłodszych Czytelnikach. Wiemy, że właśnie w dzieciństwie rodzi się pasja, dlatego wydawanie atrakcyjnych tytułów edukacyjnych dla dzieci jest dla nas ważnym wyzwaniem.

Oficyna wydaje książki polskich autorów, specjalistów w swoich dziedzinach. Nasi wymagający i krytyczni Czytelnicy potwierdzają, że można polegać na wiedzy, radach i doświadczeniach przekazywanych w naszych publikacjach. Nowoczesna i przyjazna oprawa graficzna wszystkich książek sprawia, że lektura staje się prawdziwą przyjemnością. Już od 20 lat cieszymy się zaufaniem Czytelników. W wielu domach na półkach znaleźć można wydane przez nas tytuły. Naszym celem jest, by książki ze znakiem MULTICO były pierwszym wyborem wymagających Czytelników. **Szukasz książki? Wybierz MULTICO.**

www.multicobooks.pl jest firmową stroną Oficyny. Na **www.multicobooks.pl** można znaleźć pełną ofertę wydawniczą, zapowiedzi nowości oraz podstawowe informacje o firmie i kontakt do pracowników. Można tu łatwo wybrać i szybko kupić wszystkie dostępne tytuły wydane przez naszą Oficynę.

MULTICO na Facebooku. Zapraszamy do odwiedzania naszego profilu na portalu społecznościowym. **Tu zawsze dzieje się coś ciekawego.** Atrakcyjne konkursy z nagrodami, informacje o aktywności firmy, zaproszenia na spotkania z autorami, zapowiedzi nowości wydawniczych, promocji, targów, relacje z wydarzeń – na profilu Multico codziennie czeka na Czytelników coś nowego. Tu, przez cały 2011 rok, będziemy informować o wszystkich działaniach związanych z naszym jubileuszem. **Warto dodać nas do znajomych.**

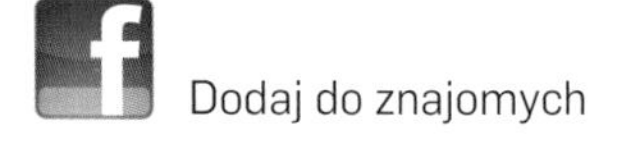

Fundacja Kocham Polską Przyrodę

FUNDACJA kocham polską przyrodę

została powołana w 2010 roku. Celem fundacji jest budzenie zainteresowania polską przyrodą, zachęcanie rodzin do aktywnego jej poznawania oraz wspieranie edukacji dzieci. Nasze działania pomagają kształtować postawy proekologiczne, zwłaszcza lokalnej społeczności. Współpracujemy z dobroczyńcami programów społecznych na rzecz przyrody. Zapraszamy na stronę fundacji **www.kochampolskaprzyrode.pl**

Fundacja zorganizowała i prowadzi Warszawską Stację Przyrodniczą. To miejsce, w którym odbywają się warsztaty przyrodnicze dla dzieci, szkolenia dla nauczycieli prowadzących zajęcia o przyrodzie w przedszkolach i szkołach oraz spotkania z autorami i naukowcami. Tutaj dzieci **świetnie się bawią**, a przy okazji zdobywają wiedzę. Atrakcje przyrodnicze, warsztaty, spotkania – sprawdź na **www.fkpp.pl**

Las książek to nowa stacjonarna i internetowa księgarnia przyrodnicza. Każdy, kto kocha przyrodę, znajdzie tu ciekawe książki, gry, zabawki ekologiczne, a także pomoce dydaktyczne oraz gadżety związane z polską przyrodą. W dni tematyczne (szczegóły w kalendarium) na Gości zawsze czekają niespodzianki.

Zapraszamy do księgarni od poniedziałku do piątku w godzinach od 10 do 18, oraz w wybrane weekendy. Pełna oferta księgarni zawsze na **www.lasksiazek.pl**